D0902257

La Porte du Messie

Philip Le Roy

La Porte du Messie

PRÉFACE DE **GUILLAUME HERVIEUX**

COLLECTION **THRILLERS**

cherche
midi

Vous aimez la littérature ? Inscrivez-vous à notre newsletter
pour suivre en avant-première toutes nos actualités :
www.cherche-midi.com

DIRECTION ÉDITORIALE : ARNAUD HOFMARCHER
COORDINATION ÉDITORIALE : MARIE MISANDEAU

© **le cherche midi, 2014**
23, rue du Cherche-Midi
75006 Paris

La porte du Messie ou Porte dorée est l'une des huit portes qui percent les remparts de la vieille ville de Jérusalem. Elle donnait jadis accès directement au mont du Temple ou esplanade des Mosquées, avant d'être murée par Soliman le Magnifique en 1541. D'après les chrétiens, Jésus serait entré à Jérusalem par cette porte. Selon la tradition juive, le Messie viendra aussi par là. C'est pourquoi les musulmans l'ont murée et ont construit leur cimetière juste devant, sachant qu'un grand prêtre ne peut pas traverser un tel lieu. Cette porte est censée se rouvrir à la fin des temps.

NOTE DE L'AUTEUR

Juillet 2013. Salon du livre à Porto-Vecchio. Une femme voilée s'approche de mon stand. Je constate qu'elle serre très fort un sac contre sa poitrine. Son regard noir est hypnotique. Elle n'est pas là pour une dédicace. Elle prétend détenir des informations qui devraient changer la face du monde et m'a choisi pour les révéler. Elle ne dispose d'aucun moyen, et ses jours sont comptés. Comment prendre ses propos au sérieux ? Méfiant, je suggère alors de lui présenter une journaliste à qui elle pourrait se confier. Pour toute réponse, elle abandonne son sac sur ma table et s'enfuit. Impossible de la rattraper dans la foule.

J'ouvre le sac avec précaution.

Ce qu'il contient est explosif, mais ça, je ne le sais pas encore.

Je découvre de nombreuses notes en vrac, des carnets, des comptes rendus, des photocopies, des cartes mémoire... Je pose tout cela à mes pieds et m'efforce d'oublier l'incident.

Au cours du dîner, j'en parle à Guillaume Hervieux, un ami théologien, qui accepte de jeter un œil sur ce que m'a légué cette femme étrange. En fin de soirée, nous rentrons à l'hôtel. Je lui montre le sac dont je répartis le contenu sur le lit. Guillaume me propose de lui laisser ces éléments qu'il souhaite étudier.

Je le retrouve le lendemain. Il n'a pas dormi de la nuit, mais ses yeux brillent. «Cette femme t'a mis entre les mains de quoi bouleverser l'histoire et surtout l'avenir de l'humanité!» s'emballe-t-il.

Avant de prendre la décision de les révéler, il faut décortiquer ces données qui se présentent sous la forme des témoignages écrits et de fichiers numériques, en vérifier l'authenticité, reconstituer les événements et leur chronologie.

Nous ne sommes pas assez de deux. Nous en parlons sous le sceau du secret à des érudits de confiance, constituons un groupe de travail, abandonnons nos activités en cours pour nous consacrer à l'examen approfondi de ces informations. Nous procédons avec précaution car il s'agit d'une véritable remise en question des origines de la deuxième religion la plus pratiquée dans le monde. Personne à ce jour n'a osé entreprendre ces recherches à l'exception d'une poignée d'orientalistes courageux et auteurs de thèses d'accès difficile.

Peu à peu, je reconstitue dans les moindres détails les faits incroyables qui ont conduit l'inconnue voilée jusqu'à moi. Ils mettent en lumière l'itinéraire hors du commun d'un homme que nous appellerons Simon. Les nombreuses notes prises par celui-ci (dont un court extrait ouvre chaque chapitre) et par celle que nous baptiserons Sabbah me sont d'une aide précieuse. Guillaume contrôle à chaque étape du manuscrit l'exactitude des révélations historiques et théologiques qui étaient le récit.

Conformément au souhait de l'inconnue, le livre est alors prêt à être publié.

Son titre s'impose : *La Porte du Messie*.

Je n'ai jamais revu la messagère au regard noir. J'ignore si elle est en vie aujourd'hui. Ce livre lui est dédié.

Pour des raisons de sécurité, les noms de certaines personnes et de quelques lieux ont été modifiés. Plusieurs dates aussi ont été changées. Quant aux rares zones d'ombre qui subsistent, elles s'éclairciront avec les événements à venir...

Philip Le Roy

PRÉFACE

« La vérité vous rendra libre », disait Jésus. Mais la vérité fait peur parce qu'elle bouleverse les croyances et fait vaciller les pouvoirs.

En son temps, Spinoza, le prince des philosophes, avait ébranlé les fondations du judaïsme en contestant à la Bible son statut de livre révélé par Moïse sous la dictée de Dieu.

Plus récemment, le succès du *Da Vinci Code* réanima le féminin sacré (si longtemps écarté) à travers la figure de Marie Magdeleine, la fiancée de Jésus. Le monde catholique trembla sur ces bases ; le célibat des prêtres a-t-il encore une raison d'être ?

Avec *La Porte du Messie*, vous voici, cher lecteur, projeté dans le présent immédiat. L'heure est venue que les derniers secrets cachés soient exhumés. Ils concernent l'islam.

En acceptant de transmettre ce que nous avons reçu et en publiant ce livre, nous avons pris un risque. En tournant cette page, vous en prendrez un aussi ; celui de voir vos certitudes s'effondrer. Si vous n'êtes pas prêt, alors arrêtez-vous là.

Guillaume Hervieux

PROLOGUE

« Je ne me rappelle pas comment tout a commencé. Pourtant j'étais aux premières loges du pire de ce que l'être humain est capable de commettre. »

En ce soir d'été 1983 dans le quartier beyrouthin d'Achrafieh, la douceur de l'air inclinait à oublier la guerre qui déchirait le Liban depuis 1975. La rue Monnot, matérialisant la ligne de démarcation entre chrétiens et musulmans, était vouée aux promeneurs insouciants. Les plus fortunés d'entre eux se dirigeaient vers la façade chic et chaleureuse de la Table de Paris. Derrière les vitres encadrées par des lampions multicolores, on devinait tout un art de vivre à la française. Un serveur élégant vous invitait à traverser la salle jusqu'au patio et à prendre place à l'une des tables réservée à votre nom. Les plats gastronomiques exhalant de mystérieux fumets défilaient au son cristallin d'une fontaine et d'un joueur d'accordéon libanais coiffé d'un béret. *« Les souvenirs sont bien souvent de vieux amis qui vous appellent... »* chantait le musicien. Quelques Français composaient la clientèle dont le célèbre journaliste Henri Lombardi. Il était avec la femme de sa vie : Leila. Ils avaient projeté ce repas romantique pour célébrer leurs quatre années de mariage. Leurs noces de cire, comme l'avait souligné Leila, à la lueur d'une bougie dont la flamme dansait dans ses grands yeux noirs. Un écrin carmin était posé au pied du bougeoir doré, sur la nappe blanche. Il contenait une bague ancienne en opale noire sertie de diamants qui avait appartenu à une princesse égyptienne et dont les reflets évoquaient l'éclat des yeux de Leila. Un cadeau de grande valeur qui n'aurait su pourtant exprimer l'immense amour qu'Henri vouait à Leila.

« Je me souviens d'un air d'accordéon qui traîne partout ses quatre notes... » susurrait l'artiste près de la fontaine.

Henri se souviendrait à jamais de ces quatre notes qui conviaient les couples à une valse. Il posa sa main sur celle de son épouse qui lui offrit le plus beau sourire qu'on pouvait imaginer. Elle gardait néanmoins dans son champ de vision l'enfant de deux ans qui déambulait entre les jambes des serveurs lestes. Précoce, leur fils marchait depuis l'âge de huit mois, ce qui requérait une attention de tous les instants. La baby-sitter avait eu un empêchement de dernière minute, contraignant le couple à emmener leur enfant avec eux. Le petit garçon était en train de jouer avec un chaton dans un coin du patio. « Emmener le fruit de notre amour pour célébrer notre mariage n'est pas aberrant, après tout », avait reconnu Leila qui prenait toujours le bon côté des choses.

Elle cachait une surprise pour Henri. Un cadeau précieux.

– Chéri, moi aussi j'ai quelque chose pour toi.

Henri la regarda, intrigué, excité, appâté.

L'accordéoniste s'approcha des deux amoureux et interrompit leur tête-à-tête pour terminer sa chanson :

J'ai dans mon cœur
La voix d'une chanson

Les dernières notes furent étrangement discordantes.

Le musicien se dandina sur les couacs, comme s'il était pris d'un malaise.

Henri s'aperçut qu'il transpirait anormalement.

Il vit sur son visage un masque sans expression.

Il vit la mort.

Qui chante tout haut sur ma jeunesse
Allah Akbar!

L'explosion fut foudroyante et dévastatrice.

Puis ce fut le silence.

Puis les cris.

Puis les pleurs.

Puis les prières.

Puis la haine.

TRENTE ANS PLUS TARD

LIVRE I

« Il a fallu attendre trente ans pour que je me pose cette question : qui suis-je ? Certains semblaient prêts à tuer pour avoir la réponse. »

1

Simon posa quelques billets de cinquante shekalim au milieu des verres vides. Il n'avait rien trouvé de plus original que l'alcool pour évacuer ses idées noires. La mort brutale de ses parents, la lettre terrible laissée par son père et ce voyage inutile en Israël l'avaient poussé contre deux ou trois zincs de Jérusalem en compagnie de son nouvel ami Markus, qui buvait par compassion. Simon bouscula un jeune couple en voulant s'écarter du comptoir. Ses excuses et son ébriété désamorcèrent immédiatement la bagarre. Markus l'aida à gagner sans plus de heurt la sortie du Hiero Bar.

— Toujours s'excuser face à un type dont on a écorché la fierté en présence de sa femme, bredouilla Simon. Surtout si la femme en question est jolie.

— Même soûl, tu as du savoir-vivre.

— La fréquentation des bouddhistes m'a appris la compassion.

— De la compassion à l'égard d'un jeune couple ? s'étonna Markus.

— Qui finira bien assez tôt par se déchirer.

— Avec ce genre de raisonnement, tu n'es pas près de fonder un foyer, mon ami.

— J'ai trouvé le calme dans la méditation et la marginalité. Fonder un foyer serait m'en éloigner.

— Et si tu tombes amoureux ?

— La passion amoureuse est destructrice. Rappelle-toi comment Carmen ensorcelle ce pauvre Don José.

Simon entonna la célèbre habanera de Georges Bizet :

L'amour est enfant de bohème
Il n'a jamais... jamais... jamais... connu de loi

Markus se joignit à lui et les deux hommes poursuivirent leur chemin en chantant à tue-tête. Leurs braillements ricochèrent sur les vieilles pierres de Jérusalem qui en avaient vu d'autres depuis plus de deux mille ans. Désinhibés par l'alcool, le duo se donna en spectacle devant un groupe de touristes égarés qui rebroussa chemin par prudence. Markus bifurqua dans une ruelle tracée dans l'alignement du mont du Temple. Simon le suivit obliquement. Ils bombèrent le torse pour lancer au ciel les paroles de Bizet.

Si tu ne m'aimes pas je t'èèèèèème
Et si je t'aime prends garde à toi

Un petit homme gras coiffé d'un chapeau noir les pria de baisser le ton et d'aller bramer ailleurs.

— *Prends garde à toi !* claironna Simon en lui plantant l'index sur la poitrine.

Markus retint l'ardeur de son complice et avertit l'individu replet et offusqué :

— Inutile de raisonner un homme qui a bu, l'ami.

— Je ne veux pas le savoir et je ne suis pas votre ami. J'appelle la police.

Il dégaina un téléphone portable. Simon bascula d'arrière en avant pour lui souffler son haleine de whisky :

— Eh, toi ! Tu connais le souffle du dragon ?

Il sortit un briquet de sa poche et menaça de l'allumer devant sa bouche. Le type déguerpit en les traitant de fous. Les compères éméchés se plièrent en deux pour évacuer leurs rires et leurs tripes. Simon profita d'être proche du sol pour ramasser un portefeuille. Il se redressa en vacillant et rattrapa l'homme au chapeau noir.

— Vous avez fait tomber ça, lui lança-t-il.

L'homme récupéra son bien, bafouilla un « merci » et s'éclipsa avec un air contrit.

— Eh bien, il a de la chance d'être tombé sur toi, celui-là aussi, s'exclama Markus en rejoignant Simon.

— C'est moi qui ai fait tomber son portefeuille en essayant de le lui subtiliser. D'habitude, j'y arrive facilement... quand je suis sobre.

— Pourquoi voler ce type ?

— Juste pour pouvoir l'entendre me dire merci après qu'il m'a insulté. Question d'harmonie.

— Tu l'as tellement impressionné qu'il a vraiment cru que tu allais cracher du feu en souffant sur ton briquet.

— Avec une haleine au Talisker dix ans d'âge, ça marche !

— Tu ne réussiras qu'à te cramer les poils du nez.

— Je te parie vingt euros.

— Tope là.

Claquement de paumes. Roulement de pierre à briquet. Gerbe d'étincelles. Souffle de feu. La flamme illumina l'air et Markus, qui, plus effrayé qu'incrédule, s'acquitta de sa dette en tremblant.

— Qu'est-ce qu'il t'arrive ? demanda Simon.

— Le feu. Je n'aime pas trop.

Il lui montra sa main droite à moitié brûlée.

— Accident de barbecue, dit-il.

Simon avait remarqué cette vilaine trace de brûlure, mais par pudeur il s'était gardé d'y faire allusion.

— Je suis trop liquide, lâcha Simon pour changer de sujet. Il faut que je me vide.

— Moi aussi.

Les deux fêtards poursuivirent leurs déambulations aléatoires en quête d'un endroit pour uriner. Ils se mirent au garde-à-vous au pied d'une muraille, le nez dans les étoiles et les braguettes baissées.

— Je peux t'avouer un truc ? lança Markus.

— Ouais mais vas-y mollo, en ce moment je traverse une période difficile.

— T'es en train de pisser sur un cadavre.

Simon recula en aspergeant ses godillots et fixa la silhouette gisant au pied du rempart.

— C'est un pékinois, dit Markus.

— Un pékinois ?

— Un chien.

— Merci, je sais ce qu'est un pékinois. Tu m'as foutu une de ces trouilles !

Ils s'éloignèrent en longeant les remparts, qui leur assuraient une translation rectiligne.

— À part piquer les portefeuilles, cracher du feu et pisser sur les clebs, tu as d'autres talents ? se moqua Markus.

Ils continuèrent leur périple sans destination tout en allongeant la liste des dons de Simon. Ce dernier se targuait de pouvoir deviner une dame rouge parmi cinquante-deux cartes retournées, faire tenir une cuillère en équilibre sur son nez et nouer une queue de cerise avec sa langue.

— Que des choses utiles en fait, remarqua Markus.

— Dans une soirée, je peux assurer l'animation.

– Et c'est tout ?

– Je suis capable de mettre les jambes derrière la nuque ou de décrocher d'un coup de pied la lanterne qui est au-dessus de ta tête, mais cela relève plus d'une pratique martiale acquise dans un monastère en Chine que d'une faculté particulière.

– Dans ton état, tu risques surtout de te retrouver par terre avant d'avoir levé un orteil.

– Je réanime les morts aussi, ajouta Simon juste avant de trébucher sur une tombe.

Ils avaient atteint le cimetière situé devant la Porte dorée. Simon se relev stoïquement sous les ricanements de Markus, prit appui sur une stèle et bredouilla une incantation qui s'acheva sur un hoquet. Le silence s'empara brusquement des lieux qui baignaient dans une lumière lunaire. Aucun son ne venait perturber la quiétude du cimetière.

Sauf le cri de Markus qui résonna jusqu'au mur des Lamentations.

Une pierre tombale était en train de bouger.

Une bête de la taille d'un gros chat se faufila derrière une jarre en direction d'un sépulcre en ruine. Markus ravala son hurlement, pétrifié. Simon pouffa et leva lentement les bras pour mimer un mort-vivant. Vexé, Markus lui commanda de se taire et de respecter les morts qui reposaient sous leurs pieds. Son regard balaya la muraille gigantesque qui les séparait du dôme du Rocher et se posa sur la Porte dorée ouvrant jadis un passage.

– Sais-tu que c'est par cette porte que le Messie reviendra ? lança-t-il au zombie qui tanguait près de lui.

– Ouuuais, sauf que les prophètes n'avaient pas prévu que Soliman la murerait pour empêcher ça.

– T'imagines si quelqu'un y parvenait ?

– À quoi? À traverser un mur de plusieurs mètres d'épaisseur?

– Il faudrait plus que tes dons d'animateur de fin de soirée.

– En même temps, je n'ai jamais essayé.

– C'est une mauvaise idée.

– Qui ne tente rien n'a rien.

– Il est temps de rentrer à l'hôtel.

– Je parie à nouveau vingt euros.

Simon tendit la main pour sceller l'accord.

– Laisse tomber, Simon.

– Tant que tu ne tapes pas dans ma paume, je ne bouge pas d'ici.

– T'es fou. Et tu es ivre.

– Le fou soûl, c'est mon nouveau surnom.

– Après tout, si tu as envie de te fendre le crâne, c'est ton problème.

– L'alcool est un excellent anesthésiant.

– Ça te coûtera une bonne migraine et vingt euros.

– Tope là!

Ils se tapèrent dans la main. Simon ferma les yeux. Pendant que celui-ci faisait mine d'entrer dans une profonde concentration, Markus alluma son téléphone portable et sélectionna le mode vidéo. Simon ne bougeait plus. Il ronflait! Markus le secoua, ce qui leur fit perdre l'équilibre à tous les deux.

– T'arrives à dormir debout, bravo, mais ce n'est pas l'objet de notre pari.

– Je canalise mon énergie.

Simon détendit ses bras, releva le menton et slaloma vers la porte murée.

Un soldat qu'ils n'avaient pas vu jusqu'ici et qui somnolait probablement dans un recoin l'interpella au milieu de sa progression. Simon ignora les avertissements, accéléra le pas, tout droit, sans tituber, faisant fi des sommations qui se muèrent en vociférations, puis en coup de feu, puis en silence.

Markus détacha ses yeux de l'écran de son téléphone et fixa la porte du Messie. Simon avait disparu.

2

Un ronflement porcin réveilla Simon en sursaut. Quand il ouvrit les yeux, la douleur irradia son cerveau. Il plissa les paupières pour constater qu'il reposait sur une couchette constituée d'un matelas aussi épais et confortable qu'une biscotte. Seul dans une pièce qui ressemblait à une geôle, il dut se rendre à l'évidence que c'était son propre ronflement qui l'avait tiré du sommeil. Il se redressa au ralenti afin de ne pas intensifier les pulsations qui lui martelaient le front et se traîna jusqu'à la porte. Verrouillée. Il tapa contre le pan de mur vitré pour attirer l'attention de l'homme en uniforme de l'autre côté. Le policier grogna et passa un coup de fil. Simon supposa que le fonctionnaire était en train d'appeler sa hiérarchie. Il ne servait à rien de s'énerver, au contraire. On l'avait flanqué dans une cellule de dégrisement et la meilleure façon d'en sortir le plus rapidement était de se montrer dégrisé.

Simon effectua des exercices de respiration pour atténuer la céphalée qui l'empêchait de réfléchir. Et surtout de se souvenir. Comment avait-il échoué dans cette chambre de sûreté ? Où était passé Markus ?

Il se rappelait s'être soûlé avec son ami dans plusieurs bars de Jérusalem et avoir erré dans les rues de la vieille ville en chantant un air d'opéra. Le reste de la nuit était flou. Markus en saurait sûrement davantage.

Il vit une ombre passer devant la paroi vitrée. La serrure claqua deux fois avant que la porte ne s'ouvre devant un policier qui s'adressa à lui dans un anglais lapidaire. Le flic lui saisit le bras au cas où il n'aurait pas l'intention d'obtempérer et s'adressa à son collègue en faction, qui poussa vers lui un registre d'émargement.

Ils traversèrent les couloirs d'un poste de police dont l'effervescence n'avait rien à envier à celle d'une série américaine. Simon fut conduit dans le bureau d'un supérieur qui était au téléphone. De l'autre coté d'un tas de dossiers, l'officier lui fit signe de s'asseoir. Les cheveux ras, les yeux noirs, vêtu d'une chemise en toile dont il avait retroussé les manches au-dessus de deux puissants avant-bras, il ressemblait plus à un militaire qu'à un flic. Il termina sa conversation en hébreu et s'adressa à Simon en anglais.

— Capitaine Ziv, se présenta-t-il.

— Simon Lange.

— Je connais votre nom. Je sais aussi que vous êtes français, né à Beyrouth, que vous avez trente ans et que vous résidez à Paris. Nous savons aussi que vous séjournez à Jérusalem jusqu'à demain.

Le capitaine désigna sa source d'informations en piquant du doigt le passeport français posé à côté d'un cellulaire qu'il ne parvenait pas à faire taire. Puis il ajouta :

— Ce que nous ignorons en revanche, c'est la manière dont vous avez réussi à accéder à l'esplanade du Temple la nuit dernière.

— Sincèrement, je l'ignore moi aussi, fit l'intéressé en se massant les tempes.

– Vous avez été arrêté aux abords du dôme du Rocher dans un état d'ébriété avancé. Je vous répète donc la question : comment êtes-vous parvenu jusque-là ?

– Vous venez de le dire, j'étais soûl. Je ne me souviens de rien. Qu'est devenu Markus ?

– Qui est Markus ?

– Mon ami. Il était avec moi.

– Markus comment ?

– Je ne sais pas.

– Vous ignorez le nom de votre ami ?

– Je l'ai rencontré il y a seulement quelques jours, lors des funérailles de mes parents. Nous avons sympathisé. Il m'héberge ici à Jérusalem.

Ziv prit quelques notes, dont l'adresse de Markus que lui communiqua Simon.

– Quelle est la raison de votre séjour à Jérusalem ?

Simon préféra taire le vrai motif de sa présence dans la ville sainte.

– Je voyage tout le temps. Je n'ai pas de domicile fixe. L'adresse sur mon passeport est celle de mes parents.

– Vous vivez de quoi ?

– De petits boulots ou de travaux que m'offrent les communautés qui m'accueillent. J'enseigne occasionnellement les langues, les arts martiaux...

– Ce n'est pas très compatible avec l'alcool.

– J'ai appris quelques mauvaises nouvelles dernièrement. Le décès de mes parents entre autres.

– Vous êtes un agitateur ?

– Non, je suis en deuil, mon capitaine. Seulement en deuil.

– Vous ne croyez pas que ça suffit en ce moment avec les attentats, la nouvelle intifada et les tremblements de terre dans la région ?

– Quel rapport avec moi ?

– Le rapport, c'est que j'ai suffisamment de soucis pour avoir en plus l'ambassade de France sur le dos.

L'officier de police lui tendit son passeport, qu'il ne lâcha pas avant d'avoir terminé sa semonce :

– Je ne saurais trop vous conseiller à l'avenir de vous tenir éloigné de l'esplanade du Temple et de modérer votre consommation d'alcool.

– Soyez tranquille.

– Si je voulais l'être, je ne serais pas flic, mais rabbin. À la moindre voie de fait, je vous coffre, que vous soyez français ou pas.

Le capitaine lâcha enfin le passeport de Simon.

– Et surtout ne ratez pas votre avion demain soir.

3

Simon quitta Jérusalem Est pour gagner la vieille ville dominée par le mont du Temple, plus connu sous le nom de l'esplanade des Mosquées puisqu'elle accueillait le dôme du Rocher et la mosquée d'al-Aqsa. C'était là qu'on l'avait surpris en pleine nuit. Par quel tour de passe-passe avait-il réussi à pénétrer dans ce sanctuaire de l'islam hautement surveillé et à l'accès sévèrement réglementé ?

Simon comptait bien réclamer des explications à Markus qui, étrangement, ne s'était pas manifesté depuis leur virée de la veille. Il entra dans la vieille ville par la porte des Lions avec la désagréable impression d'être suivi. Il se retourna plusieurs fois sur un individu aux cheveux gris qui semblait garder ses distances. Simon gagna le quartier chrétien où résidait son ami en s'écartant du chemin le plus direct afin de semer son poursuivant.

Le vieux Jérusalem était découpé en quatre quartiers, musulman, chrétien, arménien et juif, ceints d'une muraille de pierres dans laquelle avaient été creusées huit portes monumentales. La seule qui donnait directement sur l'esplanade ayant été murée depuis plus de cinq cents ans. Le seul moyen d'y accéder désormais pour un non-musulman était une passerelle en bois, actuellement en réparation.

Simon s'enfonça dans le souk, l'esprit bombardé de questions et les sens flattés par les couleurs, les odeurs et les sons. Il acheta trois grenades à une bédouine assise entre une musique arabe et des parfums d'épices. Besoin de soigner sa gueule de bois et de dissiper les relents de whisky. Il ouvrit l'un des fruits avec les doigts, fit jaillir les arilles rouge vif et croqua les graines juteuses qui éclatèrent sur sa langue. Un peu de vitamine C lui remettrait les idées en place.

Il retrouva la ruelle en escalier qui menait chez Markus. Celui-ci habitait au deuxième étage d'un petit bâtiment de pierres flanqué au fond d'une cour pavée.

Simon tapa à la porte de Markus. Elle était ouverte, la serrure fracturée. En poussant le battant, il découvrit une pièce dévastée. Les meubles étaient renversés, le canapé éventré, les livres jonchaient le sol avec le contenu des tiroirs. Simon s'empressa de vérifier que Markus ne gisait pas dans un coin du petit T2. Il appela bêtement son ami avant de s'apercevoir que son sac de voyage et ses affaires de toilette n'étaient plus là.

Au milieu des papiers éparpillés sur le parquet, il trouva un reçu de réservation sur Lufthansa. Markus avait pris le vol du matin pour Berlin. Simon mit la feuille dans sa poche et réalisa soudain que quelqu'un l'observait. Une grosse femme en blouse et en pantoufles était plantée sur le seuil, les mains sur la bouche pour masquer sa stupéfaction. Il s'avança vers la voisine, qui décampa en appelant à l'aide.

Deux options se présentaient à lui. Soit attendre les flics et s'enliser dans de nouvelles explications incohérentes au risque de passer pour un fauteur de troubles auprès du capitaine Ziv. Soit libérer les lieux le plus vite possible pour prendre du recul avec la série d'événements inexplicables à laquelle il était lié depuis qu'il avait posé le pied en Israël.

Simon repéra son sac de voyage éventré. Il vérifia que son passeport libanais, ses traveller's cheques et son billet d'avion étaient toujours glissés sous la garniture du fond, rassembla à la hâte ses affaires qui avaient été dispersées, risqua un œil dans le couloir. La voisine avait rameuté des renforts composés d'un jeune baraqué et d'un vieux qui avait dû faire plusieurs guerres. Simon battit en retraite et passa la tête par la fenêtre. Trop haut pour sauter. Deux hommes en costume clair levèrent les yeux sur lui. En le voyant, ils traversèrent la cour et se ruèrent dans le bâtiment. Simon sortit de l'appartement et buta contre le jeune costaud, qui l'interpella en hébreu.

— Où est Markus ? lui demanda Simon.

— Toi, bouge pas d'ici ! ordonna le vieux dans le dos du jeune.

Simon regarda sur sa gauche. Les bruits de pas dans l'escalier devançaient l'apparition des deux costumes clairs. Il fallait penser vite, agir encore plus vite. Il recula d'un pas, rabattit la porte et jeta son sac dans la cour. Les voisins entrèrent en force et foncèrent vers la fenêtre ouverte. L'un d'eux désigna le sac. Dans leur dos, Simon se dégagea de derrière le battant, s'échappa dans le couloir et grimpa au troisième étage. Il y avait un accès à un toit-terrasse. Markus l'y avait emmené pour lui montrer la vue qui englobait les dômes de l'église du Saint-Sépulcre. Simon sauta par-dessus la rambarde, atterrit dans un craquement de tuiles en contrebas, bondit sur une arcade qui enjambait la ruelle et s'agrippa aux câbles qui couraient le long des pierres. Il vola au bout d'une liane électrique, atterrit sur une femme chargée de courses, se releva en glissant sur une cascade de fruits et légumes, alla ramasser son sac et fila sous les invectives de la ménagère.

4

Simon courait dans un dédale de ruelles bordées d'échoppes et envahies par une population bigarrée venue des quatre coins du monde. Il passa sous une arcade et déboucha sur une place carrée surpeuplée.

Au fond, se dressait l'église du Saint-Sépulcre.

Il se fondit dans la foule, se mêla à une cohorte de pèlerins qui prenaient la même direction que lui, s'en détacha juste devant l'entrée, enjamba un mendiant et s'engouffra dans le transept sud par un accès étonnamment étroit par rapport à la taille de l'édifice. Il bifurqua sur la gauche vers la rotonde d'Anastasis après avoir vérifié que personne ne l'avait suivi.

La rotonde était surmontée par le plus grand des deux dômes de l'église. Au centre, se dressait un édicule, sorte de sarcophage massif abritant la tombe du Christ.

Simon se sentit en sécurité dans ce sanctuaire de la foi et de l'espérance. Il avait trouvé refuge sur un territoire mythique, le plus sacré d'entre tous pour les chrétiens. L'église démesurée englobait dans son antre le Golgotha où Jésus avait été crucifié, ainsi que Son tombeau. Le Saint-Sépulcre inscrivait dans la pierre les ultimes étapes de la Passion du Christ : la crucifixion, la mise au tombeau et la résurrection. De quoi raviver la flamme chrétienne qui vacillait au fond de l'immense vide que Simon s'évertuait à créer en lui. Son instinct l'avait guidé dans cette église parce que Markus lui manifestait un attachement particulier. Mais ce lieu saint était réparti entre six communautés religieuses. Laquelle de l'Église apostolique arménienne, des apostoliques, des catholiques romains, des coptes, des orthodoxes grecs, éthiopiens ou syriaques fréquentait Markus ?

Simon se mit en quête d'un représentant d'une communauté religieuse susceptible de connaître son ami. Il sortit bredouille de la chapelle copte, mais eut plus de chance dans celle des orthodoxes syriaques située derrière la rotonde. Un prêtre était en train de ranger des livres liturgiques. Simon l'aborda en lui décrivant Markus : plus âgé que lui, grand, massif, expansif, cheveux et barbe noirs, main droite à moitié brûlée.

Le père Clément lui expliqua en préambule que leur communauté comptait deux millions cinq cent mille fidèles à travers le monde et qu'il était difficile de mettre un nom et de garder un œil sur chacune de ses ouailles.

– Markus est une ouaille locale que l'on remarque, argua Simon qui gardait en tête les facéties de son ami.

– C'est bien pour cela que je me souviens de lui.

– Alors vous le connaissez !

– Je vous ai dit que je me souvenais de lui, pas que je le connaissais.

– Que savez-vous de lui ? s'impatienta Simon.

– Markus s'en est pris un jour à un Arabe qui s'était égaré dans notre chapelle. C'est comme cela que j'ai fait sa connaissance. Un individu à la fois très charismatique et tempétueux. Imprévisible aussi. Il peut assister aux offices du dimanche régulièrement puis s'éclipser pendant plusieurs mois. Là, je ne l'ai pas revu depuis trois semaines.

— Où peut-on le trouver quand il « s'éclipse » ?

— Je me suis posé également la question.

— Vous est-il venu une réponse ?

— Il est bizarre que vous n'en sachiez pas plus alors que vous êtes amis.

— Nous ne le sommes que depuis une semaine. Markus n'a pas eu le temps de me raconter toute sa vie. Mais sa brusque disparition m'inquiète. Il était encore avec moi hier soir.

— Écoutez, monsieur... ?

— Simon Lange.

— Je ne sais pas... hésita le prêtre. Markus est une forte tête, il s'est attiré beaucoup d'ennemis. Pour sa sécurité, je préfère m'abstenir de trop en dire.

— Vous ne comprenez pas. C'est pour lui venir en aide que je le cherche.

— Vous devriez essayer Berlin.

Simon se souvint du reçu de la Lufthansa trouvé chez Markus. Il était sur la bonne piste.

— Ce n'est pas tout près, remarqua-t-il.

— Markus est d'origine allemande, comme vous le savez sûrement. Il réside à Berlin une partie de l'année. Je pense que s'il a quitté Jérusalem subitement comme à chaque fois qu'il s'attire des ennuis, c'est pour se rendre là-bas.

— Berlin, c'est grand.

— Je crains d'être en train de commettre une bêtise.

— Le risque est plus grand d'en commettre une si vous ne m'aidez pas.

— Je n'ai aucune idée de son adresse en Allemagne, mais...

— Mais ?

— Il ne fréquente pas que les églises. Il aime aller dans les bars...

— J'en sais quelque chose.

— Une fois, il m'a parlé du White Trash.

5

Simon se perdit dans le labyrinthe de ruelles du vieux Jérusalem pour perdre aussi ceux qui étaient à ses trousses. Au terme de maintes circonvolutions, il constata qu'il avait semé l'individu aux cheveux gris et les deux costumes clairs. Sa halte dans l'église du Saint-Sépulcre avait été salvatrice. Rassuré, il quitta la vieille ville par la porte de Damas, s'engagea dans une artère moins commerçante de Jérusalem Ouest et se mit en quête d'un hôtel pour passer sa dernière nuit en Israël.

Un crissement de pneus le fit sursauter.

Il se retourna sur un souffle chaud, les genoux contre le pare-chocs d'une berline allemande qui n'avait pas à se trouver sur le trottoir. Deux portières s'ouvrirent, les deux types en costume clair jaillirent et le soulevèrent pour le jeter à l'arrière du véhicule. Ils s'installèrent de chaque côté de lui sur la banquette en même temps que le conducteur déclenchait un deuxième crissement de pneus.

Simon ne chercha pas à résister car il fallait en finir avec cette histoire et mettre les choses au clair. Après tout, il n'avait rien à se reprocher. « Que me voulez-vous ? » fut donc la première phrase qu'il prononça.

La réponse prit la forme d'un revers cinglant administré par l'un des costumes clairs.

— On pose les questions, fit son collègue. Pas toi.

– Qui... toi... es ? demanda l'autre.

Nouveau crissement de pneus. Simon valdingua contre le distributeur de claques qui se remit automatiquement en action.

– Qui toi es ? répéta-t-il.

– Simon Lange.

Nouvelle claque. Nouveau crissement. À cette cadence, ni les pneus, ni Simon ne résisteraient à la course.

– Mais c'est mon nom !

– La nuit dernière, tu as fait quelque chose que tu n'aurais pas dû faire, dit le ravisseur de droite, plus bilingue et donc plus volubile.

– Pourquoi, boire, c'est interdit en Israël ?

Nouvelle claque. Plus violente. Simon sentit la chevalière du type contre sa gencive. Du sang coula dans sa bouche. Il devait mesurer ses propos. Lâcher du lest pour qu'ils se calment.

– Demandez à Markus, moi je ne me souviens de rien.

– Où est Markus ?

Donc ils connaissaient Markus, puisqu'ils avaient mis un « Où » à la place du « Qui ».

– Je le cherche moi aussi. Laissez-moi le retrouver et je pourrai répondre à vos questions.

Une irradiation transforma soudain son aine en bloc de douleur. Son tortionnaire le piquait au Taser. La décharge fit hurler et bondir Simon, qui s'assomma contre le plafonnier. Une violente accélération propulsa la berline vers la banlieue nord de Jérusalem et ramena vite Simon à la réalité. Tant qu'il était en état d'agir et avant qu'il n'en perde totalement le contrôle, il devait s'extirper de cette situation.

Il gambergea tout en continuant de simuler la syncope, coincé dans un véhicule en mouvement, entre deux malabars armés. À l'évidence, leur mobilité était le seul paramètre sur lequel il pouvait interférer. Il fallait provoquer une sortie de route en s'attaquant au troisième homme, celui qui tenait dans ses mains la vie de tous les passagers.

Virage en vue. Mais les risques étaient trop grands de faucher un groupe de jeunes qui discutaient autour d'une moto.

— Tu as récupéré ? constata son voisin de droite.

— Où m'emmenez-vous ? s'inquiéta Simon.

— Dans un endroit où on aura tout le loisir de poursuivre l'interrogatoire. Tu vas parler, c'est certain.

Deuxième tournant à l'horizon. Trop dangereux, cette fois. Une maison se dressait au-delà de la courbe. Simon ramena devant lui son sac à moitié vide. Penser à se protéger. Il savait qu'il allait devoir traverser le pare-brise.

Un troisième virage s'annonça. Simon décida que ce serait le bon. Il tendit les jambes de toutes ses forces. Ses godillots percutèrent l'occiput du conducteur dont le front alla rebondir sur le volant. La berline continua tout droit au lieu de suivre la courbe bitumée. La torpille en tôle s'encastra de plein fouet dans un muret surmonté d'un grillage et doublé d'une rangée de cyprès. Le choc provoqua une explosion de parpaings, plongea le conducteur dans un airbag, encastra les deux costumes clairs dans les dossiers des sièges avant et propulsa Simon. Raide comme un javelot, ce dernier décolla de l'habitacle, transperça le pare-brise fissuré et la haie touffue pour aller s'écraser dans l'herbe tendre d'une propriété privée. Il se releva sans vérifier s'il était blessé, tituba, tomba sur les genoux, chercha sa respiration, prostré devant un enclos à tortues. Son instinct de survie puisa toute l'énergie dont il disposait pour tenir sur ses jambes. Il traversa le jardin jusqu'à une terrasse, suivit une allée gravillonnée qui le mena à un portail non verrouillé, accéléra le pas vers la route principale, gesticula devant un bus dans lequel il monta sans se préoccuper de la destination. Il s'installa à l'avant, le temps de récupérer. Après avoir roulé dix minutes, il se fit déposer à proximité d'un arrêt de la navette à destination de Tel-Aviv.

Une fois assis au fond du car, Simon s'aperçut que les passagers le regardaient bizarrement. Il se passa les mains sur le visage et constata qu'elles étaient couvertes de sang.

6

Lorsque l'avion creva les nuages et jaillit dans le ciel immaculé, Simon se sentit enfin hors de danger.

Il s'était lavé le visage et les mains dans les toilettes de l'aéroport. Il n'avait rien de cassé. Que des écorchures aux mains et des ecchymoses un peu partout sur le corps. Ensuite, il avait échangé son billet pour Paris contre un aller simple pour Berlin.

En feuilletant machinalement le magazine de bord, il s'arrêta sur un planisphère qui représentait les liaisons assurées par la compagnie aérienne. Il visualisa son parcours depuis la Thaïlande qu'il avait quittée une semaine auparavant. Beyrouth, Jérusalem, maintenant Berlin. Sous l'œil indifférent de son voisin, il déchira la page, la froissa, en fit une boulette de papier. Le monde dans la paume de sa main. Si petit.

Comment s'était-il retrouvé dans cette galère ?

Tout avait basculé quelques jours plus tôt. Il méditait dans un monastère bouddhiste planté sur les bords du Mékong lorsqu'un moine affolé était venu le sortir du vide dans lequel Simon avait pris l'habitude de s'immerger. Ses parents venaient de mourir dans un accident de voiture à Paris. La nouvelle avait mis trois jours pour parvenir jusqu'à lui car personne ne savait où il se trouvait. Soit quasiment autant de temps que pour organiser le rapatriement des deux corps au Liban où se tinrent les funérailles. Son père était français mais sa mère était libanaise.

Attaché culturel de l'ambassade de France à Beyrouth, Paul Lange s'était entiché du Liban et d'Amina, l'une de ses plus belles représentantes. Simon avait été élevé dans l'amour de ce couple uni, à Beyrouth puis dans les nombreux pays où Paul était muté. Poussé par son père, il avait suivi des études de théologie à Paris. Mais le jeune homme formé par les voyages et la magie de l'Orient rêvait de repartir pour confronter son savoir théorique à la réalité. Diplôme en poche, il parcourut le monde en sac à dos, alla à la rencontre des autres cultures, effectua de longues retraites dans des communautés en Inde, au Tibet, en Chine, en Thaïlande, s'intéressa particulièrement au bouddhisme, à la méditation, au jeûne, à l'abstinence et même aux arts martiaux indissociables de la sagesse asiatique. Il fit le vide en lui, perdit le contact avec ses proches. Jusqu'à cette terrible nouvelle venue le cueillir sur les berges du Mékong où il s'était réfugié, à l'abri de la souffrance et des vicissitudes du monde. Mais pas à l'abri de la mort de ses parents dans un stupide accident de voiture.

Au cours des funérailles, Simon fit la connaissance de Markus, le meilleur ami de son père, qui résidait à Jérusalem. Un notaire s'était également présenté à lui pour l'informer que la société d'assurance de son père avait prévu de lui verser une grosse somme. Mais il lui avait surtout remis une enveloppe contenant une clé et une lettre signée de Paul.

Ce fut le deuxième choc.

Paul lui avouait en quelques phrases qu'Amina et lui n'étaient pas ses parents biologiques. Il conservait des documents importants relatifs aux origines de Simon à l'intérieur d'un coffre qu'il louait dans un hôtel de Jérusalem. Markus se proposa de l'accompagner dans la ville sainte et de l'héberger sur place.

Puis ce fut le troisième choc.

Le coffre était vide.

Simon ne comprenait plus rien, sauf que le décès de ses parents avait bouleversé le cours de son existence. Tout s'enchaînait comme si le destin avait manigancé sa perte. La mort brutale de sa mère et de son père, la lettre de Paul sur le mystère de ses origines qui le renvoyait à un coffre vide à Jérusalem, sa cuite avec Markus à la suite de laquelle il avait échoué sur l'esplanade des Mosquées, la disparition de Markus, le saccage de son appartement, les gens qui le filaient, l'interrogatoire musclé sur son identité...

Il avait dû puiser dans toutes ses ressources physiques et mentales pour en réchapper. Sa chance fut d'avoir trouvé une place sur un vol pour Berlin dans l'après-midi, qui lui permettait de quitter Israël avec un jour d'avance. Mais celles de retrouver Markus, la seule personne capable de l'aider, étaient minces.

Parmi toutes les questions qui l'assaillaient, une le hantait plus que les autres. Certains étaient même prêts à le torturer pour avoir la réponse à celle-ci : «Qui était-il vraiment ? »

LIVRE II

« *Sous le paillasson, il y avait de la moquette. Sous la moquette, un trou dans la chape. Dans la chape, un carnet. Dans le carnet, trois noms de personnes avec un lieu et une date, ainsi qu'une liste de chiffres.* »

7

Simon atterrit à l'aéroport de Berlin à 22 h 05 après une escale à Zurich. Il abandonna sur son siège les journaux qui brossaient un tableau apocalyptique du monde. Parmi les infos du jour, il y avait la découverte de cent mille tonnes de déchets radioactifs que les Russes avaient jetés dans l'océan Arctique, incluant quatorze réacteurs et trois sous-marins nucléaires. La nouvelle avait relégué les tremblements de terre en Israël à la troisième page.

Simon suivit le mouvement vers la sortie sans passer par la remise des bagages et monta dans un bus en direction du centre-ville.

Il était déjà venu à Berlin pour y pratiquer l'allemand, attiré par le dynamisme culturel de cette ville techno et sa vie de nuit underground. Ses moyens limités lui permettaient d'y séjourner plus longtemps que dans des capitales européennes plus onéreuses.

Il était plus de 23 heures lorsque Simon poussa la porte du White Trash. Un groupe électro-pop était en train de s'énerver sur la scène du lounge. Simon interrogea le barman, qui se débarrassa de ses questions avec une poignée d'onomatopées. Il se rabattit sur une fille à la caisse et lui décrivit Markus tout en réalisant l'inefficacité de sa démarche. Le fil ténu qu'il avait tendu entre le Saint-Sépulcre et le White Trash s'était sûrement rompu depuis longtemps. Les hochements de tête exagérés de la caissière et ses négations polies poussèrent Simon à se tourner vers la salle de restaurant. Deux serveurs slalomaient entre les tables. Il s'installa dans le secteur couvert par l'employé le plus avenant et commanda un Veggie Burger avec une bière locale. Son serveur, baptisé Raphaël, portait un pantalon en cuir, une chemise en satin noire, un tatouage dans le cou qui s'enroulait derrière son oreille percée de multiples anneaux. Une frange blonde sophistiquée masquait une blessure au front.

Simon misa sur cet inconnu pour l'aider à retrouver la trace de Markus. Il commanda une Mom's Apple Pie pour justifier de rester jusqu'à la fin du service. Son pourboire fut reçu avec un large sourire.

— Wouaw, tu ne dois pas être français, toi! lâcha le serveur en visant la gratification.

— Ben si justement.

— Oups, je crois que j'ai gaffé. J'espère que tu ne vas pas reprendre ton argent.

— Je ne suis qu'à moitié français. Tu es donc à moitié pardonné.

— C'est ça de trop parler quand on est crevé. Désolé, vraiment.

— Tant que tu en es à trop parler, peut-être pourrais-tu me renseigner. J'ai perdu la trace d'un ami.

Simon lui décrivit Markus. Ce portrait n'évoqua rien à Raphaël. Ce dernier alla se renseigner auprès du personnel mais revint bredouille.

— Ton ami n'a laissé aucun souvenir ici. Personne ne le connaît. C'est quelqu'un de proche ?

– Je l'ai rencontré il y a une semaine. Il m'a hébergé chez lui en Israël.

– Et tu es venu jusqu'ici pour le chercher ?

– Oui.

– Il n'y a que l'amour qui motive de tels actes.

– C'est un peu plus compliqué. Markus détient des informations sur moi.

– Genre agent secret ?

– Genre partenaire de beuverie qui pourrait m'éclairer sur des souvenirs aussi incertains qu'improbables.

– Tu loges où ?

– Je ne me suis pas encore posé la question.

Raphaël regarda sa montre.

– Dans quelques heures tu n'auras plus besoin de te la poser.

Simon constata qu'il était 2 heures du matin.

– Si ça te dépanne, je peux t'héberger cette nuit. J'ai fini mon service.

Simon accepta l'invitation qu'il n'osait espérer. Raphaël rappliqua dix minutes plus tard vêtu d'un blouson de motard. Ils sortirent du White Trash et se plantèrent devant un vélo cadenassé.

– On va y aller doucement, dit-il. Tu t'assois sur le porte-bagages et tu t'accroches à moi. Ça ira ?

– Tu habites loin ?

– Dix minutes.

Ils se lancèrent en zigzaguant sur la Schönhauser Allee, virèrent à gauche, longèrent le Volkspark Friedrichshain et franchirent le Ring en direction de Berlin Est.

Quinze minutes plus tard, ils atteignaient un ensemble d'immeubles. Raphaël freina brusquement, ce qui les déséquilibra. Ils se retrouvèrent par terre. Des rires gras résonnèrent autour d'eux.

Simon se releva et chercha à mettre une image sur le public hilare. Son regard croisa ceux de trois types clonés à partir de Derek Vinyard, le personnage de néonazi le plus célèbre du cinéma, incarné par Edward Norton dans *American History X.*

– La tantouze s'est trouvé une copine ? ricana le plus tatoué.

– Qu'est-ce qu'elle a dans son sac ? demanda le plus gros, qui désignait d'un large menton rose le bagage de Simon.

– Des livres, répondit Simon.

C'était comme s'il avait déclaré qu'il transportait des fleurs.

– Si c'est tout ce qu'elle a, elle va nous donner ses fringues, alors.

Le plus sec de la bande sortit un couteau de sa poche. Rassuré de ne pas voir apparaître d'arme à feu, Simon s'élança soudain contre le mur de la résidence et se fracassa comme s'il avait voulu le traverser. Il tituba et se retourna, le visage en sang.

– Putain, il est malade, lui ! s'exclama le tatoué.

Ce dernier était passé du genre féminin au masculin pour qualifier Simon, ce qui était un progrès. Raphaël était tétanisé.

– Autant que toi, répliqua Simon, car c'est ce que tu comptais m'infliger.

Simon s'avança et le défia :

– Vas-y, termine le travail si tu veux.

Face à la figure en sang de sa victime qu'il n'avait pas encore touchée, le tatoué était déstabilisé. Simon profita de l'instant :

– On rentre, lança-t-il à Raphaël.

Le serveur ébranlé ramassa son vélo. Simon le rejoignit. Il ne restait que cent mètres à parcourir avant d'atteindre la porte de son immeuble. Le tatoué les héla :

— Qu'est-ce qu'il nous embrouille, lui ? Il croit s'en sortir comme ça ?

Il accéléra le pas.

— Plus que vingt mètres, murmura Raphaël.

Quatre-vingts kilos fondirent sur eux. Simon se retourna, bras tendu, paume ouverte. Il percuta le plexus cœliaque qui venait droit sur lui, encaissa le choc et le restitua amplifié de son énergie. Le tatoué se figea, la respiration bloquée. Simon fixa les deux autres chauves, le regard confiant, l'air serein. Il saisit le bras du tatoué qui menaçait de tomber et l'aida à s'asseoir sur un banc devant ses potes interdits. Il ouvrit son sac et lui tendit une bible.

— Tu trouveras là-dedans tout ce que tu cherches, la loi du talion qui exige la réciprocité du crime et de la peine, la non-résistance au méchant, et, à partir de là, tu comprendras la stratégie non violente qui mène à faire d'abord à soi-même ce que l'on veut faire à autrui.

Simon et Raphaël abandonnèrent les trois lascars à leur désarroi.

8

— Putain, mec, mais qui es-tu ?

— Bonne question.

Raphaël désinfectait la blessure de Simon assis torse nu sur le rebord de la baignoire dans laquelle avaient atterri sa chemise et sa veste couvertes de sang.

— Plus de peur que de mal, le rassura le serveur en soufflant sur la plaie pour atténuer la douleur.

— Les blessures au front impressionnent toujours à cause de la quantité d'hémoglobine qu'elles font jaillir, mais si on s'y prend bien, elles sont sans gravité.

— Toutes ces marques sur le corps, tu te les es faites en te jetant contre des murs ?

— Non, contre un pare-brise.

— C'est quoi, ton métier ? Cascadeur ?

— Voyageur.

— C'est un métier, ça ?

— Il ne paye pas, mais tu n'es jamais au chômage et chaque jour est différent.

— En tout cas, merci pour tout à l'heure.

— Ces nazillons, ce n'était pas la première fois qu'ils s'en prenaient à toi, n'est-ce pas ? fit Simon en fixant la cicatrice de Raphaël.

— Chaque nuit, j'ai peur de rentrer chez moi. Le quartier commence à être gangrené par les néonazis. Dès que tu sors de leurs normes, que ce soit à cause de la couleur de la peau ou de l'orientation sexuelle, tu deviens leur cible. J'étais content que tu m'accompagnes.

Raphaël proposa à son hôte de partager son lit.

— Je me contenterai du sofa.

— T'inquiète, je ne te sauterai pas dessus.

Ils se couchèrent et échangèrent quelques mots. Simon découvrit que le tatouage dans le cou de Raphaël était la queue d'une hydre à deux têtes qui se déployait sur son cœur. Son hôte tenta quelques caresses gentiment repoussées, avant de s'endormir, terrassé par la fatigue et le stress.

9

Simon se réveilla avec la lumière qui essayait de pénétrer sous la porte et entre les rideaux. Il écarta le bras de Raphaël qui l'enlaçait comme un amant et posa discrètement un pied à terre. Contact dur du plancher. Fraîcheur matinale sur sa peau. Il enfila son jean, passa par les toilettes et s'installa devant la fenêtre du salon. Le jour se levait sur Berlin Est. Simon aimait ce moment où il réglait son horloge biologique sur celle de la nature.

Une main amicale se posa sur son épaule.

– Tu es là depuis longtemps ? demanda Raphaël.

– Je ne sais pas.

– Qu'est-ce que tu regardes ? Une nouvelle journée de merde qui nous arrive droit dessus ?

– Différente de toutes les autres et pleine de surprises.

– Thé ou café ?

Ils déjeunèrent au son d'un album de Daft Punk que Raphaël avait glissé dans sa chaîne, pensant faire plaisir à Simon en choisissant un groupe français.

Harder, better, faster, stronger...

Raphaël était serveur en attendant de percer dans la chanson. Il s'était déjà présenté à plusieurs émissions de télévision censées promouvoir des jeunes pourvus de talents. Apparemment, le sien n'avait toujours pas été repéré.

– Tu sais, j'ai repensé à ton Markus. Il ne devait pas venir seul au White Trash, sinon mes collègues s'en seraient souvenus. Un mec seul, ça se remarque chez nous. Je vais interroger la clientèle tout à l'heure. Peut-être que je tomberai sur une relation de Markus. Il a une femme ?

– Je ne crois pas.

– Excuse-moi pour hier soir. Je croyais que tu...

– Quoi, que je couchais avec toutes les personnes que je rencontrais ?

– Hein ? Non, mais je ne suis pas ton genre.

– Pour toi, mon genre, c'est quoi ? Un ventre pour enfanter ?

Raphaël avala de travers et se mit à tousser. Simon s'esclaffa et alla s'habiller avec le sweat-shirt rose prêté par son hôte.

– Cadeau ! En souvenir de notre rencontre.

Ils quittèrent l'appartement et déambulèrent dans Volkspark, le vélo à leur côté, croisant joggeurs, poussettes et promeneurs en quête de calme sous des arbres centenaires.

Au White Trash, un groupe électro-rock installait ses instruments.

Raphaël employa sa soirée autant à questionner les gens sur leur commande que sur Markus. Mais personne ne sut le renseigner.

Ils rentrèrent bredouilles dans la nuit, sans perdre l'équilibre ni tomber sur les nazillons.

Le jour suivant, ils eurent plus de chance.

10

Il était 19 heures. Une femme seule entra au White Trash. Raphaël abandonna la commande en cours et se précipita vers elle pour ne pas se faire ravir la cliente par un de ses collègues. Il la guida jusqu'à une table voisine de celle de Simon.

La femme avait une cinquantaine d'années, des cheveux noirs coupés court, de la distinction, un regard à la fois intelligent et perdu. Raphaël lui tendit une carte et se tourna vers Simon.

— Je te laisse l'interroger, chuchota-t-il avant de retourner à sa commande en cours.

Simon ne savait pas comment aborder l'inconnue. Il attendit qu'elle ait le nez dans le menu pour lui demander bêtement s'ils ne s'étaient pas déjà rencontrés. Elle se tourna vers lui, plissa les paupières, sortit des lunettes de vue. Elle était presbyte. Ce qui signifiait qu'elle faisait semblant de lire la carte, probablement pour observer discrètement les gens dans la salle.

— Je ne crois pas, dit-elle d'une belle voix rauque.

— Je vous ai déjà vue, tenta-t-il. Avec Markus.

L'inconnue se leva d'un bond. Il la retint par le bras.

— Rasseyez-vous, s'il vous plaît.

La poigne de Simon lui coupait le sang comme un garrot.

— Que voulez-vous ? demanda-t-elle en s'exécutant.

— Le voir.

— Pourquoi ?

Simon saisit le couteau posé à droite de son assiette.

— Pourquoi le bout d'un couteau de table est-il rond ? La réponse m'aidera-t-elle à y voir plus clair sur ce que je vais manger ?

Il lâcha le bras de sa voisine.

— Je suis Simon Lange. Depuis que j'ai rencontré Markus, il m'est arrivé des choses que lui seul pourrait expliquer.

— Quelles choses ?

— Vous ne livrez pas facilement une information, vous.

— Markus a beaucoup d'ennemis.

— Je n'en fais pas partie.

— Je suis venue ici ce soir en espérant le rencontrer. C'est notre lieu de rendez-vous. Le seul moyen que j'aie de le contacter. S'il n'est pas là dans l'heure qui vient, je reviendrai la semaine prochaine.

— Vous ne connaissez pas son adresse à Berlin ?

— Si.

— Pourquoi n'allez-vous pas chez lui ?

— Pour sa sécurité et la mienne, nous ne nous sommes jamais rencontrés chez lui. Markus a imposé cette règle entre nous. J'ai découvert son adresse par hasard, sur un courrier qui lui était destiné et qu'il avait oublié chez moi.

— Quel est son nom de famille ?

— Kershner.

— Vous pouvez me donner son adresse ?

— 5, Stasse 15, à Berlin Est. Facile à retenir. Mais vous ne l'y trouverez pas. J'ai enfreint la règle en allant chez lui ce matin. Il n'était pas là.

— Merci. Madame... ?

— Je préfère que vous ignoriez mon nom.

Simon paya l'addition et se leva. Il alla prévenir Raphaël qu'il se rendait chez Markus et revint vers la femme, qui ne le quittait pas des yeux.

— Vous avez dit que Markus avait beaucoup d'ennemis. Pourquoi ?

— Imaginez qu'on ait menti à une personne toute sa vie, depuis sa naissance.

Elle ne savait pas à quel point Simon se l'imaginait facilement.

— Multipliez cette personne par des milliards.

— Où voulez-vous en venir ?

— Markus a découvert la preuve de ce mensonge.

— De quoi parlez-vous ?

— D'une vérité que vous feriez mieux de ne pas approcher si vous ne voulez pas que les ennemis de Markus deviennent aussi les vôtres. Maintenant, si vous pouviez respecter ma volonté de rester en dehors de cette affaire, je vous en serais reconnaissante.

11

L'interphone au nom de Markus Kershner demeura silencieux. L'inconnue du White Trash avait raison. Simon décida d'attendre à proximité de l'entrée du 5, Stasse 15.

Une demi-heure plus tard, il entrait en emboîtant le pas à un jeune couple.

La boîte aux lettres indiquait que Kershner habitait au quatrième étage.

La porte de l'appartement n'était pas verrouillée. Lorsque Simon entra, il eut soudain l'impression de se retrouver chez Markus à Jérusalem. Petit deux pièces identique, agencé de la même façon.

Saccagé également.

Simon referma derrière lui et progressa avec précaution au milieu des bris de verre, des flocons de mousse et d'ouate, des lambeaux de tissu et de papier. Une voix étouffée attira son attention. Cela provenait de l'intérieur du sofa. Celui-ci avait été éventré. Simon plongea la main dans le rembourrage lacéré et ressortit un petit poste de radio qui avait échoué là-dedans. Il coupa le son et inspecta les affaires de Markus jonchant le sol. En quête d'un indice qui aurait été négligé par les cambrioleurs, il trouva des photos de Jérusalem, de Beyrouth, de mausolées, d'inscriptions en arabe gravées dans la pierre... Au milieu de tous ces clichés qui auraient pu appartenir à n'importe quel voyageur passionné d'archéologie, il y avait une photo de Simon, prise il y a quelques années. À son insu. Elle le représentait en train de méditer sur un rocher. Simon était abasourdi. Il reconnut l'Inde. Sans comprendre comment cette photo avait atterri ici, il la glissa dans son sac, continua ses recherches, ne trouva rien qui puisse le renseigner. Il remit un fauteuil sur ses quatre pieds et s'assit en essayant de penser comme Markus.

S'il avait quelque chose à dissimuler, quel endroit choisirait-il ?

Markus, comme Simon, ne se définissait pas en fonction d'un métier ni d'un domicile, qui pouvaient changer du jour au lendemain. Il ne cacherait donc rien de précieux à l'intérieur de son bureau ou de son appartement. Mais à l'extérieur.

Pas dedans. Mais dehors.

Simon se leva et alla jeter un œil à la fenêtre. La pluie s'était mise à tomber contre la façade grise de l'immeuble. Difficile de planquer quelque chose de ce côté. Il alla ouvrir la porte et souleva le paillasson. Puis la moquette du couloir qui distribuait les appartements du quatrième. Elle n'était pas collée. Bingo !

Un petit carnet comblait un trou creusé dans la chape. Simon le délogea. Il contenait une liste de trois noms avec des lieux, des dates et des heures :

Monsieur X, CC Berlin, 12/07, 17 h 30
Keller, BNF Paris, 04/06, 11 h 00
Pogel, Universität, Sarrebruck, 25/06, 12 h 30

Les pages suivantes étaient couvertes de chiffres :

3,7 13,39 43,4
12,1 12,2
41,3
44,54 52,20 55,72 56,22

37,48 37,49
24,31
33
37,103 37,104
19,24
11,116 11,117
16,103 16,105
24,35
55
75,17 75,18
80
96
108
96
73
74
113 114

L'écriture ne correspondait pas à celle de Markus.

Simon entendit du bruit dans le hall. On appela l'ascenseur. Il referma la porte et descendit par les escaliers en emportant son butin.

12

— La tête que tu fais! s'exclama Raphaël en lui ouvrant.

— Je fais quoi, comme tête?

— Celle du jury télé devant lequel j'ai chanté en direct *Lili Marleen* façon Nina Hagen.

— Je ne te réveille pas?

— Je suis rentré il n'y a pas longtemps.

Raphaël l'invita à s'asseoir sur le divan et à raconter sa soirée.

– On a cambriolé l'appartement de Markus, déclara Simon.

– Tu as appelé la police ?

– Bien sûr. Les services secrets aussi et un prêtre pour mon extrême-onction.

– Tu comptes vraiment démêler cette affaire tout seul ?

– Je suis impliqué, mais j'ignore comment. Avant d'alerter les autorités, je veux en savoir plus.

– Dans quelle mesure es-tu impliqué ?

Simon lui tendit la photo qu'il avait trouvée chez Markus.

– T'es beau là-dessus.

– Ce n'est pas pour ça que je te la montre. Je méditais au bord du Gange, en Inde. Derrière moi on distingue la ville de Rishikesh. C'était il y a plus de deux ans.

– Et alors ?

– Je ne connais Markus que depuis une semaine. Comment a-t-il obtenu cette photo ? Est-ce lui qui l'a prise ?

– Pourquoi aurait-il fait ça ?

– Il faut que je retrouve Markus le plus vite possible avant que je fasse la une des faits divers.

Le carnet que Simon avait découvert contenait des noms avec des lieux et des dates de rendez-vous. L'écriture ne correspondait pas à celle de Markus. Parmi les trois personnes listées, il y en avait une qui vivait à Berlin. Mais son nom, « monsieur X », en faisait un anonyme. La seconde, Keller, était suivie de trois lettres : BNF. La troi-sième, Pogel, était liée à l'université de la Sarre. Sarrebruck se trouvait à sept cent trente kilomètres de Berlin. La ville était sur son chemin vers la France.

Ils se renseignèrent sur Internet. Il existait un Gerd Pogel, philologue et éminent spécialiste de l'islam à l'université de la Sarre.

– Si ce Pogel est inscrit dans un carnet que Markus planquait précieusement, il pourra sûrement m'en dire plus, déduisit Simon.

– Cela veut dire que tu vas partir ?

– À Sarrebruck. Par le premier train demain matin.

– Dommage.

– C'est toi qui en fais une tête maintenant.

– Une tête comment ?

– Comme celle de celui qui découvre que *Lili Marleen* était jouée pendant les missions d'extermination des Einzatsgruppen du IIIe Reich.

– Je vais regretter ton humour et ton départ, Simon, et retourner à ma vie normale.

Simon s'approcha de lui et lui colla un baiser sur la bouche.

– Quelle normalité ? demanda-t-il.

– Il nous reste quelques heures devant nous, se réjouit Raphaël.

– Juste ce qu'il faut pour que je t'enseigne des rudiments d'autodéfense.

LIVRE III

« Le professeur ne cessait de me le répéter : le meilleur moyen d'obtenir des réponses est de se poser des questions. De douter aussi. Et de refuser l'évidence. »

13

Simon descendit à la gare de Sarrebruck en relevant le col de sa parka. Un clochard en locks et en loques brandissait un carton sur lequel était écrit « Aidez un banquier honnête ». Il portait un costume usé et une corde lui tenait lieu de cravate. Simon effectua un dépôt dans sa sébile et monta dans un bus qui le mena directement à l'université de la Sarre.

Parvenu à destination, il passa sous l'arche de ce qui était jadis une caserne, se présenta à l'accueil et demanda à s'entretenir avec le professeur Pogel. « Pour une raison personnelle », ajouta-t-il face à l'hésitation de l'employée.

Gerd Pogel ne ressemblait ni à un scientifique, ni à un Allemand. Ayant dépassé l'âge de la retraite, il était doté d'une morphologie d'athlète légèrement voûté par les ans et paraissait avoir sacrifié ses abdominaux aux plaisirs de la bonne chère et de la bière. Sa peau tannée et ses cheveux bruns qui n'avaient pas encore blanchi lui donnaient un air latin.

— Êtes-vous apparenté à Paul Lange ? lança le professeur au terme des présentations.

— Vous connaissez mon père ? s'étonna Simon.

— Comment avez-vous eu mon nom ?

— Par un ami. Markus Kershner, cela vous dit quelque chose ?

— Cessons de nous assaillir de questions dans ce couloir venté et allons essayer de trouver quelques réponses dans mon bureau.

Simon suivit Pogel. L'antre du philologue frappait par la quantité de livres qu'il avait réussi à y faire entrer. Il y en avait partout jusqu'au plafond, recouvrant les meubles comme du lierre. Selon Google, Gerd Pogel s'était illustré par ses travaux sur le plus ancien Coran du monde connu à ce jour, découvert en 1972 au Yémen, dans les combles de la grande mosquée de Sanaa, alors que des ouvriers réparaient un mur endommagé à la suite de fortes pluies.

— Votre nom apparaît dans un carnet qui appartient à Markus Kershner, l'informa Simon.

— J'ignore qui est Markus Kershner.

— Un ami de mon père. Je suis à sa recherche.

— Quel genre de carnet ?

— Le genre que l'on cache dans une chape, sous la moquette. Il contient une liste de chiffres et des noms dont le vôtre.

— Puis-je le voir ?

Simon sortit le calepin de sa poche et le tendit au professeur, qui le feuilleta.

— Keller, de la BnF ? fit Pogel.

— Que signifient les lettres BNF ?

— Si vous mettez un *n* minuscule, il s'agit de la Bibliothèque nationale de France.

— Qui est Keller ?

— Personnellement, je n'ai jamais eu affaire à cet homme, mais votre père m'a parlé de lui. Vous devriez lui demander...

— Mon père vient de mourir.

– Paul ? Mon Dieu ! Comment est-ce possible ?

– Un accident de voiture. Ma mère était avec lui. Elle n'a pas survécu elle non plus.

– Quelle horrible tragédie !

Pogel avait brusquement changé d'expression. La compassion corrigea la distance hiératique qu'il avait installée entre son visiteur et lui et qui devait correspondre à celle qu'il maintenait avec ses élèves.

– Quelle était la nature de votre relation avec mon père ? l'interrogea Simon.

– Paul était obsédé par le Coran. Il menait des recherches sur les origines et l'histoire du livre saint, ce travail n'ayant jamais été vraiment entrepris comme cela fut le cas pour la Bible et le Nouveau Testament. Il m'avait contacté pour que je lui transmette mes connaissances sur le sujet. Il était en relation avec Keller pour la même raison. Votre mystérieux « monsieur X » mentionné dans le carnet devait également faire partie de ses sources.

Simon sortit la lettre de Paul que le notaire lui avait remise et compara l'écriture avec celle du carnet. Comment n'y avait-il pas pensé plus tôt ? La calligraphie était identique. Le carnet appartenait à Paul. L'avait-il remis à Markus avant de mourir ?

– Pourquoi cette obsession pour le Coran ? demanda Simon.

Pogel hésita. Il avait définitivement perdu l'assurance qui le caractérisait au début de l'entretien.

– Quand je lui ai posé la question, Paul m'a avoué que ses recherches avaient un lien avec son fils.

– Les origines du Coran, un rapport avec moi ? Lequel ?

– Votre père a jugé bon de garder cette information pour lui.

— Vous devez absolument m'en dire plus.

— Vous aimer la bière ?

14

Les deux hommes marchèrent le long de la Sarre en direction d'un *Biergarten.*

— Nous y serons plus tranquilles pour bavarder, assura Pogel.

En chemin, il évoqua avec passion sa ville, qui possédait l'opéra le plus innovant de toute l'Allemagne. Il fredonna du Wagner en poussant la porte du *Biergarten* où le brouhaha de la salle rivalisait avec le bourdonnement de l'autoroute voisine. Le professeur commanda deux Hefeweizenbier, malgré les hésitations de Simon qui se méfiait désormais de la moindre goutte d'alcool.

— Que voulez-vous savoir ? demanda Pogel.

— Je n'ose même plus le dire. Chaque question en amène d'autres sans apporter de réponse. Je suis allé en Israël chercher des informations sur mes origines et me voilà en train de courir après un certain Markus en Allemagne qui détenait un carnet de mon père révélant son obsession pour le Coran qu'il reliait à moi.

Malgré la complexité de la phrase que Pogel venait d'entendre, le visage du philologue s'éclaira.

— Vous venez de livrer un élément de réponse : les origines.

— Quelles origines ?

— Les vôtres et celles du Coran.

— Quel rapport ? Je ne suis même pas musulman.

— Paul était venu trouver la réponse auprès de moi. Quelle part de mes connaissances a pu lui être utile ? Je l'ignore.

– Si je vous en dis un peu plus sur moi, cela vous aidera à la cerner : la semaine dernière, mes parents décèdent dans un accident de voiture à Paris. Mon père me laisse une lettre dans laquelle il m'informe qu'il n'est pas mon vrai père et qu'il a déposé des documents à ce sujet dans un coffre à Jérusalem. Je m'y rends en compagnie de Markus, un ami de Paul, mais le coffre est vide. Le soir même je bois un peu trop. Je me réveille le lendemain matin dans une cellule de dégrisement. Les flics déclarent m'avoir découvert dans la nuit sur l'esplanade des Mosquées. Entre-temps, Markus disparaît, laissant derrière lui deux appartements saccagés. Je me lance à sa recherche avant d'être enlevé par des types qui m'interrogent sur ma véritable identité. Je leur échappe et me voilà aujourd'hui à Berlin devant un érudit auprès de qui Paul obtenait des renseignements sur le Coran dans le but d'en savoir plus sur mes origines.

– Une chose est fausse dans votre présentation.

– Laquelle ?

– Il est impossible d'accéder à l'esplanade des Mosquées en pleine nuit. Encore moins pour un non-musulman.

– La preuve que si. Pourquoi Paul vous a choisi ?

– L'école allemande des orientalistes est réputée. Depuis le XIXᵉ siècle, elle a fait preuve d'intérêt et de respect à l'égard des documents anciens de la culture islamique. Lorsqu'on a découvert les parchemins de Sanaa en 1972, j'étais sur place pour des recherches. Le président des autorités des antiquités yéménites a fait appel à moi pour étudier ces fragments de manuscrits. J'ai convaincu le gouvernement allemand d'organiser et de subventionner un projet de restauration. Je suis devenu un expert sur le Coran.

Malgré l'intérêt que Simon portait aux propos de Pogel, une partie de son attention était détournée par un client du *Biergarten*. Crépu du crâne jusqu'au cou, l'individu les observait discrètement du bar, planqué derrière une chope qui restait pleine.

— Que vous ont appris les parchemins de Sanaa? demanda Simon.

— De 1983 à 1996, environ quinze mille des quarante mille pages ont été restaurées...

Simon fixait l'homme qui ne buvait pas sa bière.

— Vous connaissez le barbu derrière vous?

Pogel se retourna vers le bar sans que cela troublât l'homme en question.

— Non, mais si sa présence vous importe, nous pouvons changer de place.

— Je préférerais changer d'établissement.

Pogel paya l'addition, Simon se réfugia dehors.

— J'ai l'impression d'être constamment épié, se justifia Simon.

— Parlons tout en marchant, alors.

— Si cela ne vous dérange pas. Je vous remercie pour le temps que vous m'accordez.

— Votre histoire m'intrigue et ce qui est arrivé à Paul me touche. Puis-je désormais disposer de toute votre attention?

— Vous pouvez.

— Êtes-vous prêt à faire abstraction de tout ce qu'on vous a appris sur le Coran et à recevoir ce que je vais vous révéler à son sujet?

Simon répondit par l'affirmative en se demandant pourquoi Gerd Pogel prenait autant de gants pour lui parler.

— Avez-vous lu le Coran, Simon?

— Oui.

— L'avez-vous étudié?

– Je suis diplômé en théologie.

– Que vous a-t-on appris sur son origine ?

– Que le livre saint a été révélé par l'ange Gabriel à Mahomet, en plusieurs étapes, en arabe...

– Où cela s'est-il passé ?

– Dans la grotte de Hira, dans la région du Hedjaz.

– Vous croyez aux légendes, alors ?

– Pourquoi ? Le Coran en est une ?

– Bonne question. Mais j'en ai une meilleure : pourquoi en est-il une ?

Simon se figea face à un homme en vélo qui lui fonçait droit dessus.

– Vous marchez sur la piste cyclable ! s'exclama Pogel en le saisissant par l'épaule pour le ramener sur la zone de trottoir destinée aux piétons.

Simon tenta d'identifier son agresseur, qui se fondit trop rapidement dans le flot de la circulation. Au lieu de lui demander s'il allait bien, Pogel lui demanda s'il avait faim.

– Je vous invite dans une brasserie que je connais bien, décida le professeur. On y sera peut-être plus tranquilles pour discuter.

Simon prit conscience que son attitude était ridicule.

– Je suis confus, dit-il. Vous devez me prendre pour un fou.

– Ne vous désespérez pas. Vous êtes sur la bonne voie. Enfin, tant que vous ne marchez pas sur celle réservée aux vélos.

– Comment pouvez-vous affirmer que je suis sur la bonne voie ?

– Vous êtes assailli de questions. Et c'est avec des questions qu'il faut aborder la lecture du Coran des origines.

– Écoutez, professeur Pogel, je ne suis pas sûr que tout soit lié.

– Ce que je peux vous apprendre vous concerne. Le problème est que j'ignore quoi exactement.

15

Installés à l'écart du bruit de la salle, ils commandèrent le plat du jour : du cochon de lait roti.

– Du vin avec le plat ? À moins que vous ne préfériez rester à la bière.

– De l'eau, préféra Simon.

– *« Le vin, le jeu de hasard, les pierres dressées, les flèches de divination ne sont qu'une abomination, œuvre du diable. Écartez-vous-en afin que vous réussissiez ! »*

– Un verset du Coran ?

– Sourate 5, *Al-Maidah* : « La table servie ».

– Je ne suis pas sûr d'avoir beaucoup de points communs avec le Coran. Je me suis soûlé au whisky sur l'esplanade des Mosquées et il m'est arrivé de gagner de l'argent au poker.

– Commençons par le commencement de l'islam. C'est sur ce point que j'ai beaucoup travaillé avec mes collègues. Nous avons découvert, ou redécouvert, car les anciens le savaient déjà, le premier hiatus entre la réalité historique et le dogme.

Une serveuse aux rondeurs appétissantes déposa leurs plats surmontés d'un fumet alléchant et d'un sourire plein de dents saines.

– Le dogme masque l'histoire réelle ! s'excita Gerd Pogel quand ils furent à nouveau seuls.

– C'est valable pour toutes les religions.

– Les tests au carbone 14 ont daté le Coran de Sanaa. Entre 645 et 690 ! À cette époque, l'arabe n'était qu'une langue orale. La langue officielle était l'araméen. Mes recherches sur ce parchemin confirment l'utilisation du syriaque, dialecte tiré de l'araméen. La langue de base du Coran est donc l'araméen, pas l'arabe. Les premiers témoignages de l'arabe littéraire ne datent que du VIIIᵉ siècle. Soit un siècle après la standardisation du Coran par les califes!

   – La standardisation?

   – Elle sert aujourd'hui à fabriquer des consommateurs. Au VIIᵉ siècle, elle servait à fabriquer des fidèles. Les premiers Corans eurent de multiples versions. La normalisation du livre saint nécessita trois collectes et mises en forme successives de la part des califes Abu Bakr, Uthman ibn Affan et Abd al-Malik. Les contestataires furent muselés, la parole divine révélée aux Arabes et les transcriptions non conformes à la version unique toutes détruites.

   Pogel enchaînait les confidences plus vite qu'il n'enfournait les morceaux de cochon.

   – Je doute que les autorités yéménites vous aient suivi sur ce terrain.

   – Vous doutez, c'est bien. Le gouvernement, lui, n'a pas douté. Il a nié les faits avec une véhémence appuyée. En 1997, j'ai été invité à rentrer chez moi. J'ai tenté d'emporter les microfilms des parchemins restaurés. Ils s'en sont aperçus et me les ont voilés.

   Il finit de mâcher une bouchée avant de continuer en levant l'index:

   – Voilés, mais pas inexploitables! Il reste néanmoins au Yémen quinze mille feuillets en attente d'un examen approfondi. Leur accès n'est plus autorisé, bien entendu.

   – Ce travail historique n'a donc jamais pu être mené à son terme?

   – Comprenez que ces révélations soient un choc pour les gardiens du dogme islamique. Tout ce qui prouve que le Coran n'est pas la parole inaltérée d'Allah, parfaite, intemporelle et immuable, représente une menace.

— Pourrais-je représenter une menace ? s'interrogea Simon.

— C'est une première hypothèse. Les fondamentalistes pensent de façon aussi uniforme que leur dogme. Ils combattent ce qui ne va pas dans leur sens. Par définition, le Coran n'admet ni évolution, ni modification. Certains savants musulmans savent que, au temps du prophète de l'islam, on acceptait des variantes de récitation. Les mutazilites, par exemple, défendaient le statut non absolu du Coran. Ils ont été exterminés pour ça.

— Je ne suis ni un érudit, ni un chercheur, encore moins un mutazilite.

— Il ne faut pas raisonner avec votre esprit occidental. Le problème vient du statut divin donné à un livre. Les fondamentalistes, quels qu'ils soient, prétendent que la Bible ou le Coran sont tombés du ciel. Détenir un tel livre leur donne une légitimité et un pouvoir absolus ! Pour entrer dans leur collimateur, il vous suffit de déclarer que ces livres ont une histoire ou sont le produit d'un long travail de rédaction. Pour la Bible, c'est aujourd'hui acquis, sauf pour les Évangélistes américains.

— Où voulez-vous en venir ?

— Au travail qui a été accompli sur la Bible au XIXe et au XXe siècle. Avant d'accepter que Moïse n'était pas l'auteur de la Thora, il a fallu y aller ! La compréhension de l'archéologie de la Bible ne s'est pas faite en un jour. Avez-vous en tête le récit du Déluge ?

— Oui.

— Celui des Assyro-Babyloniens lui est antérieur de mille ans, et celui des Sumériens de deux mille ans.

– Le Coran serait-il inspiré de littératures antérieures, comme la Bible ?

– Évidemment. Vous devez connaître la lecture traditionnelle du célèbre verset : « *Nous les [combattants de l'islam] aurons mariés à des houris aux grands yeux* ».

– Le passage préféré des martyrs.

– Savez-vous combien de vierges les attendent au paradis ?

– Soixante-dix.

– Aucune. Car il ne s'agit pas de vierges. Ce verset est bien plus clair quand on le traduit à partir du syriaque : « *Nous les installerons confortablement sous des raisins blancs, clairs comme le cristal* ».

Simon s'efforçait de cerner ce qui pouvait le lier à tout cela.

– C'est le paradis biblique que promet le Coran ! continua Pogel. Ce verset ainsi que de nombreux autres trahissent le socle biblique du Coran ! Déjà, le mot « Coran » provient de l'araméen *qariyun* qualifiant la lecture d'extraits judéo-chrétiens, soit des lectionnaires !

– Des versets ! s'exclama soudain Simon.

Il avait peut-être trouvé un lien.

– La liste de chiffres contenue dans le carnet de Paul. Elle correspond à des numéros de sourates et de versets.

16

Les deux hommes expédièrent leur repas pour retourner le plus vite possible au bureau du professeur. Ils y vérifièrent aussitôt que la liste de chiffres du carnet correspondait à des numéros précis de versets et de sourates du Coran.

— Ces versets sont ceux dont la traduction a été remise en question, affirma Pogel. Ils attestent que l'obsession de Paul portait sur le socle chrétien du Coran.

— En quoi cela me concerne-t-il ?

— Il faudrait creuser le sujet. Mais peu de personnes l'ont fait à cause du danger que cela représente. Seuls Christoph Luxenberg, Oskar Lander et Paul ont osé effectuer le travail qui mène aux preuves que le Coran a des origines chrétiennes. Le problème, c'est que le premier se dissimule sous un pseudonyme, le second se terre et le troisième vient de mourir.

— Vous avez reculé devant le danger, vous ?

— Je ne publie pas mes travaux, bien que je ne les cache pas non plus. Comme je vous l'ai dit, j'ai déjà pâti de mes déclarations. Je suis un scientifique impénitent, mais qui connaît ses limites, contrairement aux trois personnes que je vous ai citées.

— Mon père serait allé trop loin selon vous ?

— Oui, si par « aller trop loin » vous entendez porter atteinte à la foi des croyants et susciter des réactions violentes en remettant en question le statut divin de leur livre.

— Dire que la Bible est un ensemble de textes écrits par différents auteurs sur plusieurs époques a bouleversé le dogme qui prétendait que Dieu avait révélé la Bible à Moïse, mais cela n'a pas diminué le nombre de croyants, argua Simon.

— Cela a diminué le pouvoir politique que l'on a donné au Livre. Les dépositaires d'un objet divin acquièrent *de facto* son pouvoir. Ils deviennent comme lui incontestables, intouchables. Au nom de sa défense, ils ont la légitimité de punir tous ceux qu'ils désigneront comme ses ennemis. Là est le pouvoir du Livre. Un pouvoir diabolique puisqu'il se substitue à celui de Dieu. On en oublie que Dieu seul est juge et que le livre n'est qu'une création humaine.

– Êtes-vous croyant, docteur Pogel ?

– Je crois que l'inspiration divine est à l'œuvre dans la Bible et dans le Coran. Je crois aussi que ces livres sacrés furent écrits au fil de l'histoire par des auteurs s'inspirant aussi bien de Dieu que de textes antérieurs. Je ne remets pas en cause la foi des gens, ni les effets bénéfiques qu'elle peut avoir. Je remets en cause la portée maléfique d'une instrumentalisation politique.

– Paul semblait associer les origines du Coran aux miennes. Qui cela peut-il gêner ?

– Les recherches historiques ne gênent que les gardiens du dogme. La plupart des musulmans ne connaissent que très peu le Coran, encore moins les travaux menés sur lui. Ils prient et essayent de faire le bien autour d'eux. S'ils n'étaient pas manipulés par des imams fanatiques et des médias complaisants, ils vivraient en harmonie avec ceux des autres religions.

– Les gardiens du dogme sont donc à mes trousses et à celles de Markus. Que veulent-ils ? Le carnet ?

– Plus que cela. Les preuves que devait détenir Paul et qu'il a voulu vous léguer. Vous retournez sur Paris ?

– Oui, pourquoi ?

– Vous devriez aller interroger ce Keller de la BnF qui figure sous mon nom. Peut-être en saura-t-il plus que moi.

– Je vous remercie, professeur, pour le temps que vous m'avez accordé.

Simon voulut lui serrer la main, mais Pogel resta les bras ballants.

– Vous avez l'air d'un honnête homme, dit-il.

Le professeur disparut momentanément derrière un mur de livres et réapparut en brandissant un ouvrage poussiéreux. Celui-ci était intitulé *Die Syro-Aramäische Lesart des Koran : Ein Beitrag zur Entschlüsselung der Koransprache.*

— Il s'agit de la thèse de Christoph Luxenberg dont je vous ai parlé. Si vous continuez vos recherches, vous en entendrez parler tôt ou tard. Malgré ses conclusions saisissantes, la complexité de cet ouvrage l'a rendu inaccessible au grand public. Je vous en fais cadeau.

— De quelles conclusions parlez-vous ?

— Luxenberg a mis au point une méthode pour déterminer si les passages obscurs du Coran ne s'éclairciraient pas si on les traitait comme une traduction arabe littérale et donc grossière de tournures syriaques correctes. Les versets les plus connus prennent du coup une signification radicalement différente.

— Vous ne l'aviez pas proposé à mon père ?

— Il en avait déjà un exemplaire.

— Merci, professeur.

— Continuez à vous poser des questions. Doutez, refusez l'évidence. Et lisez. Les réponses finiront par affluer.

Simon glissa l'ouvrage de Luxenberg dans son sac et regagna la gare pour poursuivre sa route jusqu'à Paris.

LIVRE IV

« Quel est le plus grand danger pour l'islam ? Telle avait été la dernière énigme posée par mon père avant de mourir. »

17

Simon acheta un journal à la gare de Sarrebruck et se laissa choir sur son siège. Le compartiment était aux trois quarts plein. Les passagers étaient concentrés sur des écrans de smartphone, de baladeur numérique, de console de jeux, d'ordinateur, de tablette numérique. Sauf une petite fille qui rêvait, le nez contre la vitre, épargnée par l'invasion technologique. Il regarda avec elle le paysage urbain redevenir rural. Comme si elle avait senti la convergence de leurs esprits, la fillette lui adressa un sourire. Il goûta cette joie avant de se plonger dans un journal dont les gros titres étaient consacrés aux tremblements de terre en Iran. Ils faisaient écho à ceux qui avaient frappé Israël quelques jours auparavant. Les deux pays semblaient se livrer une guerre par catastrophes naturelles interposées.

Simon interrompit sa lecture de la liste des fléaux qui donnaient l'impression que l'on vivait dans un monde au bord du chaos, pour s'intéresser au livre de Luxenberg. La complexité de la thèse, la fatigue du voyage et le roulis l'assoupirent.

Lorsqu'il se réveilla, le train arrivait à Paris.

Il débarqua comme un touriste, avec l'impression qu'il ne resterait pas longtemps. Il sortit de la gare de l'Est en suivant le mouvement initié par les voyageurs qui tiraient des valises à roulettes et balayaient sur leur passage les papiers gras et les mendiants crasseux. Un vieux clochard s'écarta pour ne pas être emporté. Son gobelet en plastique destiné aux oboles se balada de pied en pied. Les gens couraient vers un avenir meilleur en ignorant le pauvre ancré dans un présent en crise. Simon lui donna de l'argent sans guetter sa réaction pour ne pas l'obliger. Il sentit qu'on l'agrippait par le pan de sa veste. Une fillette sale et sa mère serrant un bébé contre elle réclamaient leur part de charité. Il sortit un billet de vingt euros qui fut happé plus rapidement qu'une feuille morte dans la tempête. Dix remerciements plus tard, il s'engouffra dans le métro où les mendiants étaient musiciens.

L'appartement de ses parents était situé dans le septième arrondissement. En émergeant à l'air libre, il se rendit compte qu'il faisait bon et nuit. Il marcha quelques minutes avant de s'engager dans la petite rue tranquille qu'il n'avait pas arpentée depuis des années. Les fenêtres de l'immeuble étaient allumées sauf celles du cinquième étage. Celles de ses parents.

Il avait habité là pendant ses années d'université.

Désagréable sensation de remettre les pieds ici où les objets familiers étaient devenus des reliques. Allait-il garder cet endroit ou le vendre ?

Lorsqu'il pénétra dans l'appartement, la sensation désagréable s'accentua.

Simon sentait une présence.

Comme si ses parents étaient encore là.

Il posa son sac dans l'entrée, se dirigea vers l'odeur de tabac qui émanait du salon et alluma la lumière. Deux boîtes de pizza transformées en cendrier gisaient sur la table basse, cernées par des canettes de bière, un journal froissé et quelques télécommandes.

Quelqu'un vivait ici.

Il inspecta l'appartement. La poubelle de la cuisine débordait de cadavres de bouteilles. De la vaisselle sale était jetée en vrac dans l'évier.

Simon gagna la chambre sur la pointe des pieds, passa la tête dans l'entrebâillement et perçut un ronflement dans la pénombre.

Il recula sous une poussée d'adrénaline.

En temps normal, il aurait allumé la chambre et interpellé l'intrus. Mais son instinct de survie, mis à rude épreuve depuis plusieurs jours, le fit adopter une autre attitude.

Vérifier l'autre chambre. Celle qu'il occupait jadis quand il était étudiant et que ses parents destinaient désormais aux amis.

Là aussi un individu était couché sur le lit.

Ces deux personnes avaient-elles la permission de Paul et Amina de demeurer dans cet appartement ? Le notaire n'avait rien mentionné à ce sujet.

La porte de sa chambre pouvait se verrouiller. Simon passa lentement la main à l'intérieur, retira la clé avec la précaution d'un champion de mikado et enferma l'intrus. Puis il s'intéressa à l'autre.

Il progressa sous couvert de l'obscurité et des ronflements. L'homme qui dormait dans le lit de ses parents était habillé. Son bras pendait dans le vide. Simon le saisit et le lui plaqua dans le dos tout en pliant le coude et le poignet. La double torsion réveilla le ronfleur dans la douleur en même temps que sa main libre plongeait sous l'oreiller. Simon serra fort, s'écria : « Qui êtes-vous ? », sentit quelque chose craquer. L'homme sortit de sous l'oreiller une arme à feu. Simon lâcha le bras mou, saisit le canon du pistolet et le tira vers l'arrière. Un nouveau craquement signifia qu'il venait de casser le doigt coincé dans le pontet.

Il posa à nouveau la question :

– Qui êtes-vous ?

Dans la pièce d'à côté, l'autre intrus défonçait la porte. Un cri de rage et trois balles traversèrent la cloison. Simon s'écrasa au sol avec les oreilles qui sifflaient. Il rampa vers le couloir sous une nouvelle rafale, ramassa son sac, sortit de l'appartement et courut sans se retourner en direction d'un poste de police.

Il ne s'arrêta qu'arrivé devant la façade du commissariat central.

Hésitation.

En apprenant que deux tueurs l'attendaient dans l'appartement de ses parents, les flics feraient vite le lien avec le début de l'histoire, qui serait sûrement narré en sa défaveur par le commissaire Ziv. Il ferait alors un suspect idéal, frappé d'interdiction de quitter l'Hexagone jusqu'à nouvel ordre.

Simon se retourna, constata qu'il n'avait pas été suivi. Il continua son chemin sans prendre de décision. Il lui manquait trop d'informations pour cela.

18

La tour Eiffel brillait comme un sapin de Noël. Face à elle, le Trocadéro déployait ses ailes de béton sur la colline de Chaillot. Entre les deux monuments mis en perspective de part et d'autre de la Seine, des vendeurs à la sauvette essayaient d'écouler des souvenirs en plastique fabriqués en Chine. Simon acheta un soda à un marchand ambulant et erra sur le Champ-de-Mars. La nuit était déjà bien entamée et il se demanda où il allait la terminer.

Il fut attiré par un air de violon joué à la lueur d'un réverbère par un jeune homme maigre aux cheveux longs, vêtu d'un costume de concertiste, imperturbable sous les flashs d'un groupe de Japonaises goguenardes. Simon reconnut le concerto numéro trois de Mozart.

Une jeune femme déposa une liasse de billets, provoquant un couac mélodieux chez le violoniste. Simon suivit du regard le joli et généreux mécène qui alla s'asseoir dans l'herbe. Il l'imita pour jouir de cet instant, non loin d'elle. La plupart des gens s'attardaient devant le virtuose qui restituait à Dieu sa musique. Certains passants l'accompagnaient de tintements de pièces atterrissant dans l'étui de son instrument. Une famille d'obèses vint stationner près de Simon pour dévorer des glaces presque aussi grosses que des battes de cricket. La comparaison lui rappela que son père l'avait emmené une fois à un match en Angleterre.

Simon se laissa aller en arrière et contempla les étoiles vers lesquelles s'envolait la musique divine. L'ouverture de *La Flûte enchantée* dilua l'adrénaline qui empoisonnait son sang et fit refluer le souvenir de Paul et Amina en train de l'emmener à une représentation du célèbre opéra. Sur scène, le prince Tamino était sauvé par les trois dames d'honneur de la reine de la Nuit. Elles avaient tué le serpent de trois javelots d'or...

La musique disparut sous les applaudissements, le violoniste efflanqué s'inclina au risque de se casser, l'audience s'éparpilla sur le Champ-de-Mars. La généreuse donatrice se pencha un peu en avant dans la lumière d'un réverbère, révélant un visage incrusté de diamants. Elle pleurait. Touchée en plein cœur par l'archet du musicien. Elle sortit de son sac un mouchoir, essuya ses larmes et s'en alla. Simon se laissa retomber en arrière et repensa à Tamino, à qui la reine de la Nuit avait montré un portrait de sa fille Pamina. Tamino tomba amoureux à la seule vue de ce portrait. Mais il ne pourrait épouser Pamina que s'il la délivrait de Sarastro. Muni d'une flûte enchantée remise par les trois dames de la reine, Tamino se présenta devant Sarastro, qui lui déclara : « Si vous voulez délivrer Pamina, vous devez passer l'épreuve du silence... »

Simon se leva. L'herbe était humide. Il vit une étoffe par terre, là où la jeune femme généreuse s'était assise. Une écharpe. Il la ramassa et courut dans la direction prise par l'inconnue. Celle-ci s'était dissoute dans la nuit comme les notes de musique qui l'avaient transportée.

Simon entra dans un café pour se réchauffer et commanda un thé. Il porta l'écharpe à son nez et respira l'ambre, le jasmin, la rose, la glycine, le mimosa. Un véritable jardin. L'inconnue sentait le soleil. Ses traits étaient gravés dans son esprit : une masse de cheveux noirs, ondulés, un nez volontaire, de grands yeux, d'épais sourcils, des pommettes hautes, une grande bouche.

Il but son thé et gagna un hôtel que le serveur lui avait préconisé.

Un lit face à une télévision éteinte.

Il chercha de la musique sur une chaîne mais tomba sur des péroreurs pétris de certitudes, des amuseurs pitoyables et des séries policières. Il éteignit le bruit et retrouva le murmure de la ville qui filtrait à travers le double vitrage. Le souvenir de ses années d'étudiant remontait à la surface depuis son retour à Paris. Il avait perdu le contact avec ses copains de fac. Balloté de pays en pays depuis sa plus jeune enfance, Simon n'avait jamais eu le temps de forger une amitié profonde avec quelqu'un. Ce nomadisme en avait fait un être qui ne s'attachait ni aux choses, ni aux gens. La seule personne ayant vraiment compté était sa mère Amina, qui s'avérait aujourd'hui ne pas être sa vraie mère. Il connaissait peu Paul car celui-ci était souvent absent. Des dîners importants à l'ambassade. Des déplacements importants à l'étranger. Des conférences importantes au Collège de France. Des réunions importantes au Cercle Renan... L'évocation de ce cercle auquel son père appartenait donna à Simon l'idée de s'y rendre le lendemain après sa visite à la BnF. Deux pistes à exploiter pour lever le voile sur le passé de Paul et les origines de ce fils qu'il avait adopté.

Simon prit une douche, enroula l'écharpe autour de lui et se coucha avec le parfum d'une inconnue.

19

Le Champ-de-Mars était recouvert de rosée, l'air frais pas encore vicié. Des lève-tôt joggaient avant de courir à leur travail. Des employés municipaux nettoyaient la chaussée. Un adolescent filait sur un skateboard. Un vieillard indigent poussait un caddy rouillé rempli de sacs. En attendant l'ouverture de la BnF, Simon s'installa à la terrasse d'un café, près d'un étourneau qui picorait des miettes de croissant sur une chaise. Le garçon de café chassa le sansonnet d'un geste disgracieux avec son plateau.

Impossible coexistence de la vie civilisée et de la vie sauvage.

Simon commanda un café et ouvrit le carnet de Paul dont il se servait pour rapporter les faits depuis la mort de ses parents. Sans omettre le moindre détail. Relire ses notes l'aiderait peut-être à y voir plus clair.

Une ombre glissa sur son carnet.

— Vous vous êtes trompé de cou !

Il leva le nez.

Elle était devant lui.

La belle inconnue de la nuit.

— Pamina ?

— Comment m'avez-vous appelée ?

Simon laissa le berger allemand lui renifler l'écharpe.

— Je l'ai ramassée dans l'herbe... là-bas... expliqua-t-il.

— Vous vous appropriez tout ce que vous ramassez ?

Simon ne savait pas quoi répondre. Alors il posa une question :

— Comment m'avez-vous trouvé ?

Elle désigna l'animal en train de répandre de la bave sur son jean.

— L'odorat du chien est un million de fois plus sensible que celui de l'homme. Particulièrement celui du berger allemand. Cela explique pourquoi il sait reconnaître dans une forêt le bâton que vous lui lancez... ou l'écharpe que vous avez oubliée la veille sur la pelouse.

Simon dénoua l'étoffe précieuse et la restitua, un peu confus, à sa propriétaire.

— Maintenant, il y a nos deux odeurs dessus, lui reprocha-t-elle.

— Vous croyez que ça risque de perturber votre chien ?

— Au moins, je saurai comment vous retrouver.

— Il y a des moyens plus simples.

Il réalisa trop tard que, en ce qui le concernait, ce n'était pas le cas. Il n'avait ni adresse ni numéro de téléphone à communiquer.

— Mais pas aussi efficace, devina-t-elle.

De près et de jour, elle était encore plus belle. Jaillie non pas de *La Flûte enchantée* mais d'un conte des mille et une nuits. Sculptée dans le soleil oriental. À rendre poète le plus fourbe des vizirs. Cette femme dont il ne connaissait pas encore le nom et qu'il avait baptisée Pamina fit ressurgir en lui les vers de l'un des plus beaux poèmes de la Terre. Il ne put s'empêcher de le lui dire et de réciter deux alexandrins évocateurs pendant que le chien lui mordillait gentiment le mollet.

— « *Elle marche en déesse et repose en sultane, elle a dans le plaisir la foi mahométane*».

— C'est beau, dit-elle.

— Baudelaire.

— On dirait que mon chien vous aime bien.

— Comment s'appelle-t-il ?

— Adolf.

Simon tiqua.

— Pour un berger allemand, ça sonne bien, non ? fit la jeune femme.

Comme Simon restait muet, elle ajouta :

— Je plaisante... Il s'appelle La Truffe.

— Je préfère.

— Il ne faut pas non plus blâmer tous les Adolf, ni bénir tous les Jésus. Bon, je vous laisse. Merci d'avoir pris soin de mon écharpe.

— Je peux vous offrir un petit déjeuner pour m'excuser de vous avoir volée ?

— Petit seulement ?

Simon afficha un air niais.

— Je vous taquine, avoua-t-elle. En fait, j'ai horreur de la manie qu'ont les gens de coller «petit» dans leurs phrases. Je vous paye un petit verre ou je vous offre un petit coup de main ? C'est toute la mesquinerie des gens qu'on entend dans ce mot employé à tout bout de champ.

— Vous êtes française ?

– Pas seulement. Je ne peux pas vraiment cacher mes origines orientales, n'est-ce pas ?

– Ce serait dommage.

Elle accepta de s'installer à sa table.

– Alors juste un thé à la menthe avec quelques loukoums.

– Je ne sais pas s'ils ont ça, remarqua Simon en guettant le serveur.

– Non, un café, ça ira. Je blaguais.

Il se demanda comment une fille aussi espiègle pouvait être la même que celle qui pleurait sur *La Flûte enchantée*. Elle s'assit en face de lui, remplaçant avantageusement la silhouette squelettique de la tour Eiffel par des formes généreuses. Elle était vêtue d'un sweat-shirt à moitié ouvert sur un bustier échancré et avait tenté de domestiquer sa chevelure en queue-de-cheval.

– Vous êtes touriste ? demanda-t-elle.

– Pour l'être, il me faudrait un point de départ et une destination.

– Vous n'en avez pas ?

– J'en suis encore à chercher d'où je viens.

Le serveur distribua deux cafés américains et des croissants.

– Vous vous posez des questions sur vos racines ?

– Je viens de perdre mes parents et d'apprendre qu'ils m'ont adopté.

– Je suis désolée.

Simon lui raconta son histoire en occultant l'épisode confus de l'esplanade des Mosquées. Il éprouvait un irrésistible besoin de parler, de déverser un trop-plein, de se confier à quelqu'un d'autre qu'un policier ou un scientifique. À une inconnue, par exemple.

Son récit la pétrifia.

– Je regrette de vous avoir ennuyé avec mon écharpe, se désola-t-elle.

– Au contraire. Vous m'avez offert un bout de conversation.

– Votre histoire est incroyable !

– J'espère que mes propos sur les origines chrétiennes du Coran ne heurtent pas votre foi, du moins si vous êtes croyante.

– Ma foi est intérieure et ne concerne que ma relation avec Dieu. Le monde extérieur n'exerce aucune interférence.

Elle but son café devenu froid et lui demanda :

– Qu'allez-vous faire ?

– À choisir, j'aimerais finir ce déjeuner en votre compagnie.

– C'est un projet à court terme.

– Pour moi, ce sont les plus précieux.

Elle parla enfin d'elle. Elle s'appelait Sabbah et travaillait à l'Unesco dont le siège était situé à Paris. En ces temps de troubles, elle était souvent sollicitée pour des réunions et des conférences sur la paix, la pauvreté, le dialogue des cultures.

– Est-ce qu'on peut se revoir ? lança Simon à la fin du déjeuner.

La phrase avait jailli par réflexe, comme s'il avait demandé l'addition. Sans savoir où il serait demain. Mais attiré par cette femme.

– Je ne sais pas.

– Votre chien m'aime bien.

– Parce que vous portez mon parfum.

Simon se tut car il manquait d'arguments.

– Vous avez un numéro où l'on peut vous joindre ?

– Vos lèvres semblent avoir été façonnées pour ne dire que de belles choses.

– Vous vous débrouillez pas mal non plus.

Faute de numéro, il lui donna le nom de son hôtel.

20

La Bibliothèque nationale de France était située rue Richelieu dans le deuxième arrondissement. Le bâtiment était cerné par des travaux. Au-delà des palissades, derrière la façade que l'on restaurait, on ressuscitait des manuscrits millénaires. En plus du contenu de la mémoire du monde, on rénovait le contenant.

Simon traversa la cour de la bibliothèque jusqu'à l'accueil. L'employé en charge d'informer les visiteurs lui déclara qu'André Keller était décédé.

– Quand est-il mort? s'exclama Simon qui reçut la nouvelle comme un uppercut.

– Il y a trois semaines environ. Une agression qui a mal tourné. Pour un simple portefeuille! Où va le monde?

– Quelle était sa fonction exacte à la BnF?

– Paléographe et codicologue, spécialiste de l'histoire des manuscrits arabes.

– Avait-il un assistant ou un collaborateur?

– Pierre Laffite, du département des Manuscrits, a pris sa suite.

– Puis-je le rencontrer?

– Vous êtes journaliste?

– Moins que vous.

– Pourquoi dites-vous ça?

– Votre analyse de l'agression d'André Keller aurait pu faire un gros titre de journal.

— Vous croyez ?

— Pouvez-vous vérifier si Pierre Laffite peut me recevoir ?

— Qui dois-je lui annoncer ?

— Simon Lange.

— Je ne sais pas s'il est libre.

— Dites-lui que c'est personnel.

L'employé esquissa un rictus pour signifier qu'il n'était pas dupe.

— C'est ce qu'on dit, lâcha-t-il.

Simon lui mit les points sur les *i* :

— André Keller effectuait des recherches sur le Coran avec mon père. Ils sont morts tous les deux accidentellement à une semaine d'intervalle. C'est assez personnel pour vous ?

21

Pierre Laffite apparut à l'autre bout d'un couloir pour venir à la rencontre de Simon. Grand, maigre, il ressemblait à une momie sur laquelle on aurait implanté des cheveux blancs pour lui donner l'air plus vivant. À force de se pencher sur des parchemins, le savant en avait presque pris l'apparence. Simon n'osa serrer sa main de peur de l'émietter.

— Ainsi, votre père collaborait avec André ? s'étonna le paléographe.

— Peut-on discuter de cela dans votre bureau ?

Laffite regarda sa montre et concéda à l'étrange visiteur de chambouler son emploi du temps. Il invita Simon à l'accompagner jusqu'à une vaste salle tapissée de rayonnages en chêne sculpté et de bibliothèques vitrées. Ils s'installèrent à une table, face à face. Laffite croisa ses doigts osseux et demanda :

— Que puis-je pour vous ?

— Mon père avait pris contact avec André Keller pour obtenir des informations sur les origines du Coran. Il semble que ces informations aient causé leur perte.

— Vous croyez qu'André a été assassiné à cause de ça ?

— Quel mobile est le plus plausible ? Les origines secrètes du Coran ou un portefeuille ?

— De quel secret parlez-vous ?

— Je l'ignore puisqu'il s'agit d'un secret.

— Qu'attendez-vous de moi ?

— Que vous me disiez ce que Keller aurait pu révéler de dangereux à mon père avant de mourir.

Laffite nouait ses doigts sous l'impulsion nerveuse de son malaise.

— Les connaissances de Keller sur le Coran étaient vastes. Je ne saurais pas par où commencer. Cela prendrait du temps...

— Allez directement aux informations susceptibles de déplaire aux gardiens du dogme.

— Elles le sont toutes dès que vous touchez au dogme en question. Vous imaginez dans quoi vous vous lancez ?

— Je suis concerné de toute façon. Les recherches de mon père étaient censées le mener à mes origines. J'ai été adopté.

— Quelle bien étrange histoire !

Le paléographe tapota nerveusement la table, le pria d'attendre et se retira. Simon se demanda s'il n'en avait pas trop dit à cet inconnu. Le mettait-il en danger en l'impliquant dans ses investigations ? Il songea aux deux tueurs qui occupaient l'appartement de ses parents et réprima quelques frissons. Cette pièce qui filtrait les bruits

extérieurs et plongeait ses fondations dans un passé millénaire lui procurait une sensation de sécurité.

Laffite rappliqua chargé d'une pile de linge surmonté
d'une édition contemporaine du Coran. Il posa son paquet
sur une table en marqueterie, déplia l'un des tissus et
révéla des fragments reliés de parchemins.

— La BnF dispose de certains des plus anciens manuscrits coraniques connus au monde, déclara-t-il avec fierté.
Si votre père s'intéressait aux origines du Coran, Keller a
sûrement dû commencer par lui montrer ceci.

Simon s'approcha au plus près des parchemins dont
les pages épaisses et trouées comme du gruyère étaient
couvertes d'une écriture rudimentaire.

— De quelle époque datent-ils ?

— Du premier siècle de l'islam.

— Est-ce que ces fragments nous apprennent des
choses ?

— Vous plaisantez ? C'est une source inestimable et
inépuisable pour la connaissance du Coran.

— Tout ancien qu'il soit, un Coran reste un Coran, non ?

— Erreur ! Ce parchemin présente des dissemblances.
Regardez, la séquence des sourates s'articule différemment
de celle de la version officielle du Coran.

Les pages craquaient lorsque Laffite les tournait, délicatement, sans gant, afin de ressentir la peau parcheminée
sous ses doigts et ainsi ne pas risquer de l'abîmer.

— Sur ces palimpsestes[1], on voit bien que l'ordre
originel de la révélation progressive faite à Mahomet entre
610 et 632 correspond à celui qui fut reconstitué par les
chercheurs modernes.

---

1. Pages sur lesquelles le texte initial a été effacé pour être remplacé par un autre.

– Et ça change quoi ?

– Tout. Au grand dam de ceux qui ont statué que le Coran n'a jamais été altéré. Prenons un exemple. Selon l'ordre originel, la première sourate évoque la naissance de Jésus comme dans les Évangiles, alors que celle de la version officielle met les musulmans en garde contre les chrétiens.

– Cela donne le ton effectivement.

– Les chiites accusent le calife Uthman d'avoir supprimé ou modifié les passages dans lesquels il est fait mention des hommes de la tribu des Qurays ainsi que d'Ali[1], son rival politique. Des chapitres entiers et de nombreux versets auraient disparu ou auraient été modifiés. Soit à peu près les deux tiers du Coran originel. Muhammad Mal-Allah, un auteur sunnite, donne deux cent huit exemples de falsification.

– Les chiites n'auraient pas gardé un Coran originel ?

– Ali et ses successeurs l'auraient caché. Il devrait, selon la tradition, être révélé à tous lors de l'avènement du Messie.

Le codicologue montra à Simon les palimpsestes qui faisaient référence à Ali et confirmaient l'accusation des chiites à l'égard des sunnites. Attentif, Simon essayait de trouver ce qui pouvait l'associer à cette altération.

– Le Coran a une histoire comme les autres livres saints, expliqua Laffite. La communauté musulmane ambitionnait d'être la détentrice d'une écriture, à l'instar des autres peuples du Livre. L'enjeu était capital.

Le paléographe déplia l'autre linge et ouvrit le deuxième parchemin.

---

1. Ali ibn Abi Talib : cousin et gendre du prophète Mahomet dont il épousa sa fille Fatima.

– Le manuscrit 328 ! annonça-t-il comme s'il venait de déterrer l'arche d'alliance. Je soumets à votre regard neuf l'un des plus anciens exemplaires du Coran, transcrit sur de la peau de mouton dans la seconde moitié du VIIe siècle. Il fut découvert dans la cache d'une mosquée, à Fustat, l'actuelle banlieue du Caire, pendant la campagne d'Égypte menée par Napoléon Bonaparte. Nous détenons aujourd'hui la moitié du texte coranique. Le reste est conservé dans trois autres endroits, à la bibliothèque apostolique du Vatican, à la Bibliothèque nationale de Russie de Saint-Pétersbourg et dans une collection privée à Londres.

– Le texte a été écrit par plusieurs copistes, regardez.

Laffite compara deux pages du manuscrit 328. L'une d'elles était plus élaborée que l'autre.

– Les mains caractéristiques attestent l'intervention de plusieurs copistes. L'un d'eux a écrit dans un style hedjazi, du nom de la région du Hedjaz, en Arabie saoudite...

– Là où se trouve La Mecque.

– Exact. Il s'agit là de l'une des écritures les plus anciennes de l'arabe. Elle est constituée uniquement d'un squelette de consonnes, sans les points diacritiques[1] de l'arabe moderne, et donc d'une lecture difficile. Même les sourates n'ont pas de titre. Elles sont simplement séparées par des espaces.

– Un texte sacré approximatif, quoi !

– Le nombre de copistes intervenus sur les premiers manuscrits et l'emploi d'une écriture non vocalisée pouvaient en effet être sources d'erreur de lecture et d'interprétation tendancieuse. Je crois que les utilisateurs du livre saint souhaitaient surtout disposer d'un aide-mémoire, d'un

---

1. Signe diacritique : signe qui, adjoint à une lettre, en modifie la valeur (ex. : accent, cédille...).

support permettant de retrouver les versets mémorisés. Le texte de ce parchemin est tout bonnement un fil directeur.

– Si je comprends bien, le Coran serait pour vous un pense-bête.

– Le terme manque d'élégance, mais il n'est pas faux.

Simon ouvrit le carnet de Paul pour montrer à Laffite la liste de chiffres.

– Est-ce que cette liste de versets pourrait être un pense-bête aussi ?

Le paléographe ouvrit l'exemplaire du Coran officiel qu'il avait apporté avec lui et posa le carnet à côté. Les yeux du savant, aiguisés pour l'analyse et le décryptage, s'illuminèrent comme deux phares.

– Vous avez noté les numéros des versets coraniques dont l'interprétation prête à confusion.

Pierre Laffite confirmait la thèse de Gerd Pogel.

– Des versets énigmatiques ? souligna Simon.

– Que certains spécialistes ont traduit de manière radicalement différente de celle communément admise, en ayant recours à des méthodes philologiques basées sur l'utilisation de calques morphologiques.

– Quel est le vrai sens de ces versets ?

– Je ne suis pas un expert dans ce domaine. Je suis paléographe et codicologue. Si vous voulez explorer la thèse des philologues, je vous recommande d'aller plutôt interroger les orientalistes allemands qui ont œuvré dans ce sens.

Simon se leva.

– Merci, professeur, pour le temps que vous m'avez consacré.

– Est-ce que je vous ai aidé ?

– Je suis sûr que oui. Vous m'avez donné quelques éléments d'un puzzle dont la signification ne m'apparaîtra que lorsque toutes les pièces seront assemblées.

22

Des calques morphologiques! Comment une grille de lecture des versets coraniques pouvait-elle l'aider à décrypter son passé? Simon sortit de la BnF avec cette question à l'esprit.

L'agression sonore et carbonique de la capitale le poussa à se réfugier dans un parc aménagé autour d'une fontaine. Il s'assit sur un banc à l'ombre de la frondaison frémissante d'un platane qui s'ébrouait sous l'effet d'un vent léger et d'une batterie de pigeons.

Un Coran aux influences chrétiennes, écrit par les hommes et non dicté par Dieu à Mahomet, puis réécrit par les califes, tel était l'objet de la quête de son père adoptif et de quelques orientalistes téméraires. Après la Bible et le Nouveau Testament, le Coran s'apprêtait à se faire dépoussiérer par les exégètes et s'accorder avec l'histoire.

Mais lui, quel était son rôle dans tout ça?

Simon se laissa fasciner par le ballet sauvage et pesant des pigeons qui détonnaient dans un environnement urbain complètement domestiqué.

Deux nonnes captèrent son attention. Le vent dans leurs voiles et leur allure gauche les faisaient ressembler aux oiseaux lourdauds, à quelques vœux de chasteté et d'obéissance près. Elles trottinèrent ensemble vers la sortie du parc. Simon se leva dans leur sillage et prit la direction du boulevard des Invalides où siégeait le Cercle Renan. Il traversa la Seine et s'engagea dans la rue du Bac. Il posait le pied sur un passage clouté lorsqu'il entendit un crissement dans le croisement. Il recula sur un piéton qui lui avait emboîté le pas de trop près. Un fourgon aux vitres teintées pila devant lui. Une portière s'ouvrit. Son instinct le fit battre en retraite avant de savoir qui allait sortir du véhicule. Ayant opté pour une trajectoire rectiligne, il bouscula les piétons sur son chemin, sauta au-dessus d'une poussette, bondit sur un capot, frôla le casque d'un cycliste à deux mètres du sol et retomba de l'autre côté de la chaussée contre la paroi molle d'un conteneur à déchets recyclables. Simon récupéra son équilibre pour escalader la grille d'un jardin privé, traversa la propriété déserte, rejoignit l'entrée et s'engouffra dans la boutique de vêtements la plus proche. Il décrocha une veste grise d'un présentoir, rafla un béret assorti, régla à la caisse, ôta son sweat-shirt rose et sa parka, enfila ses nouvelles fringues et fourra les anciennes ainsi que tout ce qu'il possédait dans le sac aux couleurs de l'enseigne.

Simon ressortit du magasin avec un nouveau look qui devait lui permettre de quitter le quartier. À une cinquantaine de mètres, deux hommes arpentaient le trottoir en se tenant l'oreille et en masquant leurs regards fureteurs derrière des lunettes de soleil. Le fourgon les suivait en roulant au pas. Simon se dirigea vers une terrasse de café, empoigna une chaise et la jeta au milieu d'un carrefour, créant instantanément un carambolage et un concert de klaxons. La diversion lui permit de s'éclipser dans la direction opposée au milieu d'un aréopage de Chinois cauteleux. Il s'en détacha au bout d'une vingtaine de mètres pour faire don de son sweat-shirt rose et de sa parka à un mendiant assis sur une flaque de pisse. Il bifurqua dans une ruelle étroite qui le ramena vers la Seine, acheta un sac à dos gris avant d'abandonner le sien, regagna la direction des Invalides et se procura une fausse paire de Ray Ban auprès d'un Sénégalais.

Simon estima alors qu'il était temps de cesser d'être en mouvement. Il entra dans un pub qui diffusait un vieux tube des Pogues, s'installa au fond de la salle après s'être assuré qu'il y avait une issue de secours et commanda un Talisker.

On le traquait à l'échelle planétaire. De Jérusalem à Paris en passant par Berlin où l'agression par les trois nazillons devant l'immeuble de Raphaël n'était peut-être pas aussi fortuite qu'il l'avait pensé.

Simon était devenu une cible au même titre que Markus, qui devait se cacher lui aussi. L'Allemand participait aux recherches de Paul sur les origines du Coran parce que son ami était convaincu qu'elles étaient liées à celles de son fils adoptif. Markus avait disparu et été cambriolé deux fois. Paul était mort dans un accident.

Simon héritait des menaces qui pesaient sur eux. Menaces dont il ne pouvait pas parler à la police sans passer pour un illuminé.

Il résuma la situation à deux questions soulignées dans son carnet.

Qu'est-ce qui le reliait au Coran ?

Qui étaient ses vrais parents ?

Une pièce du puzzle se trouvait peut-être au cercle que fréquentait Paul.

23

Le Cercle Renan était situé dans le 7ᵉ arrondissement. L'endroit ressemblait à un club anglais. On s'asseyait dans d'énormes fauteuils en cuir pour lire des journaux très sérieux et des livres rares, on conversait dans un décor de boiseries, on s'enflammait au coin d'une cheminée dans l'ivresse du houblon, on s'y retrouvait entre membres, non pour refaire le monde, mais pour l'expliquer. Le cercle publiait une gazette trimestrielle qui traitait de sujets aussi pointus que «La lettre de Thrasybule à Leucippe» ou «Les apories de la qibla» et organisait une conférence mensuelle. La prochaine avait pour titre «Les mirages de Lourdes ou cent cinquante ans de mystification».

Simon s'y présenta en début d'après-midi à l'heure du café ou du digestif, propice aux discussions. Prononcer le nom de son père eut l'effet d'un sésame. Il fut accueilli par le président du cercle qui se souvenait bien de Paul Lange, «un diplomate dans tous les sens du terme, tant par la manière dont il représentait la France à l'étranger que par le tact dont il faisait preuve dans les relations humaines». Après cette introduction en forme d'épitaphe, Simon fut présenté à un membre du club qui connaissait bien son père, un quinquagénaire qui posa son exemplaire du *Wall Street Journal* près d'une tasse de thé, déplia son mètre quatre-vingt-dix et passa sa main dans une coiffure grise anarchique avant de l'utiliser pour serrer celle du visiteur. Le président s'effaça en prétextant un planning chargé, laissant Simon face à un échalas échevelé en veste de tweed. L'homme invita Simon à prendre place dans un fauteuil massif qui faillit l'engloutir, et présenta ses condoléances.

— Je suis désolé de n'avoir pas pu effectuer le déplacement à Beyrouth pour les funérailles. Mon emploi du temps ne me l'a pas permis.

— Employer son temps n'est pas une mince affaire.

— Nous aimions nous rencontrer, Paul et moi, dans ce havre feutré d'érudition. Votre père va nous manquer.

— Depuis combien de temps le connaissiez-vous ?

— Thé ou whisky ?

— Talisker.

— Bon choix.

– Ça ne vous dérange pas si je vous pose des questions sur lui ?

– Qu'est-ce qui vous préoccupe au sujet de Paul ?

– La vérité.

– Pour répondre à votre question, j'ai connu votre père l'année où Khomeyni a pris le pouvoir en Iran et publié son petit livre vert.

– En 1979 ?

– Savez-vous que Khomeyni est le théologien le plus lu du XXe siècle ?

– Je l'ignorais.

– Les Occidentaux ne lisent pas assez ceux dont ils combattent les thèses. Si nous nous étions penchés sur les principes politiques, philosophiques et religieux de l'ayatollah Khomeyni, nous connaîtrions certes les lois divines sur la façon d'uriner, de déféquer, de trousser une femme ou de payer les impôts, mais nous saurions surtout que l'islam, loin d'être une religion spirituelle, est une religion formelle, juridique et politique.

– C'est de cela que vous discutiez avec mon père ?

– Nous parlions de cigares aussi... Puis-je vous en proposer un ?

Simon déclina l'offre et permit à son interlocuteur d'allumer un havane. Pendant quelques secondes, il se retrouva en face d'un dragon en surchauffe.

– Nous échangions nos points de vue sur l'Orient, l'islam, la civilisation arabe. Nous confrontions son expérience du terrain à mon érudition acquise dans les livres. L'empirisme face au rationalisme. Nos propos finissaient souvent par converger. Qu'en pensez-vous ?

– Les deux sont nécessaires.

– Je parlais du whisky.

– Ah ! Il est comme je m'y attendais : parfait.

– Votre père et moi, nous divergions principalement sur un point.

– Lequel ?

– Son hobby était la cueillette des champignons. Le mien est la chasse au sanglier. Nous avions donc coutume d'unir nos deux penchants *a priori* peu compatibles autour d'un civet de sanglier aux champignons.

– Est-ce que mon père vous avait confié avoir des ennemis ?

– En dehors des chasseurs ?

Simon jugea l'humour de son interlocuteur un peu lourd.

– Sérieusement.

– Non, pourquoi ? Vous pensez que sa mort n'est pas accidentelle ?

– Je cherche à mieux connaître mon père. Et nos ennemis nous définissent mieux que nos amis, car ils sont plus fiables.

– Vous avez une étrange conception de l'amitié.

Simon était bien placé en effet pour parler de la non-fiabilité de l'amitié. Mais il préféra ne pas s'étendre sur le sujet.

– J'ai moi aussi des ennemis que je voudrais identifier, se contenta-t-il d'expliquer. Peut-être sont-ils les mêmes que ceux de mon père.

– Vous m'en voyez désolé. Que puis-je vous dire ? Paul et moi menions des recherches sur les religions, l'islam en particulier, depuis des décades. Comme je vous le disais, nous en discutions à chacune de nos rencontres...

– Quand vous êtes-vous vus pour la dernière fois ?

– Il y a environ un mois.

– Lors de cette rencontre, de quoi vous a-t-il parlé ?

– Je vais vous confier quelque chose. À chacune de nos retrouvailles, nous nous efforcions de titiller nos amours propres en nous posant une énigme à laquelle l'autre devait répondre la fois suivante.

– Quelle fut la dernière posée par mon père ?

– Elle était particulièrement mystérieuse.

– Vous pouvez m'en faire part ?

– Quel est le plus grand danger pour l'islam ?

– Que lui avez-vous répondu ?

– Rien. Je devais donner ma réponse à notre prochain rendez-vous. J'ai pensé à un très vieux Coran, antérieur à la version officielle... venant contredire le dogme si vous préférez... Vous avez peut-être entendu parler des travaux de Christoph Luxenberg ?

– Oui.

– C'était mon hypothèse. Malheureusement, votre père n'est jamais revenu pour me donner sa solution de l'énigme. Qu'il repose en paix !

Simon but son verre d'un trait, ce qui lui brûla la gorge et le fit tousser.

– Ça ne se boit pas comme de la tequila, jeune homme.

Il reprit son souffle, remercia l'ami de son père et se leva.

– Une chose me revient, dit ce dernier sans lâcher la main de Simon.

– Laquelle ?

– Avant de nous séparer, Paul m'avait informé qu'il repartait le lendemain pour Beyrouth. Mais pas directement. Il avait prévu une escale en Syrie.

– En Syrie ?

– J'avais manifesté le même étonnement que vous : « En Syrie ? » Ce à quoi il m'avait répondu d'une façon très laconique : « Là où tout commence. » Un indice destiné peut-être à m'aiguiller sur la solution de son énigme. Si cela peut vous aider dans vos recherches.

24

Après s'être assuré que personne ne le suivait, Simon s'assit au bord de la Seine. Il se surprit à éprouver le besoin de se confier, de partager ses doutes et ses interrogations. Seul face au fleuve, il se concentra sur la phrase énigmatique : «En Syrie, là où tout commence», et sur une question posée par l'ami de Paul : «Vous pensez que sa mort n'est pas accidentelle?»

Le nom de Marie lui vint à l'esprit.

Il se releva d'un bond, se mit en quête d'une cabine téléphonique en état de marche et appela sa tante. Marie habitait à Arles. Elle était l'unique famille qui lui restait du côté de Paul. Celle-ci s'étonna de l'appel de son neveu.

— Est-ce que je peux venir te voir dans le Sud? lui demanda-t-il.

— Où est-ce que tu es?

— À Paris.

— À Paris? Qu'est-ce que tu fais en France?

— Je voudrais te parler de quelque chose, mais pas au téléphone.

— Viens quand tu veux, Simon.

— Demain, ça ne te dérange pas?

— Je serai au musée ou chez moi.

— Merci, Marie.

— Dis donc, un coup de fil et une visite dans la même semaine! Ce que tu dois me dire doit être sacrément important.

— Plus que tu ne le crois.

25

Simon errait entre Pigalle et Montmartre. Marcher dans Paris était une façon pour lui de s'accrocher à un présent tangible. Les files de voitures coincées derrière les camionnettes de livraison, les saltimbanques animant les terrasses de café bondées de touristes, les cartons de mendiants sur les trottoirs, les deux-roues pressés qui slalomaient dans les gaz d'échappement avaient quelque chose de rassurant par rapport aux événements irréels de ces derniers jours. Simon tomba sur un cortège de manifestants qui faisait également partie du panorama parisien. Les protestataires paralysaient la circulation sur le boulevard de Clichy. Leurs banderoles et leurs slogans défendaient un retour aux valeurs morales. Simon bifurqua dans une ruelle mais fut vite arrêté par deux individus charpentés. Leurs brassards les faisaient passer pour deux membres du service d'ordre. Dans leur dos, un attroupement s'était formé. Simon voulut passer malgré les deux cerbères. Le premier fit jaillir une matraque téléscopique. Le cylindre métallique se rabattit sur Simon, qui dévia le coup de son avant-bras, s'écarta sur la gauche, décocha un revers du droit et un circulaire du gauche qui martelèrent la tempe du type, se colla dans son dos, ramena ses bras en croix et fit basculer son adversaire en arrière tout en récupérant la matraque sous son aisselle. Simon la saisit de la main gauche et moulina le deuxième vigile, qui perdit connaissance au premier impact sur son crâne.

Il tira les deux corps contre un mur afin qu'ils ne se fassent pas piétiner ni écraser, puis se mêla à la foule qui encourageait une échauffourée. Deux individus s'acharnaient sur une femme dont la robe avait été réduite en lambeaux. Simon fondit sur les deux agresseurs et leur plia la main d'un coup sec vers l'intérieur suivant un angle improbable. Leurs geignements firent cesser le show et les vociférations de la foule. Simon repoussa ses deux prises neutralisées vers les spectateurs haineux. Puis il écarta les bras.

— Commencez par moi avant de vous attaquer à elle.

La stupéfaction tétanisa l'attroupement.

— T'es qui, toi ? demanda le plus teigneux qui portait une moustache et des lunettes de vue.

— C'est son mac ! cria une femme blonde enveloppée dans une fourrure et un foulard Hermès.

— Je suis son frère, leur lança Simon. Frappez-moi d'abord pour la punir de ses fautes. Vous pourrez ensuite achever ma petite sœur si vous estimez que ses péchés sont pires qu'un lynchage.

Cerné par une assemblée de mères et de pères de famille élevés à l'ombre des églises, Simon sentit qu'il avait introduit dans leurs certitudes une variable inattendue. L'homme à lunettes tenta de galvaniser la troupe perplexe, mais les soldats du dogme s'éparpillèrent pour regagner les rangs plus sûrs de la manifestation. Le myope se retrouva donc seul face à Simon, qui fit glisser de sa manche la matraque qu'il avait gardée sur lui. Ce geste fut suffisant pour l'inciter à décamper.

Simon se retourna sur la victime. La jeune femme avait disparu. Il n'aurait pas à accepter sa reconnaissance.

Quels que soient les pays qu'il avait traversés, Simon avait toujours croisé des prostituées, de toutes les conditions, de toutes les races, de tous les âges, mais avec un point commun.

Les filles de joie riaient rarement.

La nuit était tombée lorsqu'il se posa dans un snack. Il avala un kebab et un Coca en écoutant du raï. La solitude lui pesait. C'était la première fois de sa vie qu'il en souffrait. Était-ce dû à la foule du samedi soir qui s'amusait égoïstement autour de lui ? Il se sentait mal à l'aise, désorienté. Il pensa à la prostituée qui venait d'échapper au lynchage, puis à Sabbah, se frotta la nuque pour recueillir des lambeaux de fragrances. Mais le parfum de la jeune femme s'était corrompu dans les odeurs de graisse et de friture.

En quittant le snack, Simon eut l'impression qu'on l'épiait. Trois hommes sur le trottoir d'en face l'observaient. Il se mêla à la foule qui se mouvait vers une bouche de métro, descendit jusqu'aux guichets, remonta par l'autre sortie de la station, entra dans un bar bondé, but un double Talisker et regagna la rue. La circulation piétonne et automobile lui parut plus floue et plus fluide. Un homme le regardait en roulant une cigarette. Simon recula, marcha sur le pied d'un Scandinave poli, pivota sur la chaussée, coupa la route à un motard, s'engouffra dans un taxi libre, comme s'il était en cavale. Il donna le nom de son hôtel, changea d'avis, demanda à être déposé dans un endroit animé. Le chauffeur se débarrassa du client indécis devant un bar à hôtesses où un rabatteur ne lui donna pas le temps de faire son choix.

Simon pénétra dans un endroit bruyant et glauque tapissé de lumière verte. L'ambiance était triste, la clientèle éparse et moins nombreuse que les filles à moitié nues perchées sur des tabourets pour mieux guetter le pigeon. Deux d'entre elles en étaient descendues pour se vautrer sur la panse d'un chaland qu'elles s'employaient à soûler.

L'endroit idéal à la fois pour se cacher et ne pas penser.

À peine installé à une table, une fille fondit sur lui avec des promesses salaces. Simon commanda un Talisker, ce qui fit rouler les yeux de l'entraîneuse.

– N'importe quel whisky, ça ira, dit-il.

Il sortit son liquide, qu'il ne revit jamais, et se retrouva face à une bouteille de scotch bon marché et à un sourire jaune ourlé de rouge vif qui déformait un visage blême. Autour d'eux, la musique semblait être jouée par un groupe de chimpanzés à qui on aurait donné des casseroles et des kazoos.

Simon perdit la notion du temps et de l'espace. Il entendit des rires, une boîte à rythme, des cloches, vit la bouteille se vider dans la main de la fille qui s'était assise sur ses genoux comme sur un canasson.

– Crack, héro, ecsta, LSD ? susurrait-elle.

Son odeur de sueur rappela à Simon une nuit folle à Bombay.

Il essaya de se lever, mais elle le clouait à la chaise. Elle lui resservit un verre, qu'il descendit d'un trait parce qu'il avait soif. La musique était de plus en plus assourdissante. Deux autres filles vinrent à la rescousse. Simon se retrouva en train de danser au milieu d'un trio de sangsues sensuelles. Dans son délire, l'une d'elles prit soudain les traits de Sabbah tandis que les deux autres se transformaient en un boys band qui le collait d'un peu trop près. Ce fut cette dernière image saugrenue qu'il retint de la soirée.

26

On le secouait. Il ouvrit les yeux sur un démon de bitume luminescent.

– Monsieur ? Vous allez bien ?

Simon remit son cerveau en marche et réalisa qu'il était allongé entre deux poubelles municipales. Un grand Noir coiffé de dreadlocks et vêtu d'un gilet fluorescent tendit une grosse main gantée pour l'aider à se relever, ce qui eut pour effet de transformer son crâne en marteau-piqueur.

– Où est-on ? demanda Simon.

– Rue des Martyrs, répondit l'éboueur.

Simon essaya de récupérer son équilibre et gagna le boulevard de Clichy en quête d'un taxi. Il palpa sa veste et éprouva la désagréable sensation d'avoir été délesté. Il ne se souvenait de rien, ce qui devenait une fâcheuse habitude. À peine se rappelait-il de l'entraîneuse qui l'avait fait boire. Il se promit de ne plus avaler une goutte d'alcool et leva le bras à la vue d'un taxi, qui s'arrêta devant lui.

– On m'a volé mon argent, lui annonça Simon.

Le chauffeur décanilla en insultant le piéton fauché.

Simon marcha jusqu'à son hôtel.

Longtemps.

Aucun message pour lui à la réception.

Il s'écroula sur son lit et sombra dans un profond sommeil.

27

Simon se réveilla au milieu de la journée. Après un passage dans la salle de bains, il téléphona de l'hôtel pour déclarer le vol de sa carte de crédit et informer sa tante de sa nouvelle mésaventure. Elle s'occuperait de son billet de train. Il repoussa au lendemain son déplacement dans le Sud.

Son indigence le poussa vers le parc du Champ-de-Mars où il espérait bêtement retrouver Sabbah et obtenir son aide. Il laissa filer la journée en arpentant le quartier.

Elle finirait par sortir son chien.

La faim le tenaillait. Il envisageait de se mettre à mendier lorsqu'il aperçut La Truffe qui courait après un caniche. Puis il vit sa maîtresse en train de faire son jogging. Il sauta sur le dossier d'un banc avec la légèreté d'un oiseau et resta accroupi, en équilibre sur la pointe des pieds, en espérant qu'elle le remarquerait.

— Qu'est-ce que vous faites perché là ? s'étonna-t-elle en le voyant.

Elle s'arrêta pour reprendre son souffle.

— Bonjour, Sabbah ! se contenta-t-il de lui répondre.

— Vous me suivez ou quoi ?

— Vous courez bien trop vite pour moi.

— Vous avez une sale tête.

— Je vous ai dit que j'avais des problèmes ?

— L'alcool doit en faire partie.

— Il en est la conséquence.

Elle effectua des mouvements d'assouplissement pendant que son berger allemand réglait son compte au caniche.

— Vous ne m'avez pas rappelé, dit Simon.

— Qu'est-ce que vous voulez ?

— Désolé. Je me suis trompé.

Il sauta du banc et s'éloigna. Elle le rattrapa.

— Ça va, ne jouez pas le susceptible. On prend un café ? Ou une aspirine, ce serait plus indiqué.

— Ne vous sentez pas obligée.

— L'homme qui m'obligera à faire quelque chose n'est pas encore né.

— On m'a dépouillé hier soir.

— Vous avez besoin d'argent et vous avez pensé à moi.

Simon ne sut quoi répondre.

— Je vous taquine, dit-elle. On va devoir boire le café chez moi car je ne cours pas avec mon sac à main.

– Je vous dérange. Finissez d'abord votre sport.

– Bonne idée. Vous me regardez faire le tour du Champ-de-Mars et on y va après.

– D'accord.

– Mais non, voyons! Allez, venez.

Elle appela son chien et prit le bras de Simon pour l'orienter dans la même direction que la sienne. En chemin, il lui raconta ses dernières péripéties.

– On dirait que vos parents adoptifs détenaient un secret qui leur a coûté la vie.

– Un secret dont j'ai hérité.

– À la vitesse où les événements s'enchaînent, vous finirez par le découvrir.

– Je vais voir ma tante demain à Arles pour en savoir plus.

– Nous sommes arrivés.

Sabbah habitait un grand trois pièces élevé avec vue sur la tour Eiffel. Son appartement était tapissé de livres dans toutes les langues, de CD de tous les styles de musique et de bibelots importés de tous les pays. Son intérieur reflétait son travail à l'Unesco.

– Vous vivez seule? demanda Simon.

– Sympa pour La Truffe.

– Je me contenterai de cette réponse.

– Jus d'orange? Café? Je ne vous propose pas d'alcool.

Simon avait déjà envie de rompre la promesse qu'il s'était faite la veille.

– Vous avez du Talisker?

– C'est quoi ça?

– Un whisky écossais.

– Allez vous faire voir!

– Tant que j'ai la gueule de bois, autant en profiter. Il paraît même que ça dessoûle.

— Évidemment. Plus on boit, moins on est ivre.

— Savez-vous que James Bond consomme en moyenne neuf litres d'alcool par semaine ? Et en mission ! Des études ont été faites là-dessus.

— Vous vous prenez pour James Bond ?

— Depuis une semaine oui.

— Je n'ai pas de vodka martini mais j'ai du Sham.

— Du quoi ?

— Du Sham. C'est un whisky syrien.

— Syrien ?

— Je vous préviens, le goût est abject.

— En Syrie, là où tout commence.

— Pardon ?

— Non, rien, c'est juste que j'entends beaucoup parler de ce pays en ce moment.

— La Syrie résiste un peu plus au printemps arabe. Bon, qu'est-ce que vous prenez alors ?

— Allons-y pour le Sham. Sans glace.

— Vous m'en direz des nouvelles.

Elle lui servit un demi-verre et sélectionna une chanson d'Asaf Avidan & the Mojos sur son ordinateur.

— De quoi patienter pendant que je prends ma douche, commenta-t-elle. Je n'en ai pas pour longtemps.

Simon porta le verre à son nez et fit la grimace. L'odeur lui évoquait celle d'un détachant ménager. Il but une gorgée qu'il recracha tout de suite dans son verre. Il n'avait jamais bu d'essence, mais il imaginait que cela devait avoir ce goût. Il alla vider son verre dans l'évier de la cuisine et se rinça la gorge avec un verre d'eau.

Il promena son regard sur les rayonnages de la bibliothèque, richement dotée d'ouvrages d'érudits, d'historiens, de philosophes, de géographes, d'ethnologues, récents ou anciens, en français, en anglais, en arabe, en allemand, en grec, en latin... Sacrée culture, la fille! pensa-t-il. L'idée de la savoir si près en train de se doucher l'empêcha de garder l'esprit clair.

One boy grew up different from the rest...

La voix était envoûtante, la musique ensorcelante.

Sabbah réapparut avec un verre de jus d'orange, dans sa tenue favorite, un débardeur qui mettait son buste en valeur et faisait apparaître son ventre au-dessus d'un jean taille basse. Elle était pieds nus.

– Alors? fit-elle.

– Alors quoi?

– Ce whisky.

– Moyen.

– Menteur.

– Pourquoi dites-vous ça?

– C'est un élixir infâme. J'espère que vous ne l'avez pas vidé dans la plante, ça la tuerait.

– J'ai opté pour l'évier.

– Bonne initiative, ça le débouchera. J'ai pensé à vous sous la douche.

– Comment ça? fit-il, troublé.

– Vous ignoriez que vous aviez été adopté. Cela signifie que vous l'avez été à moins de deux ans, âge à partir duquel on commence à se souvenir grâce au langage. Avant, l'enfant ne pense qu'avec des images qui restent coincées dans l'inconscient et qui ne peuvent surgir que dans les rêves ou une séance d'hypnose. Certaines d'entre elles sont encore dans votre cerveau et liées à vos parents biologiques. Peut-être que pendant ces deux premières années vous avez vécu un événement ayant un rapport avec le Coran.

— Théorie pertinente.

— À mon avis, vous feriez mieux de vous payer une séance d'hypnose plutôt que d'aller vous soûler à Pigalle.

— Lâchez-moi avec ça.

— Vous êtes chez moi, donc je vous lâche quand je le décide.

— Ne me parlez pas comme à votre chien.

— Si j'ai un conseil à vous donner avant que vous ne partiez, ne courez pas après des chimères. Oubliez tous ces gens qui gravitent autour de vous et concentrez-vous sur vous-même. Vous me dites que vous pratiquez la méditation. Très bien. Encore plus facile que l'hypnose pour parvenir à un état d'introspection qui réveillera vos cellules endormies !

— Sabbah ?

— Quoi ?

— Puis-je rester encore un peu ? J'ai besoin de vous.

— Pour quoi faire ?

— Vous êtes brillante.

— Vous ne m'aurez pas avec des flatteries.

— Vous êtes soûlante aussi. Pour un alcoolique, c'est un plus.

— J'aime bien l'humour. Vous marquez un point.

Elle regarda son chien :

— Qu'est-ce que tu en penses, La Truffe ? On le retient à dîner, cet ivrogne ?

Le berger allemand émit un gémissement que Sabbah interpréta comme un acquiescement.

— Un plat de viande hachée et de légumes au four, ça vous va ?

— Je crois que je mangerais n'importe quoi.

— Merci, c'est flatteur.

— Non, ce que je voulais dire...

— Venez, je vais vous montrer comment on cuisine le kawaj. Après on discutera de vos problèmes.

28

— Quel est le plus grand danger pour l'islam ? demanda Sabbah à Simon.

— Quoi ?

— D'après ce que tu m'as raconté, c'est bien la colle que ton père a posée à son ami du Cercle Renan ?

— Oui.

— Cela implique qu'il avait une idée de la réponse.

Sabbah s'était mise à le tutoyer sans vraiment s'en rendre compte. Était-ce dû aux confessions intimes de Simon ou à sa chaleur orientale ? Elle parlait vite, avec un accent délicieux, avec les mains aussi, qui lui servaient de couverts. Après s'être activés à la cuisine, ils s'étaient installés sur des coussins à même le sol et se délectaient en piochant directement dans le plat.

— Selon cet ami, dit Simon la bouche pleine de saveurs épicées, la réponse pourrait être un Coran antérieur à la version officielle.

— En tout cas ton père s'apprêtait à lui révéler un « grand danger ».

— Il lui aurait donné un indice en disant que tout commence en Syrie.

Sabbah s'arrêta de mâcher et le fixa.

— Je comprends mieux ta stupéfaction quand je t'ai servi du whisky syrien.

— C'est un signe.

— Tu crois aux signes, toi ?

— Je crois aux indices.

– Encore un peu de vin ?

– Au point où j'en suis.

– Je n'aime pas ta façon de dire oui.

– Ah bon ?

– Tu réponds comme si c'était la moins mauvaise des options. Merde, je te cuisine un bon repas, j'ouvre un vin de qualité rien que pour toi, ne cache pas ta joie, s'il te plaît, ou alors dis-moi carrément que c'est dégueulasse.

– Désolé, je manque de manières.

– Ce n'est pas une question de manières, c'est la vie. Et la vie est binaire : il y a « oui » et il y a « non ». Une fois que tu as choisi, vas-y à fond. Choisir oui en pensant non ou inversement n'a jamais rien apporté de bon.

Simon leva son verre :

– À ce merveilleux repas et à la douce maîtresse de maison.

– C'est ça, fous-toi de moi.

Simon but son verre en réfléchissant à ce qu'il allait dire.

– Les réponses se trouvaient dans le coffre de mon père à Jérusalem. Il me les avait léguées avant que quelqu'un ne les dérobe.

– Fouille les affaires de tes parents. Peut-être qu'ils ont laissé quelque chose derrière eux.

– Leur appartement a été passé au peigne fin. Sans parler des deux types qui le squattent en attendant mon retour.

– Tes parents ne possédaient que cet appartement ?

– À ma connaissance, oui. Ces dernières années, ils l'occupaient à plein temps car mon père travaillait sur Paris.

– Il manque donc quelque chose.

– Comment ça ?

– Si tu me dis qu'on a fouillé leur appartement et que deux types t'y attendaient, il est probable qu'il manque ce qu'ils cherchaient.

– Je me souviens que mon père possédait une immense bibliothèque. Il y avait des livres partout. Quand je suis entré hier, je n'en ai vu que très peu.

– Il les aurait stockés dans sa cave ?

– Il n'y a pas de cave.

– Vendus, alors ?

– Je ne le vois pas vendre ses bouquins. Ni quelqu'un les acheter d'ailleurs.

– Qu'est-ce qu'on a comme possibilités ? Soit il les a stockés quelque part, soit il les a brûlés, soit il les a vendus.

– Exclus la deuxième solution.

– Il les a donc stockés ou vendus.

– Pourquoi les aurait-il vendus ?

– Parce qu'il en avait marre de toute cette histoire !

Simon pensa soudain au carnet de Paul qu'il avait retrouvé chez Markus.

– Pas idiot comme raisonnement. Paul aurait donné son carnet à Markus et se serait débarrassé de ses livres pour ne plus entendre parler de cette affaire qui pourrissait sa vie et menaçait sa famille. C'est à ce moment-là qu'il aurait décidé de me léguer la vérité après sa mort.

– Comment se serait-il débarrassé de ses livres ? demanda Sabbah.

– Un bouquiniste lui aurait permis de les stocker sans vraiment les vendre.

– J'ai du mal à te suivre, là.

– La plupart des ouvrages de mon père étaient d'un accès difficile. Un bouquiniste achète les livres au kilo, peu importe les titres. Il y a des chances pour que certains d'entre eux soient en train de moisir dans la réserve de l'un d'eux.

— Et alors ?

— Les choses importantes se transmettent par écrit. Par les livres. L'un d'eux pourrait m'apprendre quelque chose sur les recherches entreprises par mon père.

— Il faut chercher un bouquiniste proche de chez tes parents.

— Je vais étudier ça, dit-il en se levant. Merci, Sabbah, d'avoir nourri et éclairé un vagabond.

— Abreuvé aussi.

Il chancela vers l'entrée.

— Attention, matelot, il y a de la houle ! avertit-elle.

— Je confirme.

— Tu vas pouvoir rentrer seul ?

— J'ai connu pire comme parcours.

— Tiens-moi au courant de tes pérégrinations.

— Tu ne sors pas La Truffe ?

— Es-tu en train de manœuvrer pour que je te raccompagne jusqu'à l'hôtel ?

— Non, mais j'ai lu quelque part que les chiens doivent sortir au moins trois fois par jour.

— Possible, mais La Truffe, lui, ne l'a pas lu.

Ils s'embrassèrent amicalement. Simon lui posa une main sur l'épaule pour rétablir son équilibre, se retint de l'enlacer et descendit l'escalier en s'accrochant à la rambarde. Sabbah le rappela au bout de quelques marches :

— Si tu es encore dans le coin demain, inutile de dormir à l'hôtel.

Il la remercia et fila sans distinguer les ombres qui se mouvaient discrètement autour de lui.

LIVRE V

« Tout le monde me prenait pour un enfant précoce. Trop précoce, aux dires de ma tante. Normal, j'étais venu au monde à l'âge de deux ans. »

29

Lorsqu'il descendit sur le quai de la gare d'Arles, Simon sentit avec délices la douce chaleur de la Provence qui tranchait avec la grisaille parisienne et l'air conditionné du compartiment. Contrairement aux autres passagers, il n'éprouva pas le besoin de se dépêcher. Sa tante travaillait au musée de l'Arles antique. Il effectua le trajet à pied, le long des quais du Rhône. Au rythme d'un cœur battant crescendo, Simon poursuivit le jeu de piste qui le mena à un édifice dont la structure et l'habillage en verre bleuté évoquaient un hangar du futur.

L'hôtesse d'accueil l'informa dans un accent chantant que Marie était en visite guidée. Elle lui délivra un ticket d'entrée, dernier sésame pour arriver jusqu'à sa tante. Il traversa une enfilade de salles sans accorder d'attention aux trésors qu'elles contenaient. Guidé par une voix familière, il pénétra dans une pièce rouge tout en longueur : la salle des sarcophages. Devant celui de Psyché, une femme d'une cinquantaine d'années aux cheveux blancs coupés court narrait à un groupe de visiteurs la fameuse allégorie de l'âme à la recherche de l'amour perdu, ses errements sur Terre et aux enfers, son retour chez les dieux. Simon reconnut Marie et le mythe dont elle parlait. Paul lui avait raconté cette histoire lorsqu'il était enfant.

Sa tante le repéra et lui fit signe de se joindre au groupe. Elle expédia son tour tarifé du musée, pressée de s'entretenir avec lui. Ils ne s'étaient pas revus depuis des années.

— Tu vas bien ? s'inquiéta-t-elle.

— Non.

— Que se passe-t-il ?

— Mes parents sont morts.

Marie réalisa que sa question était stupide. Elle essaya de se rattraper en serrant son neveu dans les bras.

— Je suis si contente de te revoir.

— Pourquoi n'es-tu pas venue aux funérailles ?

— Ton père et moi, nous ne nous entendions pas.

— Paul était quand même ton frère.

— Tu penses que les liens de sang priment sur le reste ?

— Qu'est-ce qui justifiait une telle brouille ?

— De quoi es-tu venu me parler, Simon ?

— De liens de sang.

— Allons à la maison, dit-elle. Tu me raconteras tout en chemin.

Marie enfila un blouson argenté qui semblait sorti d'un film de science-fiction et fit monter son neveu dans une 4L jaune. Au terme d'une conduite peu conforme au code de la route, elle se gara sur le quai de la Roquette, non loin de chez elle.

— On finit à pied, dit-elle sans lui donner le choix.

Elle alluma une cigarette. Avant de rentrer, Marie aimait marcher tout en fumant, le long du Rhône, surtout lorsque le soleil couchant le couvrait d'une lumière rose. Lorsqu'ils atteignirent le quai Marx-Dormoy, elle savait tout.

— Mon pauvre chéri, quelle histoire !

– Tu étais au courant de mon adoption ?

– Elle fut la cause de ma brouille avec Paul.

– Comment ça ?

– Paul et Amina m'ont annoncé ta naissance quand ils vivaient à Beyrouth. Ils n'ont jamais souhaité que je vienne te voir. J'ai dû attendre que Paul soit muté à Paris pour faire ta connaissance. Tu avais sept ans. Au début, j'ai cru que tu étais un enfant précoce. Trop à mon goût. Alors je n'ai pas lâché Paul jusqu'à ce qu'il m'avoue le secret de ton adoption. Quand Amina a annoncé qu'elle t'avait mise au monde, tu étais déjà âgé de deux ans. Elle t'a caché jusqu'à ce que, physiquement, tu puisses donner le change.

– Quoi, j'aurais trente-deux ans au lieu de trente ?

– Exact.

– Pourquoi mentir sur mes origines ?

– Paul m'a fait jurer de ne jamais rien te dire. Vous êtes repartis à l'étranger, à Londres, à Berlin, à Beyrouth... Puis Paris à nouveau, pour tes études supérieures. Ça t'a un peu rapproché de moi. Nous n'étions plus qu'à sept cent cinquante kilomètres l'un de l'autre.

– Comment Paul t'a-t-il convaincue de ne rien dévoiler ? Ce n'est pas ton genre de jouer les hypocrites.

– En échange, j'ai exigé la vérité.

– Quelle vérité ?

Elle s'arrêta pour contempler le Rhône. Il sauta d'un bond sur le parapet de la digue.

– Tu n'as pas perdu cette habitude de te percher n'importe où ! s'exclama-t-elle.

– Qu'est-ce que tu observes ?

– Les fleuves sont des musées. Ils gardent précieusement leurs secrets eux aussi. C'est là-bas qu'on a retrouvé sa tête, au fond de l'eau.

– La tête de qui ?

– De César. Elle est restée dans le Rhône pendant des siècles avant qu'on l'exhume.

– Que vais-je découvrir ? insista Simon. De quelle vérité parles-tu ?

– Nous y sommes.

Sa tante habitait le rez-de-chaussée d'une jolie maison à la façade fleurie telle qu'on peut se l'imaginer dans un conte pour enfants. L'intérieur contrastait avec cette première impression. L'appartement était décoré comme l'antre d'une célibataire endurcie. Chaque espace était occupé par des meubles, des piles de livres, des bibelots anciens, des plantes vertes qui touchaient le plafond et se racornissaient pour n'avoir pas été rempotées. Les murs étaient couverts de tableaux. L'impressionnisme y côtoyait le cubisme. Entre deux fenêtres, une commode ancienne croulait sous des ouvrages d'art, des statuettes précolombiennes, un verre et une bouteille de cognac ouverte, des photos encadrées.

– Je te sers une Fine Champagne ? demanda Marie.

Simon pensa soudain à Sabbah.

– Je préfère un thé.

Marie brancha la bouilloire et alluma nerveusement une cigarette près de la fenêtre, le regard rivé sur le Rhône, comme pour y puiser des souvenirs.

– Assieds-toi, dit-elle.

Elle lui servit le thé, se versa un cognac et s'installa près de lui sur le sofa.

– Pourquoi tous ces secrets ? la relança Simon. Quel rapport avec le Coran ?

Elle posa sa main sur sa cuisse pour marquer sa compassion.

– Il n'y a qu'une seule réponse à ces questions.

– Tu peux me la donner, je te prie ?

– La haine.

Marie se colla à son neveu et lui parla.

Les parents biologiques de Simon avaient été tués dans un attentat à Beyrouth. Il avait deux ans à l'époque. Turbulent, incapable de rester en place, il chahutait avec un chaton au fond de la salle du restaurant français où déjeunaient son père et sa mère quand un kamikaze déguisé en accordéoniste avait hurlé le nom d'Allah avant de se faire exploser. Le souffle n'avait épargné personne, à part un serveur et le petit garçon qui serrait dans ses bras un chaton pétrifié.

Marie vida son verre. Simon bascula en arrière dans le sofa. Il fixa le plafond qui avait besoin d'une nouvelle couche de peinture. Sur cet écran écaillé, il projeta des images floues de cendre, de sang et de gyrophares. Il serra contre lui un coussin, comme il l'avait fait avec le petit chat. Marie tira son neveu vers elle pour qu'il pose la tête sur ses genoux. Tout en lui caressant les cheveux, elle lui expliqua comment l'enfant miraculé avait refoulé au plus profond de son esprit tout ce qui était lié à l'attentat, aux deux années qui avaient précédé le drame, jusqu'à l'existence même de ses parents.

Mais des images subsistaient. Sabbah avait raison.

– Mes parents, qui étaient-ils ?

– Ta mère s'appelait Leila, ton père Henri. Henri et Leila Lombardi.

Elle lui parla d'eux.

Henri était journaliste à Beyrouth où il avait connu Paul Lange, en poste au consulat de France. Les deux hommes s'appréciaient au point d'être devenus les meilleurs amis du monde. Leurs épouses, toutes les deux libanaises, avaient beaucoup d'affinités également et renforcèrent un peu plus les liens entre les deux familles. Seule ombre au tableau : Henri suscitait régulièrement la polémique et la haine des intégristes religieux avec ses articles. Leila, elle, conciliait pratique de l'islam et militantisme pour le droit des femmes. Un exercice périlleux qui faisait peser un peu plus les menaces de représailles sur le couple. Les Lombardi avaient-ils été visés dans l'attentat ? Personne ne le sut. Paul et Amina avaient recueilli Simon traumatisé et l'avaient élevé comme leur fils. Un fils venu au monde à deux ans.

– Amina et Paul t'aimaient d'autant plus que mon frère ne pouvait pas avoir d'enfant. Tu les as toujours considérés comme tes parents. Pas une fois tu n'as fait allusion à Henri et Leila. Paul voulait garder le secret pour ne pas raviver le traumatisme.

– Il avait entrepris des recherches sur le Coran à cause de l'attentat, déduisit Simon.

– Je suppose qu'il cherchait à retrouver les responsables de ce massacre qui ne fut jamais revendiqué.

– Comment sont morts mes parents exactement ?

– Dans l'attentat, je t'ai dit.

– Je te parle de Paul et Amina.

– Pourquoi me demandes-tu ça ?

– Raconte-moi comment ça s'est passé.

– Un accident de voiture à la sortie de Paris... Leur véhicule a fait une embardée sur l'autoroute.

– Quel véhicule ?

– Une voiture de location. La sienne était chez le garagiste. Tu peux me dire à la fin... ?

– Quelle agence ?

– Hertz.

– Tu en es sûre ?

– Oui. Je me suis occupée des formalités avec la police, les assurances et le loueur de voitures. Tu étais introuvable.

– Qu'ont dit les experts ?

– L'expertise est toujours en cours.

LIVRE VI

« Il y avait d'abord ce libraire qui m'avait accueilli dans sa boutique en déclarant : "Un élu, c'est un homme que le doigt de Dieu coince contre un mur." Et puis maintenant cet homme qui prétendait que son travail consistait à me taper gentiment sur l'épaule pour m'écarter de la trajectoire de la balle censée m'atteindre. »

30

Pendant le trajet du retour sur Paris, Simon resta obnubilé par les révélations de sa tante. La mort violente de ses parents biologiques éclipsait presque les événements survenus depuis la disparition de ses parents adoptifs.

Trente ans séparaient les deux drames qui pourtant étaient liés. Simon en était sûr. Le Coran était ce lien. Paul avait-il retrouvé les assassins d'Henri et Leila ?

Simon ferma les yeux et se laissa bercer par le roulis du TGV. Il entendait tous les sons, numériques, mécaniques, organiques, saisissait des bribes de conversations, des toussotements, des éclats de rire, des pleurs d'enfants. Il se sentait presque omniscient. Il essaya de faire surgir des images archivées dans son inconscient et datant de plus de trente ans.

Il finit par s'endormir, ouvrant la porte aux rêves et aux souvenirs enfouis sous un air d'accordéon.

Arrivé en gare de Lyon, il fila en métro jusqu'à l'agence Hertz dont sa tante lui avait donné l'adresse. Au comptoir, il expliqua à un jeune employé à peine sorti de la fac qu'il ne voulait pas louer de voiture mais parler à un responsable. L'employé lui rétorqua que son supérieur n'était pas disponible. Simon insista. Par chance, le jeune diplômé avait encore à l'esprit que le client était roi. Il obtint son chef au téléphone. Ce dernier ne voulait recevoir personne.

— Dites-lui qu'il s'agit d'une affaire criminelle.

L'employé écarquilla les yeux et se fit le porte-parole de Simon.

— M. Werner vous attend dans son bureau, annonça-t-il fièrement.

Simon se retrouva face à un quadragénaire élégant et coiffé au cordeau qui se donnait l'air d'avoir beaucoup de travail.

— Je suis Simon Lange. Mes parents sont morts dans l'un de vos véhicules.

— Vous faites référence à l'accident survenu il y a deux semaines ?

— Je voudrais des précisions.

— Une enquête judiciaire est en cours.

Werner cliqua sur une souris et tapota sur un clavier.

— Paul Lange a loué une Mégane chez nous le 16 avril dernier. Les premiers éléments du procès-verbal établissent que le véhicule a effectué une sortie de route. Les gendarmes ont relevé sur le conducteur un taux d'alcoolémie supérieur à la limite autorisée.

— Mon père ne buvait pas.

— Cela justifierait qu'il ait mal toléré l'alcool qu'il avait consommé.

Simon préféra ne pas relever afin de rester calme.

— De quels autres éléments disposez-vous ?

— Le croquis de l'état des lieux atteste la perte subite de contrôle du véhicule sans justification extérieure. Des experts sont en train d'analyser la Mégane accidentée mais il y a peu de chances que l'on découvre un vice caché. Nos véhicules sont régulièrement contrôlés.

– Dans combien de temps aura-t-on le résultat de l'enquête ?

– Il faut compter un à trois mois, selon la complexité du dossier. Le procès-verbal sera alors transmis au procureur, au préfet et aux assureurs. Vous pensez quoi ? Que la sortie de route a été provoquée ?

– C'est une hypothèse.

– Elle sera forcément étudiée par les enquêteurs. Vous pouvez aller leur faire part de vos soupçons. Mais rien n'étaye cette hypothèse. Sauf votre respect, les soupçons se dirigent dans ce cas vers le bénéficiaire de l'assurance-vie.

– Au moment de l'accident, j'étais à des milliers de kilomètres.

– Alors vous ne serez pas inquiété, au contraire.

– Comment ça, au contraire ?

– Votre père avait contracté une assurance-vie en votre faveur. L'assureur est obligé de verser les indemnités même s'il y a une enquête. Quitte à les récupérer s'il est prouvé qu'il y a eu escroquerie... ou crime. Excusez-moi, mais si vous voulez plus de renseignements, il faut vous rendre à la gendarmerie ou bien attendre le procès-verbal d'enquête.

Werner le raccompagna à l'ascenseur et lui tendit une main molle en guise de salutations.

31

Simon n'alla pas à la gendarmerie. Partager ses soupçons aurait immédiatement déclenché des questions et de la suspicion à son égard. Paul ne buvait pas d'alcool. Encore moins avant de prendre la route. On l'avait forcé à boire et maquillé son assassinat en accident. Impossible à prouver. Et même s'il y parvenait, ce n'est pas les gendarmes qui arrêteraient les criminels que Paul traquait depuis trente ans.

Simon revint dans son quartier, aux abords de l'immeuble de ses parents. Un fourgon était garé en face de l'entrée. Un homme somnolait derrière le volant. L'appartement était toujours sous surveillance, mais moins rapprochée. Les deux individus armés qu'il avait réveillés devaient avoir évacué les lieux.

— Vous êtes perdu ?

Simon se retourna sur une vieille dame permanentée.

— Euh... je cherche un bouquiniste... le plus proche.

— La Librairie de Paris.

La vieille dame affable proposa de l'accompagner car elle habitait sur le chemin. Simon la quitta devant le hall d'entrée de son immeuble, régénéré par le bout de discussion qu'il avait eu avec elle à propos de la littérature russe.

La devanture de la Librairie de Paris était délabrée. Le capharnaüm qui régnait à l'intérieur évoquait une bibliothèque municipale après un tremblement de terre. Des piles de livres usagés menaçaient de s'écrouler sur les clients téméraires qui osaient s'aventurer vers le fond de la boutique. On trébuchait sur Shakespeare, on se cognait contre Dostoïevski, on marchait sur Camus.

Simon se fraya un passage au milieu de ces pages immortelles jusqu'à un jeune homme aux cheveux coiffés en pointes et aux yeux cernés. Le libraire était en train de lire. Il leva soudain les yeux et l'index :

— Un élu, c'est un homme que le doigt de Dieu coince contre un mur.

— Que dites-vous ?

— C'est de Sartre. J'adore ce livre, *Le Diable et le Bon Dieu*. Vous l'avez lu ?

– Non.

– Que puis-je pour vous ?

Simon lui expliqua qu'il cherchait une grosse quantité de livres que son père aurait pu lui vendre au kilo.

– J'achète parfois des ouvrages au poids. En général, ils finissent dans la remise.

– Vous pouvez vérifier ?

– Quand est-ce que votre père les aurait vendus ?

– Je l'ignore. Mais je pense que vous pourriez entrer le poids comme paramètre au lieu de la date. Cela sera plus facile à retrouver dans votre logiciel.

– Mon logiciel ? Vous rigolez. Sous ce toit on ne jure que par le papier.

Il sortit d'une armoire bancale des livres de compte poussiéreux. Il en tendit un à Simon.

– Regardez la première colonne. C'est la quantité. Dès que vous tombez sur un gros chiffre, vous suivez la ligne jusqu'au nom du vendeur.

Il ne fallut que dix minutes pour retrouver dans le livre de compte de 2012 une vente de trente cartons de livres par Paul Lange.

– Il y en avait pour six cent vingt kilos, constata le libraire. Plus d'une demi-tonne ! Il ne me reste plus rien sauf les invendables.

– Les invendables ?

– Les ouvrages abîmés, annotés ou bien ceux dont les gens ne comprennent même pas le titre.

– Il y en a beaucoup ?

– Des gens qui ne comprennent rien ? Ils sont pléthore !

– Je parlais des titres incompréhensibles.

– « *La magnifique doxologie du festu* », qu'est-ce que vous en pensez ?

– Pas mal en effet.

– Signé par maître Sébastien Rouillard. Une perle!

– Qu'est-ce que vous en faites?

– Oh, je les garde. Je ne jette rien. Pas de pilon chez moi! Parfois un excentrique vient me demander un titre introuvable que je vais chercher dans ma réserve.

– Je peux y jeter un œil?

– Certes, mais il vous faudra un guide.

Le libraire le devança dans l'escalier d'une cave empestant l'humidité. Il alluma un néon qui irradia d'une lumière blanche un dédale de livres. Simon le suivit en craignant de n'être pas seul. Des rats festoyaient discrètement. Le libraire s'arrêta devant deux caisses débordant d'ouvrages en tout genre.

– C'est là que devraient encore se trouver les bouquins que votre père m'a cédés.

– Comment pouvez-vous le savoir?

– C'est mon métier. Ce stock est entré au premier semestre 2012. Vous y dénicherez les titres que je n'ai pas rangés en boutique pour les raisons susdites.

Simon se demanda ce qu'il entendait par «ranger» et s'attaqua à la première caisse. Il y avait de tout, des livres de cuisine aux traités d'ethnologie, en passant par des polars et des livres de jeunesse. La plupart d'entre eux étaient abîmés, amputés d'une page, sans couverture ou gribouillés. Simon éprouva soudain un pincement au cœur à la vue d'un *Dictionnaire des champignons*. Peut-être celui de son père. Il passa fébrilement au contenu de la deuxième caisse, moins bien conservé. La plupart des œuvres étaient grignotées, imbibées d'eau. Une bible couverte de crottes était collée entre un vieux roman d'espionnage de Fleuve noir et un manga dont la couverture avait été arrachée. Simon reconnut l'édition que possédait Paul, caractérisée par sa couverture rouge. Certains passages étaient surlignés. Cette découverte lui donna de l'espoir. Sa fouille le mena à une pile d'ouvrages soudés par l'humidité et le temps, la plupart annotés et en mauvais état. Il piocha le fameux traité de Luxenberg recouvert de moisissures et *Topographie historique de la Syrie antique et médiévale* de René Dussaud. Simon ouvrit ce dernier avec précaution, craignant de le voir s'émietter entre ses doigts. Il sépara les premières pages collées entre elles pour constater que l'exemplaire était dédicacé. L'encre avait bavé mais on pouvait encore lire la plupart des mots :

À Henri,
à notre amitié,
au Chaldéen qui nous a tout appris
et à la Syrie qui a tant à nous apprendre.
Paul

Son père adoptif avait dédicacé *Topographie historique de la Syrie antique et médiévale* à son père biologique ! Paul avait probablement récupéré cet ouvrage dans les affaires d'Henri après sa mort.

Simon tourna les pages avec fièvre, en déchira une dans un accès de nervosité. Au fond de la caisse, les livres bougeaient. Une queue pointue se faufila derrière un *Guide du routard du Laos* datant de 1982. Des petites pattes crépitèrent en direction d'une encyclopédie médicale en forme de gruyère.

– Si vous avez trouvé votre bonheur, dit le libraire un peu gêné par cette fréquentation indésirable, je vous conseille de remonter à la boutique pour les examiner de plus près.

Simon ramassa les reliques et l'accompagna sans traîner.

– Vous pouvez tout prendre, ça débarrasse, proposa le libraire.

– Il n'y a pas de raison, je vous les paye au poids si vous voulez.

– Laissez tomber, ils ont déjà nourri toute une famille de rongeurs.

– Je peux les étudier ici ?

– Tant que vous nc fumcz pas, vous ne me dérangez pas.

Simon commença par s'intéresser aux annotations, probablement écrites de la main d'Henri, dont la graphie était différente de celle de la dédicace.

Dans les autres publications de René Dussaud listées en annexe, deux titres avaient été encerclés par son père. Simon demanda au bouquiniste s'il les avait en stock.

– Soit ils ont été vendus, soit ils sont encore au sous-sol.

– À moins que mon père ne les ait jamais possédés.

– Possible. Vu les titres que vous m'annoncez, votre père a dû rencontrer des difficultés pour les obtenir.

L'attention de Simon fut attirée par la page 22 de *Topographie historique de la Syrie antique et médiévale*. Plusieurs phrases étaient soulignées, dont une d'un double trait :

...en Syrie, les noms de lieux survivent aux millénaires...

En haut de la page, Henri avait écrit :

Pourquoi les noms d'El-Quraychite
et de La Mecque ont-ils été changés ?

Il avait amorcé plusieurs réponses en marge d'un tableau établi par Dussaud pour classer les lieux ou villages de Syrie qui avaient été rebaptisés :

Guerres ?
Invasions ?
Évolution de la langue ?
Volonté de faire disparaître des preuves gênantes
sur l'origine du Coran ?

Assailli par le doute et les questions d'Henri, Simon referma le livre et remercia le libraire, qui lui fournit un sac-poubelle pour emporter son butin. Simon sortit dans la rue en vérifiant que personne ne le suivait. Une voiture démarra et roula lentement à sa hauteur. Il bifurqua dans une ruelle, courut, s'engagea dans une voie à sens unique, pénétra dans un café. Il s'installa au fond de la salle pour récupérer son souffle dans des effluves anisés et commanda un café.

L'ouvrage de Dussaud méritait d'être étudié d'un peu plus près. À partir de représentations anciennes et d'observations de terrain rapportées par les géographes, les explorateurs et les voyageurs qui jadis donnèrent des noms aux lieux et aux routes commerciales, l'orientaliste français avait reconstitué une carte de la Syrie qui risquait de bouleverser l'ordre du monde. Les noms de lieux n'avaient pas varié sur des milliers d'années, à quelques exceptions près. C'était ces exceptions qui avaient retenu l'attention de Dussaud... et d'Henri. En page 153, l'auteur précisait que la localité d'El-Qurashiyé, connue pour être l'une des trois étapes de la route des caravanes entre Lataquié et Antioche, avait pour habitants les Nanou-el-Qurashi d'origine quraychite. Or, El-Qurashiyé avait depuis changé de nom et s'appelait désormais La Causia. Là-dessus, Henri avait ajouté plusieurs notes, parfois absconses, dont :

Tous les califes doivent descendre des Quraychites (hadith)

En dessous, il posait la question en lettres majuscules :

LA SECTE ?

Un peu plus bas, une autre note donna des frissons à Simon :

SIMON !

Il détacha les yeux du livre comme s'il s'agissait d'un grimoire au pouvoir maléfique. Son regard croisa celui d'un client qui entrait dans le café. Celui-ci avait le teint basané, une épaisse moustache sous un regard perçant, une mâchoire mal rasée qui mastiquait du chewing-gum. Simon reporta son attention sur le livre et s'intéressa à une page sur laquelle Henri avait écrit :

Jésus né en Syrie ?

L'annotation concernait un paragraphe où Dussaud évoquait « Rabwé », qui était le nom de la colline où était né Jésus selon le Coran.

À la lueur de *Topographie historique de la Syrie antique et médiévale*, Simon comprit que, de tout temps, il y avait eu un engouement suspect pour établir des cartes de Syrie. Les relevés servaient des buts religieux, militaires, commerciaux, touristiques, géographiques. La liste de ceux qui s'y étaient collés était impressionnante, de Pline au baron von Oppenheim en passant par Napoléon et Ernest Renan, l'homme qui avait donné son nom au cercle fréquenté par Paul.

Simon sentit une présence près de lui.

Le moustachu était assis à sa table, juste en face de lui.

32

Surpris par la présence de l'inconnu, Simon renversa sa tasse sur le livre.

– Excusez-moi, fit l'homme, confus.

– Qu'est-ce que vous voulez ?

– Qu'est-ce que vous lisez ?

Simon sécha son livre avec une serviette en papier, le referma et le fourra dans son sac.

– Qui êtes-vous ? Monsieur X ? Le Chaldéen ? L'assassin de mes parents ? Un flic ? Un espion ? Un tueur ?

– Vous avez beaucoup d'imagination, monsieur Lange.

– Bien sûr, vous connaissez mon nom.

– Je sais aussi que vous êtes en train d'effectuer une série de découvertes qui vous mèneront aux pires ennuis...

– De quelles découvertes parlez-vous ?

– Les origines chrétiennes du Coran. Rien qu'avec ça, on peut bouleverser mille cinq cents ans d'histoire ainsi que l'équilibre géopolitique mondial.

– Vous parlez d'une série de découvertes. Il y en a beaucoup d'autres du même genre ?

– Oui, et de plus en plus difficiles à accepter.

– Attendez que je devine ! Vous êtes venu, au nom d'un État, d'une agence de renseignements ou d'une organisation secrète, me prévenir du danger que je cours et m'intimer d'arrêter les investigations.

– C'est à peu près cela, à part la dernière partie de votre phrase.

Simon marqua son étonnement d'un haussement de sourcils.

– Il serait souhaitable que vous continuiez votre quête, s'expliqua le moustachu.

– Qui formule ce souhait ?

– Cela n'a aucune importance. C'est la première et la dernière fois que vous me voyez.

– À quoi sert votre intervention si elle n'a aucun poids ?

– Avez-vous lu le livre de René Dussaud ?

– Je suis en train.

– Vous verrez donc qu'il a reconstitué la carte de Syrie à partir de données historiques. Et que celle-ci ne ressemble pas tout à fait à la carte officielle...

L'homme regarda autour de lui pour vérifier qu'il ne serait entendu que par Simon.

– Il existe encore une vraie carte de Syrie, réalisée par un savant musulman au XIIIe siècle, qui mentionne les noms de lieux originaux.

– Où se trouve-t-elle ?

– Elle a été vendue aux enchères il y a quelques mois, à Paris.

– Qu'a-t-elle de si particulier ?

– Vous le saurez en la voyant. Cela requiert l'autorisation du propriétaire. Il s'agit d'un riche collectionneur anglais, vivant à Londres. Si cela vous intéresse, je vous donne ses coordonnées.

– Pourquoi n'y allez-vous pas vous-même ?

– Pour des raisons que je préfère taire, je ne suis pas le bienvenu sur le sol britannique.

– Suis-je stupide ou prudent ?

– Pardon ?

– Soit je tombe dans votre traquenard, soit je vous suggère d'aller ruminer ailleurs.

– Les grandes révolutions n'ont jamais été déclenchées par des gens stupides ou prudents.

– Je ne souhaite rien déclencher du tout.

– Vous vous y prenez mal, alors.

– Pourquoi voulez-vous absolument m'aider ?

– Vous croyez quoi ? Que vous êtes le seul à suivre la piste d'un Coran avant le Coran ? Nous sommes des centaines dans le monde à traquer la vérité, des orientalistes, des scientifiques, des historiens, des religieux ou même des gens comme votre père.

– Alors pourquoi venir me relancer comme si tout reposait sur moi ?

– Vous êtes quelqu'un de spécial.

– Qu'entendez-vous par « spécial » ?

– Votre séjour à Jérusalem n'est pas passé inaperçu. La sentinelle de la Porte dorée a parlé.

– C'est vous qui avez fouillé l'appartement de Markus ?

L'homme esquissa un sourire.

– Rassemblez les preuves et vous comprendrez.

– Quelles preuves ? Celles que mon père m'a léguées ? J'ai une nouvelle pour vous : on les a volées.

– Vous les retrouverez. Nous ferons notre possible pour vous faciliter les choses et vous protéger.

– Allez-vous me dire qui est ce « nous » ?

– Moi et quelques amis qui partageons un souci de vérité et de révision de l'histoire.

– Vous espérez me protéger contre qui ?

– Les États-Unis, l'Arabie saoudite, le Qatar, la Syrie, Israël, la Russie, le Vatican, al-Qaïda, la mafia, et cetera, et cetera.

– Rien que ça !

– Vous êtes dans leur ligne de mire et notre travail est de vous taper gentiment sur l'épaule pour vous écarter de la trajectoire de la balle qui vous est destinée.

– C'est censé me rassurer ?

– Non, vous protéger.

– Vous me suivez depuis combien de temps ?

— Depuis que vous êtes en danger.

— Je rêve. Un vrai cauchemar !

L'homme lui tendit un bout de papier.

— Qu'est-ce que c'est ? demanda Simon.

— Pour vous montrer que vous ne rêvez pas.

Simon lut un nom et une adresse à Londres.

— Ne les communiquez à personne, avertit le moustachu avant de se retirer.

33

Simon décortiquait *Topographie historique de la Syrie antique et médiévale*, assis sur un banc de la place de Fontenoy. Il avait pris position devant le siège de l'Unesco pour y guetter Sabbah. Celle-ci finit par sortir du bâtiment en compagnie de deux collègues élégants dans leurs costumes anthracites. Elle leur faussa compagnie en l'apercevant.

— Toi ici ?

— Je voulais te revoir.

— Comment savais-tu que je serais là ?

— Il n'y a pas cinquante sièges de l'Unesco. En plus, une étoile à trois branches d'une hauteur de sept étages, posée à côté d'un accordéon et d'un cube géants, je n'ai pas eu de mal à trouver.

— Un vrai délire d'architectes, tu as raison !

— On peut travailler dans un truc pareil ?

— Je passe plus de temps à l'extérieur que dans les bureaux.

— J'ai eu de la chance de tomber sur toi alors.

— Tout va bien ?

— J'ai encore en tête ta proposition de m'héberger. Elle tient toujours ?

– Je disais ça par politesse.

– Ah bon ?

– Je plaisante. Tu n'as pas de bagages ?

– Juste ce sac. Je t'invite au restaurant ?

– Non, La Truffe m'attend et j'ai des choses comestibles dans le frigo.

Ils s'engagèrent dans l'avenue de la Bourdonnais. Il la regarda marcher à ses côtés dans un tailleur strict qui travestissait sa sensualité et son caractère sauvage.

– Tu es surprenante.

– Pourquoi dis-tu ça ?

– Il est rare qu'une femme accepte d'héberger un SDF chez elle. Encore plus rare qu'elle refuse une invitation au restaurant.

– Je pense et agis différemment des autres. Cela explique en partie pourquoi je vis seule et travaille dans une organisation qui prétend maintenir la paix en resserrant les liens culturels entre les nations. Attention...!

Elle le tira par le bras. Le contact déclencha une douce sensation mais l'empêcha surtout de se faire écraser. Le véhicule accéléra devant eux pour disparaître dans la circulation.

– Quel taré ! fit-elle.

– Je crois qu'il l'a fait exprès, dit Simon.

– À Paris, ils conduisent tous comme ça.

– Sans toi, j'y passais.

– Tu as appris quelque chose chez ta tante ?

Il rapporta les révélations de Marie, sa visite chez le loueur de voitures et le bouquiniste, sa découverte du livre de Dussaud dédicacé par Paul à Henri, les annotations de ce dernier, ainsi que sa rencontre avec le mystérieux moustachu.

– Quelle histoire ! Tu craques pas ?

– Je n'ai pas le temps.

Elle lui prit le bras pour l'orienter dans la bonne direction. Simon tenta une explication :

– Henri, mon vrai père, enquêtait sur une carte de Syrie indiquant des noms de lieux avant qu'ils ne soient changés. Après sa mort, Paul a poursuivi les travaux d'Henri, qui l'auraient probablement mené aux responsables de l'attentat. Paul a été tué, et on s'emploie à me faire reprendre le flambeau.

– Tu penses donc que des types cherchent à t'assassiner pendant que d'autres s'efforcent de te protéger ?

– J'en ai bien peur.

– Il faut t'éloigner de tous ces gens.

– Impossible, ils sont partout. Ils dorment dans mon lit, me roulent sur les pieds, s'invitent à ma table.

Sabbah accéléra le pas. Ils n'étaient plus très loin et finirent le trajet sans un mot. Elle rompit le silence dans l'ascenseur de son immeuble :

– Comment peux-tu rester serein avec une telle épée de Damoclès ?

– À tout moment je peux mourir, mais, à l'heure où je te parle, je suis toujours en bonne santé.

– Quels sont tes projets ?

– Je vais essayer de joindre ce collectionneur anglais et lui demander de consulter sa carte de Syrie.

– Et si c'était un piège ?

– Dans quel but ? M'éliminer à Londres plutôt qu'à Paris ? Je ne vois pas l'intérêt.

– Tu crois que tu vas aller sonner chez ton lord, qu'il va t'accueillir avec une tasse de thé et t'ouvrir son coffre pour que tu fasses une photocopie de sa carte qu'il a dû payer une fortune ?

L'ascenseur s'arrêta au quatrième. Ils entrèrent pour faire face aux assauts de La Truffe qui jappa dans leurs jambes. Sabbah alla se changer.

Elle réapparut dans un jean et un sweater dont l'échancrure foudroya Simon.

— J'ai une idée, dit-elle. Je vais appeler une relation à Londres. Il connaît peut-être ton collectionneur. Comment s'appelle-t-il ?

Simon plongea la main dans la poche de sa veste, mais ne la retira pas.

— Quoi, tu n'as pas confiance ? s'offusqua-t-elle.

— Le moustachu m'a prié de ne communiquer ce nom à personne.

— Si tu préfères t'en remettre à un inconnu plutôt qu'à moi, à toi de voir.

Elle fila dans la cuisine et alluma le four.

— Tu aimes le poisson ?

— Oui...

— Il vient juste d'être pêché.

Elle sortit une dorade du frigo.

— Sabbah, excuse-moi, ce n'est pas une question de confiance.

Avec la rapidité et la dextérité d'un mareyeur, elle l'écailla, le vida, le rinça sous le robinet, l'essuya avec du papier absorbant.

— C'est une question de quoi, alors ?

Sabbah coupa un citron en deux.

— Tu peux m'aider ? demanda-t-elle.

— Je n'y connais rien en cuisine.

— Je n'ai besoin que d'un marmiton.

Elle badigeonna la dorade avec une moitié du citron et demanda à Simon de lui presser l'autre moitié pour faire mariner le poisson. Il retira sa veste et retroussa ses manches.

— Je n'ai pas envie de t'impliquer dans cette histoire, argua-t-il.

— Lave-moi un autre citron, s'il te plaît.

Elle le divisa en fines rondelles.

— Je peux t'ouvrir des portes qui te feront gagner du temps et t'épargneront des problèmes, assura-t-elle.

Elle piocha deux feuilles de laurier dans un pot et une branche de thym. Ses gestes étaient vifs et précis. Elle préparait la cuisine comme une guerrière.

— Quelle est cette relation que tu as à Londres ? demanda Simon.

— Épluche un oignon et coupe-le en tranches. Moi, ça me fait pleurer. Et je n'ai pas envie de verser de larmes devant toi, tu croirais que je compatis à ton sort.

Simon ne savait jamais si elle était sérieuse ou pas. Il s'exécuta en se concentrant sur sa tâche. Pendant ce temps, Sabbah alla chercher une bouteille de vin blanc. Elle réapparut en déclarant :

— Il s'appelle Ian McCullough. Il est directeur de la communication et de la recherche à l'UKNC.

— UKNC ?

— United Kingdom National Commission for Unesco, à Londres. Ian sait tout ce qui a de la valeur au Royaume-Uni et connaît la plupart des mécènes et collectionneurs d'art. Il pourrait même t'organiser un rendez-vous. Tu peux m'ouvrir cette bouteille ?

— En quel honneur ferait-il ça ?

— Il est amoureux de moi.

— Ah d'accord. Et toi ?

Elle posa deux verres à pied sur la table de la cuisine.

— Tu prends un verre de vin blanc ?

– Je veux bien.

Elle lui servit du vin et se versa de l'eau.

– Tu ne bois pas ?

– Si. Mais pas d'alcool.

– Tu ne m'as pas répondu.

– À propos de quoi ?

– De tes sentiments pour ce Ian McCullough.

Sabbah porta un toast en disant :

– Cela ne te regarde pas.

– J'ai touché un point sensible.

– Tu ne sais pas de quoi tu parles.

Elle posa son verre pour aller faire chauffer du riz dans une marmite.

– Si tu lui demandes ce service, cela fera de toi sa débitrice.

Elle sortit le poisson de son jus et le déposa dans un plat.

– Au pire, je couche avec lui et on est quittes.

– Quoi ?

Elle disposa sur la dorade les rondelles de citron et d'oignon, les deux feuilles de laurier, la branche de thym, puis elle fixa Simon :

– Tu crois vraiment que je ferais ça ?

– Je ne m'habituerai jamais à ton humour, avoua-t-il.

– J'espère que tu t'habitueras au moins à ma cuisine. Passe-moi la bouteille d'huile.

Elle arrosa le poisson d'huile d'olive.

– Le sel, s'il te plaît.

– Il est devant toi.

– Je ne le vois pas.

Il posa le torchon sur la table et, d'un geste de prestidigitateur, le souleva en faisant apparaître la salière.

– Tu as fait ça comment ?

– J'ai des dons.

Elle sala et poivra le plat avant de l'enfourner.

– Je sors La Truffe. Pendant ce temps, peux-tu utiliser tes dons pour nettoyer la cuisine et garder un œil sur la cuisson ?

34

Lorsque Sabbah fut de retour, Simon était plié en deux devant le four, en train de se demander si le plat était cuit ou pas. Pendant son absence, il avait dressé le couvert.

– C'est en train de cramer ! cria Sabbah.

– Ah bon ?

– Tu ne sens pas ?

– Ça sent bon au contraire.

– Justement, c'est signe que c'est trop cuit.

Il s'écarta pour la laisser agir, marcha sur La Truffe qui le fit trébucher, s'accrocha à une poignée de casserole qu'il entraîna avec lui dans sa chute.

– Vous êtes entier, agent Simon Lange 007 ?

– Désolé.

– Quand je vois comment tu t'en sors dans une cuisine, je me demande si ta mission à Londres est à ta portée.

– Très drôle.

– J'ai téléphoné à Ian.

Elle saupoudra le plat d'une cuillère à soupe de coriandre hachée.

– Quand ça ?

– Pendant que je promenais le chien.

– Et alors ?

– Il connaît ton homme.

Sabbah lui tendit le morceau de papier sur lequel était écrit le nom du collectionneur britannique.

— Tu peux le remettre dans la poche de ta veste.

Simon ne dit rien. Il se sentit soudain dépassé. Sabbah prenait les choses en main avec une assurance qui le désarmait.

— « Elle sait que la beauté du corps est un sublime don qui de toute infamie arrache le pardon », murmura-t-il en passant dans la salle à manger.

— Qu'est-ce que tu marmonnes ?

— Du Baudelaire, ça tempère.

Ils se mirent à table. Il lui demanda comment elle voyait la suite.

— Cela dépend de toi.

— Si c'était le cas, tu aurais respecté ma volonté de ne pas te mêler à cette affaire.

— Ta volonté était motivée par de mauvaises raisons.

— Ton initiative de téléphoner à ce McCullough ne l'était pas peut-être ?

— Non.

— J'ai déboulé dans ta vie, Sabbah, tel un éléphant qui jette bas ses harnais ! Je n'ai pas envie de t'embringuer dans ma course dévastatrice.

— J'aime les éléphants.

Face aux réparties imparables de Sabbah, Simon préféra s'incliner et goûter aux saveurs appétissantes joliment présentées dans son assiette. Elle avait préparé une sauce spéciale avec le riz. Les onctuosités épicées déclenchèrent sur son palais un feu de Bengale. Sabbah plaça son argumentation.

— J'aime aider mon prochain au point d'en avoir fait mon métier. Là, j'ai une possibilité de te donner un sacré coup de main. De plus, ta quête sur la Syrie et sur le

Coran mène à mes origines et heurte ma foi. Je me sens concernée. Ton histoire m'intrigue. Et puis...

— Et puis ?

— J'aime tes expressions. « Un éléphant qui jette bas ses harnais » ! Où est-ce que tu es allé pêcher ça ?

— Probablement dans l'une des histoires que me racontait mon père.

Il fixa ses grands yeux noirs dont l'éclat aurait pu déclencher un Printemps arabe à eux seuls. Elle éprouvait quelque chose pour lui. Simon le ressentait. Ce qu'elle confirma par ses propos :

— Les drames qui te frappent, ta façon de faire irruption dans ma vie, et cet air un peu égaré que tu portes sur ton visage, tout cela me touche.

Une fois de plus, Simon ne sut quoi dire.

— Ian me rappellera dès qu'il aura réussi à joindre ton collectionneur anglais, conclut-elle.

La discussion s'orienta alors sur leurs origines métissées, les poussant à dévoiler un peu de leur intimité.

Simon évoqua son enfance à Beyrouth, ses études à Paris, ses nombreux voyages qui le coupèrent de ses racines, ses retraites méditatives.

Sabbah lui parla de son enfance en Syrie, de son père Moktar et de sa mère Aline qui s'étaient rencontrés sur les bancs de l'université à Paris avant d'aller vivre à Damas. Elle était venue à son tour effectuer des études en France, où elle était restée pour entrer à l'Unesco. Ses parents lui manquaient un peu. Elle confia à Simon sa foi dans le Coran. Elle voyageait beaucoup elle aussi, pour son métier. Elle essayait de se persuader que les peuples ne pouvaient s'entendre que grâce à leurs différences culturelles et aux échanges qui pouvaient en résulter.

– Comment se fait-il qu'une femme comme toi vive seule ?

– Qu'est-ce que tu entends par « une femme comme moi » ?

– Sublime.

Le mot était sorti avant qu'il n'ait eu le temps de le retenir. Sabbah porta son verre d'eau à ses lèvres pour cacher un léger rougissement et s'accorder le temps de formuler une réponse.

– Merci, dit-elle en reposant le verre.

– Excuse-moi, cela ne me regarde pas. Je n'ai pas... je crois... en plus je t'avais déjà demandé...

Simon but à son tour pour noyer son élocution embrouillée. La bouteille de vin qu'il avait presque vidée avait alimenté efficacement ses confidences.

– Je suis encore vierge, avoua-t-elle.

Il avala de travers.

– Je sais, dit-elle, ce n'est pas banal à trente et un ans. Mais tu l'as constaté toi-même, je suis très surprenante.

– Pourquoi ?

– Ma foi dicte ma conduite. Je garde ma virginité pour mon mari avec lequel je finirai ma vie dans mon pays.

– Voilée et privée de tes droits ?

– En accord avec ma religion.

Simon était stupéfait par une telle déclaration qui ne pouvait se discuter puisque conditionnée par la foi. Soudain, il se rappela que Sabbah aimait le faire marcher.

– Tu plaisantes, là.

– Pas avec ma religion. Pourquoi, cela te pose un problème ?

– Oui... enfin non...

– Toujours hésitant entre le « oui » et le « non », déplora-t-elle en se levant.

Ils débarrassèrent la table. Sabbah déplia le convertible du salon et prépara le lit de Simon, qui termina la soirée avec La Truffe.

35

Le crachotement d'une cafetière et l'arôme qu'elle répandait dans le salon le réveillèrent. Sa première vision fut le museau humide de La Truffe et sa langue baveuse. La deuxième fut Sabbah en débardeur et pantalon de survêtement. Elle transpirait.

— Debout! claironna-t-elle. Il est 8 heures et le déjeuner est servi.

— Tu pars travailler à quelle heure?

— Je travaille déjà depuis deux heures.

— Dans cette tenue?

— J'ai couru et j'ai préparé un déplacement à Londres. Il faut que je rencontre les organisateurs du World Press Freedom Day qui se tiendra là-bas le 13 mai prochain.

— Comme par hasard.

— J'ai juste décidé d'avancer mon déplacement. Tu peux m'accompagner si tu veux. L'Unesco prend les frais en charge.

— Il semble que je n'aie pas le choix.

— On a toujours le choix. Tu as celui d'enfiler tes vêtements sales et de prendre la porte.

— Autrement, tu vois ça comment?

— Un: t'acheter des fringues. Deux: donner ta veste au teinturier. Trois: confirmer ta réservation sur le vol de demain matin pour Londres.

— Et Ian McMachin?

— Il m'a rappelée.

– Déjà ? Il est matinal.

– Non, amoureux.

– Qu'a-t-il dit ?

– On a rendez-vous demain chez notre collectionneur.

– Sir Alexander Caldwell ?

– On a lu le même bout de papier.

– À quelle heure ?

– Entre 18 h 30 et 18 h 40.

– Dix minutes seulement ?

– Sans Ian, nous n'aurions rien obtenu.

– On pourra voir la carte antique ?

– La rencontre se fera chez Sir Caldwell. Je suppose que c'est là qu'il conserve sa collection. Alors, que décides-tu ?

La Truffe tira sur la couette. Simon se retrouva nu devant Sabbah. Il saisit un oreiller pour cacher son entrejambe.

– On va présenter les choses comme ça, statua-t-il. Tu viens avec moi mais tu restes en retrait. Tu en as déjà beaucoup trop fait.

Elle esquissa un sourire derrière la fumée qui s'échappait de sa tasse de thé. L'expression irradiait sa beauté mais signifiait également qu'elle n'était pas du genre à rester dans l'ombre.

LIVRE VII

« Dans l'état où je me trouvais, tout ce que je pouvais dire, c'était que la carte au trésor était dans la boîte rouge et qu'il fallait attendre la venue du messager pour la récupérer. »

36

Sir Alexander Caldwell habitait dans un quartier de Londres surnommé la Petite Venise. Un charmant bassin triangulaire reliant Regent's Canal et Grand Canal suffisait à comparer ce bout de Maida Vale à la Cité des Doges. Des maisons du XIXe siècle et des jardins domestiqués jusque dans la hauteur millimétrée du gazon bordaient les berges. La ferveur de la City se noyait ici dans le bruissement des saules pleureurs et le clapotis des grosses péniches colorées transformées en habitation cossues.

Ian McCullough conduisit Sabbah et Simon en direction de ce havre de paix. La première à ses côtés sur le siège passager, le second relégué à l'arrière. McCullough était un beau quadragénaire aux tempes grisonnantes, à l'élégance britannique et au charme plein d'assurance. Ils s'étaient donné rendez-vous dans un pub de Whitehall Court proche de l'antenne de l'Unesco où Sabbah avait passé la journée pendant que Simon errait de parc en parc pour retrouver des fragments de sa tranche de vie londonienne à la fin des années 1990 quand son père était en poste ici.

Ian n'avait d'yeux que pour Sabbah, ce qui rendait sa conduite hasardeuse. Savait-il qu'elle n'avait connu aucun homme et qu'elle se destinait à finir sous un voile ?

La demeure de Sir Caldwell, forcément victorienne et haute de trois étages, était la plus imposante de ce quartier richement loti. Ian arrêta son Audi devant le portail et alla sonner sous la surveillance d'une caméra. Il parla à un visiophone.

– Sans lui, tu n'étais pas près d'accéder à cette carte, lança Sabbah à Simon.

– Je vois ça.

– Je lui dois d'accepter ce soir une invitation au restaurant.

– C'est cher payé.

– Il s'agit juste d'un dîner entre deux collègues qui sert tes intérêts.

– Où allez-vous manger ?

– À Bloomsbury, chez Hakkasan.

– Chez qui ?

– Hakkasan. Un restaurant chinois.

– Il ne s'est pas foulé. Quelques nems et du riz cantonais, tu vas te régaler.

– Ce sera plutôt du canard à la pékinoise au caviar Beluga. Hakkasan est le seul restaurant chinois étoilé de Grande-Bretagne.

Simon regretta de s'être aventuré sur ce terrain et se tut. La grille de la propriété s'ouvrit. Ian reprit le volant et gara sa voiture à côté d'une Jaguar X-Type qui brillait sous un réverbère. Un valet vint à leur rencontre. Ils furent introduits dans un hall décoré comme un musée. Le regard de Simon fut capté par une sculpture famélique en bronze, probablement un Giacometti, qui pointait du doigt un Picasso.

Sir Caldwell apparut sur le seuil d'une pièce dont il referma soigneusement la porte derrière lui. De taille et de corpulence moyennes, il ne se distinguait pas par son physique mais par sa tenue vestimentaire : un tee-shirt élimé aux couleurs du drapeau anglais sous une veste en soie bleu foncé, un jean Versace et une paire de Repetto sans chaussettes. Il salua chaleureusement son ami Ian, qui fit les présentations. En voyant Sabbah, Caldwell se courba sur un baisemain.

– Nulle œuvre d'art ne peut atteindre votre beauté, roucoula-t-il.

Sabbah le remercia mais lui rappela qu'ils ne disposaient que de dix minutes et qu'il n'y avait pas de temps à perdre en flagorneries.

Caldwell les fit passer dans la bibliothèque. Il les pria de s'installer autour d'une table et fit coulisser un pan de mur pour révéler la porte blindée d'un immense coffre-fort.

– Tu gardes la carte dans un coffre ? s'étonna Ian.

– Oh, ce n'est pas tellement pour sa valeur vénale, mais plutôt pour l'enjeu qu'elle représente. Si le commissaire de la vente aux enchères en avait eu conscience, il ne l'aurait pas mise à un prix aussi bas. Il n'aurait même pas osé la vendre du tout. Mais de nos jours, peu de gens savent lire les cartes.

– La faute au GPS, blagua Ian.

– Quel est cet enjeu dont vous parlez ? demanda Simon.

– Le pouvoir religieux.

Il sortit un rouleau de papier qu'il étala délicatement sur la table devant ses invités. Gestes compassés. Moment magique. Sur le papier jauni et craquelé datant du XIIIe siècle était tracée l'ancienne carte de Syrie, avec ses noms de villes et de villages originels.

– Je peux prendre une photo ? demanda Simon qui avait emprunté l'appareil numérique de Sabbah.

Caldwell se tourna vers Ian pour avoir la confirmation qu'il pouvait avoir confiance.

— À une condition, dit-il, ne révélez jamais votre source.

— Cette carte a-t-elle vraiment été réalisée par un musulman ? demanda Simon, intrigué.

— Oui, par le géographe Yakout. Il n'en existe plus que deux exemplaires, celui qui est devant vous et un autre bien gardé dans un coffre de l'Institut d'Égypte au Caire.

Simon se leva au-dessus de la carte pour la cadrer dans son intégralité. Au moment d'appuyer sur le déclencheur, la lumière s'éteignit. Ils furent brusquement plongés dans le noir.

Un bruit sourd dans la pièce.

Une chaise renversée.

Un cri.

Sabbah éclaira autour d'elle avec la lueur de son téléphone.

— La carte ! s'exclama-t-elle.

Celle-ci avait disparu.

Quelqu'un s'échappa par la fenêtre et sauta dans le jardin. Simon s'élança à sa poursuite, échoua dans un massif de camélias et roula dans le gazon. Le voleur détalait à la vitesse d'un lièvre. Simon le suivit facilement à travers le jardin paysager jusqu'à une haie de lauriers dans laquelle il s'enfonça avant de buter contre un mur en briques qui séparait la propriété de Caldwell de celle de son voisin. Comment le fuyard avait-il pu le traverser ? Simon grimpa à un arbre dont les branches s'étiraient au-dessus des pointes de fer qui couronnaient l'enceinte. Avec l'agilité d'un singe, il se balança pour passer de l'autre côté, chuta face aux aboiements d'un teckel teigneux, fonça vers un portail, l'escalada et retomba dans la rue déserte. Il se figea en position d'arrêt, comme un chien de chasse, afin de percevoir une trace visuelle ou auditive trahissant le voleur.

Un lampadaire projeta sur une façade une ombre aussitôt avalée par la brume. Simon se rua dans sa direction, franchit un pont qui enjambait un canal et fit résonner en écho ses pas sur les pavés luisants. Le voleur courait vers le cœur de Maida Vale pour disparaître dans la foule, la circulation, le bruit. Simon l'avait en ligne de mire et ne le lâchait plus. À sa stupeur, le malfaiteur s'arrêta brusquement et se cacha derrière une boîte aux lettres rouge aussi voyante qu'une balise. Une silhouette en capuche, jaillie de nulle part, fondit sur le fuyard, aussitôt contraint d'abandonner sa stupide cachette. Un véhicule déboucha à vive allure au même instant et percuta ce dernier comme une boule de billard. Tout alla très vite. Simon entama un sprint. Mais la silhouette en capuche était déjà sur la victime dont le corps avait ricoché contre un parapet. La vitre côté conducteur se baissa sur le scintillement d'une arme à feu pointée sur Simon, qui plongea dans une flaque d'obscurité.

Le véhicule fila sous les yeux d'un couple ébahi. Les témoins appelèrent les secours pendant que Simon se précipitait avec un mauvais pressentiment sur le voleur de carte qui gisait dans le caniveau. Il portait une veste bleu foncé, un jean, des chaussures de marque.

Le fuyard était Sir Alexander Caldwell.

37

Sabbah et Ian rejoignirent Simon en même temps que les secours et la police. À l'écart du périmètre de sécurité, ils tentèrent de mettre un peu de clarté dans cette brumeuse affaire londonienne.

Les voleurs auraient profité de la neutralisation de l'alarme et de l'ouverture du coffre pour s'infiltrer dans la propriété de Sir Caldwell et dérober la carte. L'un d'eux avait actionné le disjoncteur général pendant qu'un autre faisait irruption dans la bibliothèque. Sir Caldwell avait eu le réflexe de s'enfuir avec la carte. Dans la confusion et la précipitation, Simon l'avait pris pour le cambrioleur et essayé de le rattraper en même temps que les deux voleurs.

Cette reconstitution confirma à Simon qu'on l'avait suivi jusqu'en Angleterre. Il avait conduit les deux voleurs jusqu'à la carte !

Sir Caldwell était inanimé, mais en vie. L'impact avait fracassé la moitié gauche de son corps, la jambe, les côtes et la clavicule. La douleur l'avait plongé dans une syncope.

Sabbah conseilla à Simon de ne rien dire à la police au sujet de la carte et de sa visite chez Caldwell. Le mieux était de raconter qu'il avait assisté à l'accident alors qu'il était en train de rejoindre des amis au restaurant.

Pendant que les autres témoins firent leur déposition, les urgentistes évacuèrent le blessé en ambulance.

À son tour, Simon déclara que les deux agresseurs étaient plutôt athlétiques, vêtus de noir, avec des capuches, difficilement identifiables. Leur véhicule était une BMW.

Selon la police, la victime n'avait rien sur elle, ni porte-feuille, ni argent. Le vol était probablement le mobile.

Simon rejoignit Sabbah et Ian qui l'attendaient en marge du dispositif de police. Il s'en voulait. Non seulement il avait attiré des malfrats chez Sir Caldwell, mais il l'avait bêtement pris pour l'un d'eux et s'était montré incapable de lui venir en aide.

— Si tu veux retouver la carte, il faut retrouver les voleurs, dit Sabbah. Tu saurais les reconnaître ?

– Tout s'est déroulé en quelques secondes avec une arme braquée sur moi.

– Une arme maintenant ? s'exclama Ian. Dans quoi t'es-tu fourrée, Sabbah ?

Elle répondit avec une moue et un haussement d'épaules.

– Pourquoi teniez-vous à voir cette carte ancienne ? demanda Ian à Simon sur le ton d'un officier de police.

– J'ai eu ma dose de questions.

Il s'éloigna. Sabbah lui emboîta le pas. Ian aussi.

– Où est-ce que vous allez ? demanda McCullough.

– Je rentre à l'hôtel, répondit Simon. J'ai besoin de faire le point.

– Vous espérez vous en tirer comme ça ?

– Simon avait besoin d'étudier cette carte car il prépare un essai historique sur la Syrie, expliqua Sabbah pour calmer son collègue. La carte de Sir Caldwell aurait servi à illustrer cet ouvrage car elle est l'une des plus anciennes. D'après son propriétaire, elle représentait un enjeu énorme, d'où le drame de ce soir. Cela te va comme explication ?

– Oui. Néanmoins, j'aurais aimé un peu plus de coopération de la part d'une personne pour laquelle j'ai usé de mes relations.

Simon fit volte-face.

– Sabbah dans le rôle de votre obligée, cela ne vous suffit pas ?

– Qu'insinuez-vous par là ?

– J'insinue que vous feriez mieux de m'oublier et d'apprécier l'instant présent.

Simon monta dans un autobus qui venait de s'arrêter et les laissa plantés sur le trottoir.

38

Le plafond de la chambre tournait comme un ventilateur au-dessus de Simon, étendu sur le lit dans la position du Christ en croix, cloué par un demi-litre de Talisker. Son repas du soir s'était résumé à du single malt. Il buvait au goulot comme un poivrot, pour conjurer la malédiction qui frappait sa famille et plongeait ses racines dans le Coran, pour oublier la disparition inexpliquée de Markus, pour noyer les ombres qui évoluaient autour de lui et les orientalistes qui lui mettaient le nez sur de dangereuses vérités, pour envoyer au diable la carte de Syrie envolée à cause de lui, pour ne pas penser à Sabbah passant la soirée avec un bellâtre...

Vider son esprit par l'alcool était plus rapide que par la méditation.

La seule chose qu'il n'arrivait pas à évacuer était sa course-poursuite avec Sir Caldwell. Il ne comprenait pas l'attitude de l'Anglais. Comment avait-il pu espérer se planquer derrière une boîte aux lettres ? Pourquoi s'était-il arrêté ?

Simon visualisa encore une fois la scène. Il cavalait derrière le lord lorsque celui-ci avait tourné la tête sur sa gauche avant de louvoyer dans le sens opposé et de se cacher. L'image de Sabbah s'esclaffant en compagnie de McCullough parasita cette reconstitution mentale. Simon l'effaça d'une rasade et revint sur les traces de Caldwell. L'Anglais avait tourné autour de la boîte aux lettres à la manière d'un chien reniflant un endroit pour uriner. Incohérent ! Pourquoi faire le tour de la boîte ? Que cherchait-il à faire ? Poster son courrier ? À moins que...

Simon lâcha sa bouteille qui roula sur la moquette.

— Par tous les taureaux célestes ! s'exclama-t-il.

Il bascula par terre, empoigna le goulot avant que le whisky ne se répande totalement, se redressa avec l'impression qu'il s'enfonçait dans le sol, s'appuya sur quelque chose qui n'existait pas, s'agrippa *in extremis* au rideau qui céda sous son poids. Transformé en fantôme, il tituba vers la salle de bains et fit couler de l'eau froide sur son crâne pour revenir à la réalité. Il devait rompre avec le délire éthylique qui l'empêchait de préciser l'idée qui sourdait dans son esprit. Il resta sous le robinet pendant deux ou trois minutes. La tête comme un glaçon, il regagna son lit en raflant la bouteille au passage, se cala contre les oreillers et soliloqua en pleine illumination :

— Sacrée vieille amphore !... Tu as fait le tour de la boîte aux lettres... Hé ! Hé !... Pas pour marquer ton territoire, mais pour... Hé ! Hic !... glisser la carte de Syrie dans la boîte... ! Et la récupérer le lendemain à la levée du courrier. Sir Alexander Caldwell ! Tu es un génie !

Simon regarda l'heure. Minuit trente. Il décida de se rendre à la boîte aux lettres et de la forcer pour vérifier son hypothèse. À peine posa-t-il un pied hors de sa chambre que le hall de l'hôtel bascula dangereusement. Il battit en retraite dans la salle de bains et vomit de l'alcool et de la bile. Il était incapable de faire un pas normalement. Il s'était lui-même mis les chaînes aux pieds.

— Et l'autre courtisane, qu'est-ce qu'elle fout ? beugla-t-il. Si elle avait été là, elle m'aurait aidé !

Simon eut soudain peur de perdre son idée dans les vapeurs d'alcool et de se réveiller avec une gueule de bois qui aurait éclipsé sa découverte. Alors il la nota sur le carnet de Paul dans un style et un graphisme approximatifs qu'il espérait pouvoir déchiffrer à jeun. Il était une heure dix du matin.

Il composa le numéro de chambre de Sabbah, se trompa, réveilla un client qui le traita de tous les noms, essaya à nouveau, laissa sonner, reposa le combiné à côté du téléphone, téta la bouteille... puis sombra.

39

Tambourinement contre la porte.

Simon leva la tête, eut l'impression de se cogner, se recoucha, effectua une nouvelle tentative. Chaque mouvement lui donnait l'impression de prendre un coup sur le crâne. Il se traîna au ralenti jusqu'au bruit incessant qui se répercutait sur ses tempes. Il ouvrit sur Sabbah roulée dans une robe fuchsia à tomber. Elle était décoiffée. Une bretelle de sa robe avait glissé sur son épaule.

— Je vois qu'on a passé du bon temps ! constata Simon.

Sabbah le poussa, il se rattrapa à la poignée de la porte et valsa contre la cloison. Elle pénétra dans la chambre pour constater les dégâts. Il se retourna sur elle, comme sur une intruse plantée au milieu du désordre.

Rêvait-il ? Il se frotta les yeux, se pinça, hoqueta, fonça vomir aux toilettes. À sa sortie de la salle de bains, Sabbah était toujours là, furieuse.

— Tu t'es soûlé.

— Observatrice.

— Quand je suis rentrée, mon téléphone sonnait depuis une heure. Tu avais composé le numéro de ma chambre sans avoir raccroché. Un client s'est plaint à la réception. J'ai eu peur, j'ai cru qu'il t'était arrivé quelque chose.

— Et c'est à cette heure de la nuit que tu viens... me raconter ta vie et... celle des clients de l'hôtel ?

— Qu'est-ce qui t'arrive, Simon ?

Il vacilla sur ses jambes cotonneuses. Elle voulut l'aider à garder son équilibre, mais c'est elle qui le perdit. Ils basculèrent sur le lit. Simon l'écrasa de tout son poids, lui saisit les bras et chercha à l'embrasser.

— Lâche-moi, Simon! Tu me fais mal!

Il la libéra en se renversant sur le côté. Elle se redressa et gagna la porte.

— On rentre demain à Paris. Après, je ne veux plus entendre parler de toi.

Simon pointa un doigt accusateur sur Sabbah.

— Pendant que tu roucoulais, j'ai avancé. Je sais où est la carte au trésor.

— Quoi?

— Elle est dans la boîte rouge! Il suffit d'attendre la venue du messager pour la prendre.

— De quoi est-ce que tu parles?

Il s'adressa à elle en araméen avant d'entendre une porte claquer et de plonger dans un sommeil agité.

40

Un homme et une femme étaient en train d'essayer de communiquer avec lui. Simon fit rouler ses yeux dans ses orbites, ce qui déclencha une douleur atroce. Il réclama quelques secondes aux deux personnes qui lui parlaient, le temps de s'adapter à son environnement, et finit par comprendre qu'il avait affaire au sous-directeur de l'hôtel et à la femme de ménage. Ils essayaient de l'informer que l'heure du checking-out était passée. Simon négocia un quart d'heure pour ressusciter, se laver et vider les lieux. Le sous-directeur lui reprocha l'état de la chambre.

— Je vous paierai la casse, dit Simon.

– C'est déjà fait. Votre amie a tout réglé.

– Bon, ben alors, cessez de geindre et allez houspiller d'autres clients.

– Je vous prie de ne plus remettre les pieds dans cet hôtel.

– Je vous rassure, je vais m'essuyer les pieds en sortant et vous n'aurez plus l'honneur de me recevoir. Allez, dehors maintenant ! J'ai besoin d'intimité pour effectuer un brin de toilette.

Il les vira et se planta sous une douche réparatrice en se demandant à quoi avait ressemblé sa nuit et à quoi ressemblerait cette journée qui commençait mal. En sortant de la salle de bains, il consulta les notes qu'il avait prises dans le carnet. Illisibles. Son écriture avait débordé sur le bureau. Il fourra ses affaires dans son sac et alla frapper à la porte de la chambre de Sabbah sans obtenir de réponse.

Il descendit à la réception où trois employés faisaient semblant de s'activer.

– Est-ce qu'il y a un mot pour moi ?

On lui tendit une enveloppe. Elle contenait de l'argent et une lettre de Sabbah qui lui signifiait qu'elle ne voulait plus le revoir. En PS, elle lui donnait les coordonnées de Ian McCullough pour le cas où il aurait besoin d'aide. « Contrairement à ce que tu crois, c'est un gentleman et il saura te sortir de l'embarras dans lequel tu sembles te complaire. »

Simon supposa qu'il avait méchamment dérapé au cours de la nuit. Il se souvenait de Sabbah dans une splendide robe fuchsia mais le contexte demeurait flou. Que s'était-il passé ? Il avait dû le noter dans son cahier, mais, sous l'emprise de l'alcool, il n'avait produit que des hiéroglyphes.

Il appela Ian McCullough de la réception et lui demanda des nouvelles de Sir Caldwell.

– Il est toujours dans le coma, l'informa Ian. D'après les médecins, son pronostic vital n'est pas engagé. Sabbah m'a demandé de rester discret sur cette affaire et de ne pas citer votre nom afin de vous éviter des tracas. Vous avez de la chance de l'avoir comme amie, monsieur Lange. En ce qui me concerne, il me restera à convaincre Alexander d'accréditer l'idée qu'il s'est fait cambrioler sans votre complicité.

– Où est Sabbah ?

– Elle n'est pas avec vous ?

– Si, juste à côté de moi, mais je vous demande quand même.

– Toujours cinglant, n'est-ce pas ?

– J'ai perdu son numéro de téléphone, mentit Simon. Vous l'avez ?

L'Anglais le lui donna. Le sous-directeur de l'hôtel rappliqua et pria Simon de quitter l'hôtel. Ce dernier posa un billet sur le comptoir pour museler l'importun et composer le numéro de portable de Sabbah.

– Où es-tu ? demanda-t-il quand celle-ci décrocha.

– En route pour l'aéroport.

Il insista pour qu'elle lui rafraîchisse la mémoire. Elle lui raconta ce qui s'était passé. Il lui avait fait mal. Physiquement et affectivement.

– Je ne supporte pas les ivrognes, dit-elle au terme de son récit.

Simon ne sut quoi ajouter.

– Tu vas rater le vol de 14 heures. Mais avec ton billet, tu peux en prendre un autre. De toute façon, tu n'en as pas fini à Londres.

– Ah bon ?

– Tu as déclaré que tu savais où se trouvait la carte.

— La carte de Syrie ?

— Tu as évoqué une carte au trésor, mais, dans l'état où tu étais, tes mots n'étaient pas les mieux choisis.

— T'ai-je dit où ?

— Tu as déclaré qu'elle était dans une boîte rouge et qu'il fallait attendre le messager pour la prendre.

— Quel messager ?

— Toi seul peux répondre à tes énigmes de poivrot. Je dois raccrocher maintenant.

— Sabbah, reste.

— Je te souhaite bonne chance.

Elle coupa la communication. Simon quitta l'hôtel et sortit sous la pluie avec l'envie de se dissoudre.

41

« Il faut attendre le messager pour prendre la carte dans la boîte rouge », rumina Simon. Retourner sur les lieux où Sir Caldwell avait été renversé allait peut-être donner un sens à cette phrase. Cela s'était passé près d'une place avec une petite fontaine inondée par l'averse londonienne. Trempé jusqu'aux os, Simon arpenta le quartier jusqu'à ce que l'évidence lui saute aux yeux.

La boîte rouge était devant lui.

Pleine de lettres.

La carte de Syrie était-elle dedans aussi ?

Sir Caldwell avait eu le temps de l'y glisser, juste avant d'être rattrapé par les deux hommes en cagoule. La levée était à 15 h 30. Moins d'une heure à attendre l'employé de La Poste qu'il avait qualifié de « messager » dans son délire éthylique. Simon se réfugia dans un pub et commanda un thé.

À 15 h 15, il se posta sous un porche, à l'abri, à l'affût. Était-il seul à savoir que la carte se trouvait là ? Des cagoules tapies dans l'ombre guettaient-elles la venue du messager ? Des professionnels n'auraient pas attendu la levée du courrier et auraient forcé la boîte. L'espoir le maintint en alerte.

À 15 h 25, son cœur s'accéléra. Un individu caché sous un parapluie posta un pli avant de s'éloigner.

À 15 h 30, un homme et une femme s'approchèrent pour examiner la boîte tout en regardant autour d'eux. Simon recula pour ne pas être vu. Des éclats de voix le poussèrent à risquer un œil. Le couple rebroussait chemin en s'engueulant.

Son cœur s'emballa à la vue d'un véhicule de la Poste. Celui-ci se gara devant la boîte aux lettres. Un employé en ciré descendit du fourgon. Simon bondit hors de sa cachette et fonça sur lui avec un discours qu'il avait eu le temps de préparer :

– Mon fils a glissé là-dedans une carte au trésor dessinée par son petit frère. Je voudrais la récupérer car le petit n'arrête pas de pleurer depuis hier soir.

– J'ai les mêmes à la maison. Toujours en train de se chamailler !

Ils fouillèrent le sac postal et découvrirent la carte, épaisse et craquelée, au milieu des enveloppes. Simon la brandit victorieusement, remercia l'employé pour sa coopération et disparut sous la pluie.

L'impression d'être suivi l'obligea à s'arrêter plusieurs fois. Il sentait une présence autour de lui sans parvenir à distinguer les traits de ceux qui l'épiaient. Il les devinait sur le reflet d'une vitre, sous un parapluie, derrière des vitres teintées. La carte à l'abri dans son sac, Simon veilla à ne pas se retrouver seul, se déplaça au milieu de la foule, traversa des quartiers fréquentés, jusqu'à ce qu'il trouve un taxi libre.

Le chauffeur démarra mollement dans le trafic en direction de l'aéroport. Simon déplia soigneusement la carte sur la banquette. Elle avait été abîmée au cours de la fuite de Sir Caldwell, mais elle était encore parfaitement lisible. Il s'aperçut qu'une Land Rover les suivait depuis qu'il était monté dans le taxi.

— Tournez à droite, dit Simon au chauffeur.

— Ce n'est pas la direction.

— Faites ce que je vous dis !

Il déposa deux cents livres sur le siège passager. Le chauffeur embraya.

— Je voudrais semer le mari de ma maîtresse, expliqua Simon. C'est un type très violent qui serait capable de vous bousiller la voiture. Je vous paierai ce que vous voulez si vous parvenez à le semer.

Le chauffeur tiqua mais fut vite motivé par la pluie de billets qui tombait à ses côtés. Au terme d'un gymkhana dans le centre-ville, il gagna l'aéroport débarrassé de la Land Rover dans son sillage.

Une fois dans l'avion, Simon se concentra sur l'étape suivante : interpréter la carte de Syrie qui attisait la convoitise des initiés et semblait le concerner de très près.

LIVRE VIII

« *Non seulement mes découvertes bouleversaient l'équilibre mondial, mais elles étaient liées aux heures les plus sombres de l'histoire. Si elles étaient censées m'éclairer sur mes origines, à quoi devais-je m'attendre ?* »

42

Paris aussi était noyé dans le gris. À la différence de Londres, la pluie donnait à la capitale française un air d'enterrement assorti à la tête des passagers du RER B qui traversait la ville du nord au sud. Personne n'attendait Simon ici. Ni ailleurs. Il repensa à Sabbah. Elle lui avait fourni une aide précieuse. Le comportement qu'il avait eu à son égard était impardonnable. Pourtant, il ne s'était pas résolu à l'idée d'effacer la belle Syrienne de sa vie.

Il descendit à la station de métro Champ-de-Mars et marcha jusqu'à l'immeuble de Sabbah. Il était 21 h 30. Il attendit que quelqu'un entre pour se glisser dans le hall. Il monta au quatrième étage et sonna. La Truffe aboya de l'autre côté de la porte, signe que Sabbah avait récupéré son chien. Cependant elle n'était pas chez elle. Simon parla à La Truffe pour qu'il cesse d'aboyer, s'assit sur le paillasson, s'assoupit.

Il était en train de se précipiter contre un mur de pierres quand il entendit une voix.

— Qu'est-ce que tu fous ici ?

Simon se réveilla et ouvrit les yeux sur Sabbah.

— N'ai-je pas été claire ?

Il joua la carte de Syrie.

— La vérité sur le Coran ne t'intéresse plus ?

— J'ai pu m'en passer jusqu'à aujourd'hui.

— Tu t'accommodes de l'illusion et du mensonge ?

— Pas de la beuverie, ni de la brutalité. Laisse-moi passer.

Elle ouvrit la porte et fit jaillir La Truffe, qui se rua sur Simon. Sabbah rappela son chien à l'ordre et le tira à l'intérieur. Elle allait refermer quand Simon plaça un pied dans l'entrebâillement.

— Tiens, dit-il en lui tendant la carte. Fais-en ce que tu veux. Brûle-la, s'il t'en prend l'envie. C'est le prix que je paye pour espérer me faire pardonner un jour.

— Comment l'as-tu retrouvée ?

— J'ai attendu le messager devant la boîte rouge.

Elle s'empara de la carte et lui claqua la porte au nez. Simon se retira. Sur le trottoir, il éprouva un désir de vide. Ne sachant où aller, il se dirigea machinalement vers l'immeuble de ses parents. Était-il toujours surveillé ?

On essaya soudain de le saisir aux jambes avec un étrange grognement.

La Truffe l'avait rattrapé.

— Qu'est-ce que tu fiches ici ? lui demanda-t-il bêtement.

Le chien posa ses deux pattes avant sur son ventre comme pour l'inviter à une valse. Simon ne voyait pas sa maîtresse. Il rebroussa chemin pour ramener le berger allemand. Arrivé devant la porte de Sabbah, il n'eut pas le temps de sonner. La porte s'ouvrit.

— Entre, dit-elle.

43

La table du salon et le canapé croulaient sous les livres saints, les atlas et les ouvrages d'érudits. Sabbah avait pioché dans sa bibliothèque, et Simon étalé les invendus de son père récupérés à la Librairie de Paris. Allongés sur le sol, ils étudiaient la carte de Syrie qu'ils avaient dépliée au milieu de la pièce. La présence de la jeune femme exaltait Simon qui l'associait à sa quête coranique.

Elle lui avait donné une seconde chance. Devait-il ce sursis au don qu'il lui avait fait de la précieuse carte ou à la bonté d'âme qui semblait animer la jeune femme ? Elle ne lui fournit aucune explication. Le sujet était clos.

– Regarde... là !

Elle pointait du doigt un point de la carte nommé La Mecque.

– Il aurait existé en Syrie une ville baptisée La Mecque ? s'étonna-t-elle.

– La Mecque syrienne est aussi mentionnée dans la Bible, confirma Simon qui avait ouvert l'Ancien Testament au Livre 2 de Samuel.

Il se plongea ensuite dans d'autres ouvrages ayant appartenu à Paul, en particulier *Meccan Trade and the Rise of Islam* de l'islamologue Patricia Crone, ouvrage de référence sur l'origine de La Mecque publié en 2004. Les annotations de son père renvoyaient à des livres de Van Ess tels que *Frühe Mu'tazilitishe Häresiographie* publié en 1871 à Beyrouth et *Tarikh al-islam* de Muhammad Ahmad al-Dhalabi publié au Caire au XIVe siècle. Simon ne disposait que d'un exemplaire du premier mais il trouva la référence du deuxième sur Internet.

– Écoute ça, dit-il à Sabbah. Au VIIe siècle, durant les deux guerres civiles, de nombreux voyageurs se rendirent de Yathrib jusqu'en Irak en passant par La Mecque.

– C'est absurde ! La Mecque est située au moins à trois cents kilomètres au sud de Yathrib et l'Irak est au nord. Tu passerais par Lyon pour aller en Belgique, toi ?

– C'est absurde si tu fais référence à La Mecque actuelle du Hedjaz en Arabie saoudite. Pas s'il s'agit de La Mecque située en Syrie et donc au nord de Yathrib.

Sabbah se leva et fit bouillir du thé.

– Au commencement de l'islam, il existait une autre Mecque, déduisit Simon. Située dans le nord du territoire arabe. En Syrie. Cet emplacement originel attesté par la carte est confirmé par des récits historiques de voyageurs.

– Tu as d'autres preuves ? demanda Sabbah, incrédule.

– Christoph Luxenberg a écrit quelque chose là-dessus.

Il feuilleta nerveusement le livre de ce dernier bourré de marque-pages.

– Luxenberg a établi que le nom de La Mecque n'est pas d'origine arabe. Il dérive de la racine « mkk » qui signifie « vallée » en araméen. Dès lors qu'elle porte un nom araméen, La Mecque originelle a été fondée par des Araméens. Normal pour une Mecque située dans le nord, mais impossible pour une Mecque située dans le Hedjaz d'Arabie où il n'y a jamais eu d'Araméens. Contrairement à l'histoire officielle califale, La Mecque du Hedjaz ne peut donc pas avoir été fondée par des autochtones avant Mahomet !

Sabbah renversa une tasse.

– Ça va ? s'inquiéta Simon.

Il l'aida à ramasser les morceaux et à nettoyer le sol.

– Tu devrais aller dormir, tu es fatiguée.

– Je ne suis pas fatiguée. Juste choquée.

– Et moi désolé.

– Tu te méprends sur mon compte. Je suis encore plus motivée que toi par cette recherche. La vérité sur le Coran mettra peut-être un nom sur les assassins de tes parents et sur tes agresseurs, mais, en ce qui me concerne, elle mettra un nom sur le véritable Dieu avec Qui je suis intimement liée depuis ma naissance.

Sabbah saignait du doigt. Elle fila à la salle de bains pour se désinfecter. Simon la força à se laisser soigner. Il appliqua de l'alcool en soufflant sur la plaie et enroula délicatement le doigt d'un pansement.

– La guerrière est guérie, déclara-t-il.

– On peut retourner à la carte ?

– Il fallait d'abord nettoyer la plaie. Regarde ce qui arrive quand on est négligent.

Il lui montra sa main gauche. Son auriculaire était amputé d'une phalange. Sabbah haussa les épaules et retourna au salon avant qu'il ne déplie le doigt dont il avait habilement escamoté l'extrémité.

Ils se penchèrent à nouveau sur la carte de la Syrie moyenâgeuse et s'intéressèrent à la mention d'un Abil Bet Ma'aqa.

– Mon père a entouré dans sa bible un passage qui fait référence à ce nom. Abil Bet Ma'aqa existait donc onze siècles avant notre ère.

– Ce nom me dit quelque chose, dit Sabbah.

– Il signifie en araméen «cours d'eau du temple de La Mecque». D'après la Bible, Abil Bet Ma'aqa devrait se situer près de la ville de Homs, ancien royaume araméen.

Elle tira vers elle un atlas contemporain ouvert à la carte de la Syrie et constata qu'Abil Bet Ma'aqa avait été rayé des cartes officielles.

Assis au milieu d'une masse de livres, Simon tournait en même temps les pages de *Topographie historique de la Syrie antique et médiévale* et d'*Histoire et religion des nosaïris*.

— La toponymie indique que la région était peuplée de nazaréens, déclara-t-il.

— Tu crois que La Mecque du Hedjaz aurait été créée de toutes pièces pour concurrencer celle de Syrie ?

— Pas concurrencer, mais carrément effacer une Mecque syrienne abritant un temple sacré pour les judéo-nazaréens.

Simon montra à Sabbah le nom de Ka'ba sur la carte ancienne.

— Le terme désigne un temple cubique. La Ka'ba du Coran est en réalité celle d'Abil Bet Ma'aqa. Celle de la Bible. Cette carte situe tous les lieux saints originaux en Syrie et non en Arabie saoudite !

— Pourquoi les califes auraient-ils repris tous ces noms en Arabie saoudite après s'être employés à les effacer de la Syrie ?

— À cause de la tradition orale. Faute de pouvoir faire disparaître le temple et les lieux sacrés de la mémoire collective, ils ont conservé leur mention dans les versets du Coran et les ont réinterprétés à leur façon en supprimant toute trace des nazaréens.

— Ils ont détourné l'histoire, laissa échapper Sabbah.

— Pire, ils ont volé celle des nazaréens.

Sabbah plongea le nez dans sa tasse de thé. Simon plongea le sien dans le Coran.

— Il me semble qu'une sourate mentionne la Ka'ba, dit-il.

— Deux fois, confirma-t-elle.

Elle se rapprocha pour lui indiquer le passage exact. Voix lasse. Bouche chaude. Haleine à la menthe. Effluves de jasmin. Simon éprouva une soudaine envie de l'embrasser. Le doigt de Sabbah glissa sur la sourate 5 et s'arrêta sur le verset 95 puis 97. Ils mentionnaient tous les deux la Ka'ba. Le regard de Simon s'attarda sur le verset 96 qui autorisait la pêche et la consommation du gibier de mer.

– Regarde, là, on tient une incohérence de plus, nota-t-il.

– Laquelle?

– Pourquoi mentionner du gibier de mer à proximité de la Ka'ba si celle-ci s'était trouvée à La Mecque du Hedjaz? Il n'y a même pas de bois dans cette région pour construire des barques et encore moins de pêcheurs!

Il referma le Coran et le jeta négligemment sur une pile d'ouvrages qui menaçait de s'écrouler. Sabbah manifesta sa désapprobation, mais il s'en moqua.

– C'est à un ingénieux travail de désinformation que se sont livrés les auteurs du Coran. Mais comme on vient de le voir, ils n'ont pu éviter de laisser des traces de l'origine syrienne de La Mecque dans certains versets.

– Tu te rends compte de ce qu'implique une telle hypothèse?

– Au stade où on en est, il s'agit plus que d'une hypothèse. Cette carte remet en cause deux piliers de l'islam: le pèlerinage et la direction de la prière vers La Mecque.

– Le hadj et la qibla, dit Sabbah en écho.

– Mon père s'était attaqué à la légitimité de la prédominance spirituelle de l'Arabie saoudite. Ce que l'on vient de découvrir bouleverse la géopolitique du Moyen-Orient.

– Simon?

– Quoi?

– Je ne me sens pas bien.

Elle vacilla au-dessus de son atlas et piqua du nez dans le golfe Persique. Il la porta jusqu'à sa chambre, la coucha habillée et la borda. Il allait refermer la porte lorsqu'elle l'appela.

— Tu peux rester ici cette nuit ?

— Je serai à côté.

Il alla se jucher comme un chat sur un accoudoir du canapé pour contempler tout le savoir répandu sur le sol. Il prit conscience du lourd héritage que Paul faisait peser sur ses épaules. Qu'allait-il faire de toutes ces informations ? En quoi le concernaient-elles personnellement ? Simon bascula en avant sur le divan pour essayer de dormir. Ne parvenant pas à trouver le sommeil, il continua à chercher des réponses dans les livres.

44

Il marchait entre les tombes sous une nuit de pleine lune. Un soldat gesticula pour le stopper. Il l'ignora et accéléra le pas. Le garde cria en arabe et épaula. Au lieu d'obtempérer ou de battre en retraite, Simon continua sur sa percée. Une décision insensée compte tenu du fait qu'il se précipitait droit contre un mur. Il sprinta, à la stupéfaction du garde, qui baissa son arme, curieux de voir comment le forcené allait s'écraser. Simon se projeta contre la muraille malgré les exhortations de l'Arabe. Au lieu de rebondir contre la pierre, il continua d'avancer dans un autre décor. Devant lui était posé un étrange vaisseau scintillant comme de l'or. Des hommes en noir l'encerclèrent pour l'empêcher de s'en approcher. Une crosse fusa dans sa direction.

Il se réveilla.

Sa joue était collée contre la couverture de *Qui sont les chrétiens du Coran ?* de Joachim Gnilka. Il se leva péniblement en posant un coude sur *Le Judéo-Christianisme, mémoire ou prophétie ?* de Frédéric Manns, trébucha sur une bible, alla uriner et but un verre d'eau.

L'horloge affichait 4 h 12.

Dans l'entrebâillement de la porte de la chambre, il s'assura que Sabbah dormait bien. Il se sentait investi d'un rôle protecteur depuis qu'elle l'avait prié de rester. Elle avait dû se réveiller entre-temps car ses vêtements étaient jetés au pied du lit.

Il retourna au salon et s'allongea confortablement sur le divan, sans parvenir à retrouver le sommeil. Son cœur battait trop vite, son esprit était en alerte.

Après avoir bordé Sabbah, il s'était intéressé à ces nazaréens qui peuplaient la région de Syrie où était située La Mecque des origines.

Qui étaient-ils ? La question le taraudait.

Simon avait alors compulsé les ouvrages qui faisaient référence à cette communauté.

Et il avait compris.

Une fois de plus, l'explication était dans les livres.

Au début il n'y avait eu qu'un Nazaréen, ou Nazôréen, titre donné à Jésus, *nazir* signifiant en hébreu «celui qui est voué» L'appellation «nazaréens» fut donc attribuée aux premiers disciples de Jésus avant d'être abandonnée un siècle plus tard pour celui de «chrétiens», qualification péjorative donnée par les Romains. Mais une frange des disciples du Messie conserva le nom de «nazôréens» ou «judéo-nazaréens». Comme leur nom l'indique, les judéo-nazaréens étaient d'origine judéenne, issus de la communauté de Jérusalem regroupée autour de Jacques le Juste, le frère de Jésus, exécuté en 62 sur ordre du grand prêtre. Mené par Siméon de Clopas, cousin de Jésus, ce mouvement quitta Jérusalem vers 68, pendant la première guerre judéo-romaine, et s'exila à Pella, en Syrie, où il s'organisa en gardant le nom de «nazôréens». Au fil des siècles, ils acquirent des convictions différentes de celles des autres chrétiens, majoritairement marqués par la théologie de l'apôtre Paul. Ils s'opposaient ainsi aux autres juifs par le fait qu'ils croyaient que Jésus était le Messie, et se distinguaient des chrétiens par le fait qu'ils niaient que Jésus sauvât par lui-même. Jérôme, dans une épître à Augustin, présentait la doctrine des nazôréens comme «à la fois juive et chrétienne, mais ni l'une ni l'autre». Les nazôréens se revendiquaient comme les seuls vrais juifs et les seuls vrais chrétiens!

Simon perçut un bruit. Cela venait du hall d'entrée. Il se leva et distingua un filet de lumière sous la porte. La paranoïa le guettait. La Truffe, qui avait le sens des réalités, n'avait pas bougé. Simon regagna le divan et relut les dernières notes qu'il avait prises.

Dans leurs ouvrages respectifs, le professeur Frédéric Manns et l'historien Simon Claude Mimouni percevaient la postérité du nazôréisme conquérant jusque dans la naissance de l'islam. Héritiers d'une idéologie guerrière visant à conquérir la Terre sainte pour y rétablir le culte et la royauté légitimes, les musulmans élargirent leur doctrine à un messianisme universaliste. C'était la Terre entière que les vrais croyants étaient appelés à libérer du Mal et non plus seulement la Terre sainte! Le Messie, dont la seconde venue était attendue, prendrait la tête des armées et pataugerait dans le sang de ses ennemis vaincus.

Ainsi tout se recoupait. Les pièces du puzzle qu'il collectait peu à peu permettaient à Simon de reconstituer un tableau inédit de l'histoire cachée de l'humanité. Preuves à l'appui.

Du bruit à nouveau l'arracha à ses pensées. Un très léger grincement, suivi d'un aboiement. Cette fois, La Truffe avait décidé de défendre son territoire. Simon s'approcha de la porte d'entrée en se fondant dans le silence. La poignée bougea lentement. Il tourna la clé d'un coup sec et ouvrit sur un bruit de pas dans l'escalier. Il s'élança en dégringolant les marches, se cogna, ricocha sur un mur, se rattrapa à la rambarde, accéléra sa descente, rebondit dans les angles, déboula dans le hall de l'immeuble puis dans la rue. Un véhicule démarra en trombe dans un claquement de portières et un hurlement de moteur. Simon ne put lire la plaque d'immatriculation car il n'y en avait pas.

Le souffle court, il emprunta l'ascenseur pour remonter. La Truffe l'attendait sur le palier en remuant la queue. Derrière l'animal, était plantée Sabbah, en culotte et débardeur, les cheveux ébouriffés.

— Qu'est-ce que tu fais là ? demanda-t-elle.

— Tu m'as demandé de rester cette nuit.

— Sûrement pas de t'amuser avec le chien à 5 heures du matin.

— Ce n'est pas exactement ce qui s'est passé.

Il entra et referma derrière lui. À la façon dont Simon la regardait, Sabbah réalisa qu'elle était presque nue. Elle s'éclipsa avant de réapparaître quelques secondes plus tard en robe de chambre. Mais l'image précédente était gravée dans l'esprit de Simon.

— On a essayé de pénétrer chez toi, déclara-t-il.

Sabbah se fraya un chemin à travers les piles de bouquins qui jonchaient le sol et se laissa choir dans un fauteuil.

— Tu es parano, dit-elle.

— Alors La Truffe aussi. Il a senti une présence. Quelqu'un a essayé d'entrer.

– Tu as vu qui c'était ?

Simon nia de la tête.

– Sabbah, il faut que je m'éloigne de toi. Je mets ta vie en danger.

– Pas maintenant.

– Je ne te donne pas le choix.

– Tu n'as rien à me dicter !

– Cette affaire ne regarde que moi. Elle mène à mes origines et à l'identité des assassins de mes parents.

– Ainsi qu'aux origines du Coran. Je suis donc concernée.

– Sur ce dernier point, l'énigme est résolue. Les nazôréens, de lointains descendants de la communauté du frère de Jésus, ont inspiré le Coran. Ils sont les véritables fondateurs de l'islam. Les califes ont développé cette doctrine religieuse après avoir fait disparaître toute trace de ses auteurs originaux. Le problème, c'est que le travestissement politique du récit des origines est devenu une telle foi collective qu'il est extrêmement difficile de le remettre en cause aujourd'hui.

– Tu réalises l'énormité de ce que tu avances ?

Il lui résuma ses découvertes de la nuit.

– Mon père détenait des preuves qu'il m'a léguées et qui ont disparu. Le moustachu que j'ai rencontré à Paris m'a confirmé leur existence. La carte ancienne de Syrie est l'une d'elles. Je dois retrouver les autres pour savoir ce que Paul voulait me révéler.

Simon ramassa ses affaires et jeta son sac sur l'épaule.

– Pourquoi fais-tu ça Simon ?

– Je viens de te le dire.

– Je ne suis pas digne de connaître la vérité, c'est ça ?

– Qu'est-ce que tu racontes ?

– Donne-moi la vraie réponse, Simon.

– Adieu, Sabbah.

– Où vas-tu ?

– Loin.

– Je peux quand même te proposer un thé avant que tu ne te sauves ?

Sans attendre sa réponse, elle alla faire bouillir de l'eau. Il resta immobile, incapable de lui claquer la porte dans le dos.

– D'accord, mais après je m'en vais.

– Pourquoi « loin » ? cria-t-elle de la cuisine.

– Pour nous deux c'est mieux, murmura-t-il.

– Qu'est-ce que tu disais ? demanda-t-elle en réapparaissant avec deux tasses.

– La vérité est sous d'autres cieux.

– Tu crois que les nazôréens existent toujours ?

– Ce n'est pas parce qu'on n'entend plus parler d'une chose qu'elle n'existe plus.

– Et inversement.

– D'après ce que j'ai lu, les nazôréens n'ont cessé de changer de nom à travers les siècles, expliqua Simon. À Jérusalem ils s'appelaient « judéo-nazaréens » et étaient dirigés par le frère de Jésus. Les Romains les qualifièrent de « chrétiens » et eux-mêmes se rebaptisent « nazôréens » en Syrie sous la houlette du cousin du Christ. Après s'être emparé de Jérusalem en 638, le calife Umar s'emploie à effacer toute trace de la secte. On entend à nouveau parler d'eux au XIIIe siècle en Syrie sous le nom de « nosaïris » ou « nusayris » quand ils sont soumis à une fatwa par un jurisconsulte influent qui appelle à massacrer ces apostats « plus infidèles que les juifs et les chrétiens ». Ensuite on les retrouve chez les mandéens en Irak et en Iran, sous le nom de « nasoréens ».

– Tu as l'art de naviguer dans l'univers des livres, constata Sabbah.

— J'ai gardé mes réflexes d'universitaire.

Simon termina son exposé :

— Bien plus tard, les judéo-nazaréens réapparaissent au nord de la Syrie sous la forme d'une secte initiatique et secrète influencée par l'ismaélisme : les alaouites. Leur doctrine rejette la charia et les obligations culturelles de l'islam élaborées par les califes, dont le pèlerinage et la direction de la prière évidemment. Leur livre saint est le Coran des origines et non celui que les califes ont réécrit à leur façon.

— Les alaouites, as-tu dit ? s'étonna Sabbah.

Elle lui expliqua que la famille el-Assad qui dirigeait la Syrie depuis plus de quarante ans était alaouite. Hafez el-Assad avait d'ailleurs dû marier un de ses fils avec une fille de la famille régnante saoudienne wahhabite, afin d'obtenir des décrets qui assimilent les alaouites à des musulmans, la constitution de Syrie exigeant que le président soit musulman.

— Bachar el-Assad serait issu de la secte ? s'exclama Simon.

— On en revient toujours à la Syrie. Là où tout commence.

— Les réponses se trouvent là-bas.

— Si j'étais toi, je retournerais d'abord en Israël et au Liban.

— Pourquoi ?

— Tu es né à Beyrouth et tes parents biologiques ont été tués dans un attentat à Beyrouth. D'autre part, la secte des nazôréens est née à Jérusalem et c'est là que ton père adoptif avait déposé les preuves qu'il te destinait. Et puis Beyrouth et Jérusalem sont proches de la Syrie. Les réponses sont concentrées dans cette région du monde. Il faut que tu ailles là où tous tes problèmes ont commencé.

— La porte du Messie.

— Quoi?

— Mes problèmes... Ils ont commencé là exactement. Devant cette porte.

— Et tu y faisais quoi?

— Je courais entre les tombes.

45

— La porte du Messie est murée, objecta Sabbah.

Simon venait de lui raconter comment on l'avait retrouvé de l'autre côté des remparts, sur l'esplanade des Mosquées.

— Je sais, dit-il. Afin de déjouer la prophétie selon laquelle le Messie des juifs et des chrétiens franchira cette porte.

— Comment aurais-tu pu la franchir, alors?

— Il n'y a que deux personnes qui peuvent répondre à cette question : le garde et Markus.

— Il faut que tu retrouves Markus.

— Ou le garde.

— Tu parles, il a dû être muté au fin fond de la bande de Gaza.

— Reste monsieur X.

— Qui?

— Dans le carnet que j'ai trouvé chez Markus, il y avait trois noms de personnes qui étaient en contact avec Paul : Keller, qui a été assassiné, Pogel, que j'ai rencontré à Sarrebruck, et monsieur X.

Sabbah servit du thé et pria Simon de s'asseoir pour le boire.

— De quelle manière espères-tu identifier quelqu'un qui se fait appeler monsieur X?

– À côté de ce nom, Paul a écrit « Berlin » et deux lettres : « CC ».

– CC ? Comme « coucou » en langage SMS ?

– Ou « deux cents » en chiffres romains.

– Si tu restes dans les chiffres romains, monsieur X pourrait être monsieur Dix. Ou Herr Zehn si tu traduis en allemand.

– On peut chercher un monsieur Dix ou monsieur Zehn qui habite à un numéro deux cent d'une rue de Berlin.

Sabbah alluma son ordinateur pour étudier aussitôt cette possibilité. Sans succès. Elle entra alors CC sur Wikipédia, puis l'associa sur Google avec X et des mots-clés : Coran, Berlin, Islam, Syrie...

Toujours rien.

– Il me faut plus de temps, dit-elle. Je peux creuser, mais pour ça il faudrait que tu acceptes qu'on fasse équipe. Sinon, tu pars et moi je vais me recoucher.

– Pourquoi tiens-tu à prendre ce risque ?

– Je te rappelle que tu es en train d'ébranler les fondations de ma foi. Or rien n'est plus important que la foi. J'aimerais donc vérifier par moi-même si ces preuves dont t'ont parlé ton père et ton mystérieux moustachu existent.

– C'est tout ?

– Je tiens aussi à te montrer que la genèse de l'islam n'est pas politique.

– Ce que j'ai découvert jusqu'ici ne t'a pas convaincue ?

– Heurtée, Simon, mais pas convaincue. Contrairement à ce que pensent beaucoup de gens, la foi n'est pas un tranquillisant, mais un dopant. La foi est un combat.

– Ce qui fait de toi une guerrière ?

– Une guerrière qui sera utile à tes côtés.

46

– Je l'ai !

Simon se réveilla en entendant Sabbah crier et se redressa sur le sofa. La jeune femme n'avait pas lâché l'ordinateur depuis deux heures.

– CC pour Corpus Coranicum ! annonça-t-elle.

– Qu'est-ce que c'est ?

Il se leva et s'installa à côté d'elle. L'ordinateur affichait une carte de Berlin via Google Map.

– Un projet lancé en 2007 et développé au sein de l'Académie des sciences de Berlin et du Brandebourg.

Elle cliqua ensuite sur une page Internet qui abordait le sujet. Le Corpus Coranicum était dirigé par le professeur Angelika Neuwirth, qui avait obtenu l'exclusivité des recherches sur des milliers de photographies de vieux manuscrits du Coran. L'objectif était d'apporter une meilleure compréhension de l'écriture du Coran dans sa forme manuscrite initiale.

– Si Paul menait des investigations sur les origines du Coran, il les a forcément contactés. À mon avis, ton monsieur X est l'un des chercheurs qui travaillent sur ce projet.

En recoupant plusieurs articles mis en ligne, ils comprirent que les archives détenues par le Corpus Coranicum avaient provoqué des victimes dans le passé. Ils découvrirent surtout qu'elles étaient liées aux heures les plus sombres de l'histoire.

47

Tout commença en 1859 avec la publication de *Geschichte des Korans* de l'universitaire allemand Theodor Nöldeke. Cette « Histoire du Coran » qui critiquait les défauts stylistiques du texte sacré remporta en France le concours de l'Académie des inscriptions et belles lettres et devint une référence incontournable dans les études coraniques.

Un des disciples de Nöldeke, Gotthelf Bergsträsser, prit la suite de ses travaux. Dans les années 1920 et 1930, ce spécialiste de l'arabe devenu l'un des plus grands linguistes du XXᵉ siècle, quitta l'Allemagne qui basculait dans le nazisme, pour sillonner le monde à la recherche des plus anciennes copies du Coran. Il rapporta des milliers de clichés qui furent transférés sur microfilms et archivés à l'Académie des sciences de Bavière. Sa mort en 1933, dans des circonstances mal établies, interrompit sa tentative de publier une édition philologico-critique du Coran. Son travail fut récupéré par des agents de renseignement du IIIᵉ Reich, dont Anton Spitaler qui prit en charge les microfilms. La guerre donna à celui-ci l'occasion d'effectuer le tour de passe-passe le plus incroyable de l'histoire du XXᵉ siècle.

En effet, le 24 avril 1944, les bombardements de la RAF sur Munich détruisirent l'Académie des sciences de Bavière où étaient conservés les quatre cent cinquante rouleaux de microfilms. Anton Spitaler déclara leur perte et mit fin aux travaux entamés par Bergsträsser.

Au cours des décennies suivantes, l'université allemande vit s'opposer, sur l'étude du Coran, les fondamentalistes et les modernes. Les premiers, composés d'orientalistes musulmans et d'anciens nazis comme Anton Spitaler, défendaient un Coran immaculé transmis de Dieu à Mahomet par l'intermédiaire de l'ange Gabriel. Les seconds remettaient en cause le récit originel et soutenaient que le Coran était le produit de compilations d'auteurs divers et d'adaptation de textes plus anciens, comme cela fut démontré pour la Bible. L'un des orientalistes appartenant au deuxième courant, Oskar Lander, établit que le Coran s'inspirait d'hymnes chrétiens antérieurs à Mahomet et «islamisés» par des rédacteurs successifs. Publié à compte d'auteur, le livre de Lander attira peu l'attention, sauf celle des fondamentalistes qui jugèrent ses thèses inadmissibles. Anton Spitaler obtint son exclusion de l'université.

Le droit d'investigation scientifique sur le texte du livre saint devint l'enjeu d'une guerre entre anciens résistants et anciens nazis au cours de laquelle se distinguera Christoph Luxenberg. Dans sa thèse de doctorat, parue en 2000, cet universitaire allemand dissimulé derrière un pseudonyme, perça le secret des passages obscurs apparaissant dans les versions du Coran les plus anciennes. Il ressortait de son travail que les sources du Coran provenaient de lection-naires syriaques.

Vers la fin de sa vie, Anton Spitaler confessera avoir menti au sujet de la destruction des quatre cent cinquante microfilms de Bergsträsser. Après les avoir soustraits à la science pendant près de cinquante ans, il confiera ces précieux microfilms à son élève Angelika Neuwirth, qui en disposera dès 1992 pour les archiver à nouveau au fond d'un tiroir jusqu'en 2007.

LIVRE IX

*« La transcription en syriaque faisait disparaître les inco-
hérences du texte. Et les versets prenaient une signification
radicalement différente [...] Les soixante-dix vierges n'étaient que
des grappes de raisin et le voile seulement une ceinture! Tout était
faux depuis plus de mille trois cents ans. »*

48

Simon leva la tête sur l'horloge de la gare de l'Est. Le train pour Berlin avait du retard. Il se dirigea vers le quai et monta dans son wagon, qui se mit en branle au bout d'une demi-heure.

Installé près de la vitre dans le sens de la marche, il regarda Paris disparaître derrière lui, puis il ferma les yeux pour ne pas être perturbé dans ses réflexions. Une nouvelle question s'était ajoutée aux autres.

Pourquoi les nazis s'intéressaient-ils de si près au Coran ?

Sabbah ne l'accompagnait pas à Berlin car elle avait besoin d'un peu de temps pour organiser son absence pendant quelques jours. Elle le rejoindrait dès qu'elle le pourrait. Ils n'avaient pas réussi à pénétrer dans l'organigramme du Corpus Coranicum, ni à mettre un nom sur monsieur X. Simon espérait que, sur place, il aurait plus de chance.

Assise à côté de lui, une jeune femme blonde mastiquait du chewing-gum et jouait avec un smartphone rose relié à de la bimbeloterie en ribambelle qui cliquetait à chacun de ses gestes. Elle sentait le sucre et téléphonait à la planète entière pour annoncer qu'elle n'arriverait pas à l'heure.

– Vous allez à Berlin ? demanda-t-elle à Simon.

– Oui.

– Vous avez des précisions sur l'heure d'arrivée ? À mon avis, ils ne vont pas rattraper le retard. Je devais être à un concert à 19 h 30 et je n'y serai pas.

– Non.

– Il faudrait consulter leur site. Vous n'avez pas Internet sur votre mobile, par hasard ?

– Je n'ai pas de mobile.

C'était comme s'il lui avait déclaré qu'il n'avait pas de chaussures.

– Vous faites comment alors ?

– Personne ne m'attend.

Elle haussa les épaules et sélectionna de la musique qu'elle envoya plein tube dans ses oreilles. La jeune mélomane devait avoir oublié ce qu'était le silence.

Simon sortit de son sac le livre de Luxenberg.

– Vous vous intéressez au Coran ? demanda sa voisine.

– Oui.

– À part leurs conneries sur le voile et la polygamie, c'est vachement poétique comme bouquin, dit-elle après avoir fait éclater du chewing-gum sur ses lèvres en gloss.

Simon essaya d'imaginer des traces de poésie dans la succession d'injonctions et de litanies ordonnées par les califes.

– Vous avez lu le Coran ? s'étonna-t-il.

– Non, c'est un copain qui m'en a parlé. Il m'a dit que c'était stylé...

Simon se demanda comment elle pouvait l'entendre avec ce qu'elle déversait dans ses oreilles.

– Les métaphores et tout, trop beau...

Elle souffla une nouvelle bulle rosâtre aux reflets de nacre et appela un nouveau contact sur son smartphone.

Simon essaya de se concentrer sur la lecture de la thèse de Luxenberg.

La méthode utilisée par le philologue ne laissait rien au hasard. Son étude partait de la version originale du Coran, qui ne contenait aucun signe diacritique. Elle nécessitait une maîtrise parfaite du syriaque et de l'arabe. Luxenberg examinait les différentes manières de placer les signes diacritiques pour essayer de faire surgir des mots arabes donnant du sens aux passages obscurs. En cas d'échec, il tentait l'expérience avec des mots syriaques. Parvenu à ce stade, Luxenberg transcrivait la phrase arabe en syriaque et cherchait s'il existait une telle phrase dans la littérature syriaque qui aurait pu être traduite littéralement en arabe et perdre ainsi du sens au cours de cette traduction.

C'était ces phrases que Pierre Laffite appelait des calques morphologiques.

– T'as de la merde dans les oreilles ou quoi ?

– Pardon ?

Sa voisine insultait son interlocuteur au téléphone. Perturbé par sa conversation animée, Simon referma le livre de Luxenberg pour porter son attention au-delà de la vitre. Contrairement aux écrans, les fenêtres laissaient entrer la lumière et s'exprimer l'esprit.

Les archives du Corpus Coranicum susceptibles de confirmer ou d'infirmer la thèse de Luxenberg avaient été cachées pendant un demi-siècle par un nazi avant de tomber entre les mains de l'un de ses disciples qui les avait à son tour enterrées pendant quinze ans. À la lueur de cette découverte, Simon mesura l'importance de monsieur X.

49

Simon fit monter des sandwichs et du café dans sa chambre. Il avait choisi un hôtel à proximité de l'Académie des sciences. Son intention était de ne pas fermer l'œil de la nuit.

Après avoir pris connaissance des informations télévisées invariablement mauvaises, en particulier du côté de Jérusalem où une nouvelle secousse sismique venait de faire encore une victime, Simon se replongea dans *Die Syro-Aramäische Lesart des Koran*.

La méthode d'étude du Coran mise au point par Luxenberg était complexe mais imparable. La rétroversion en syriaque opérée par le scientifique allemand faisait miraculeusement disparaître les incohérences du texte arabe. Et les nombreux versets décortiqués prenaient une signification radicalement différente.

Ainsi, les vierges qui attendent les martyrs du djihad n'étaient en réalité que des grappes de raisin.

Ainsi, l'obligation de se voiler n'était qu'une invitation à mettre une ceinture à la taille.

Abraham, Joseph, Marie, Jésus étaient au cœur du récit coranique. Encore mieux : Jésus y était décrit comme le verbe de Dieu et le Messie attendu[1]. Les allusions chrétiennes et bibliques foisonnaient. Certains emprunts à des prières et à des citations chrétiennes relevaient carrément du plagiat. Le Coran se présentait lui-même comme un lectionnaire, une anthologie de passages tirés de livres saints préexistants, un recueil de textes choisis de l'Ancien et du Nouveau Testament.

---

1. Versets 3,45 ; 4,159 ; 4,171-172 ; 5,17 ; 5,72-75.

Simon se frotta les yeux injectés de sang et chercha l'heure, qui n'était affichée nulle part. Ce n'était pas encore le matin, car la ville était silencieuse et la lumière du jour absente. Il referma son livre truffé de miettes et de marque-pages.

Il ressortait de l'étude savante, approfondie, méticuleuse et définitivement révolutionnaire de Christoph Luxenberg que les sources du Coran provenaient de lectionnaires syriaques adaptés à une lecture liturgique destinée à évangéliser l'Arabie.

Lorsque Simon arriva à cette première conclusion, il ne lui restait plus beaucoup de temps pour dormir. Il regretta presque d'avoir demandé au réceptionniste d'être réveillé à 7 heures.

Malgré la fatigue qui l'engourdissait, il trouva difficilement le sommeil. Il était excité par ses recherches, stressé par sa visite à l'Académie des sciences, inquiet aussi. Car les numéros des versets inscrits dans le carnet de Paul correspondaient à ceux qui avaient été traités par Christoph Luxenberg. Cela signifiait que Paul avait déjà fait cette découverte et que celle-ci l'avait vraisemblablement conduit à sa perte.

50

Simon grelottait au pied de la statue en marbre qui trônait sur la place de l'Académie, au centre du plus bel ensemble néoclassique de Berlin, à la croisée de la symétrie et du monumental, mais surtout des trajets des Berlinois qui couraient vers leur lieu de travail. Dans son dos s'élevait le Grand Théâtre. Face à lui se dressait l'Académie des sciences. Ce bâtiment néobaroque du début du XXe siècle avait jadis abrité une banque avant de devenir un institut où l'on développait des projets à long terme. Le Corpus Coranicum était l'un d'eux.

Les mains collées à un gobelet de café brûlant, Simon assista à l'ouverture de l'Académie et à l'arrivée de son cortège d'employés : des jeunes universitaires, des vieux professeurs, des femmes fraîchement fardées, d'autres voilées.

Simon rattrapa l'une d'elles, coiffée d'un hijab, et l'interpella :

— Vous travaillez au Corpus Coranicum ?

Elle lui lança un regard effaré, fit signe que non et désigna l'une de ses collègues qui portait également un voile. Simon demanda à celle-ci de le mener au directeur du projet de recherche. Elle afficha une moue dubitative sur ce qui lui restait de visage et l'orienta vers un responsable de la sécurité en train de parler dans un talkie-walkie. Simon expliqua au vigile qu'il avait des éléments importants à communiquer. On le fit patienter dans un local meublé d'une table, de quelques chaises et d'un distributeur de boissons.

Quelques minutes plus tard, un homme au sourire affable creusé dans une barbe généreuse pénétra dans la pièce.

— Que pouvons-nous faire pour vous, monsieur... ?

— Simon Lange. C'est moi qui peux faire quelque chose pour vous. Je dispose d'éléments déterminants pour vos recherches sur le Coran.

— Quels sont ces éléments ?

— Je préférerais en parler directement à la directrice des recherches.

— Mme Neuwirth n'est pas disponible actuellement.

— Son directeur de projet ?

– Je vais me renseigner.

Le barbu se retira avec un air obséquieux. Simon cherche en vain autour de lui un objet contondant. Il se leva vers le distributeur de sodas et acheta une canette de Coca Cola qu'il glissa dans son sac.

Le barbu réapparut quinze minutes plus tard avec une mine beaucoup moins complaisante. Le vigile l'accompagnait.

– Nous allons devoir vous demander de quitter les lieux, monsieur Lange.

– Pour quelle raison ?

L'agent de sécurité l'empoigna par le bras. Simon n'eut pas la force de résister. Il se laissa éconduire *manu militari* par une porte de service et échoua dans une impasse. Un groupe de quatre skinheads l'encercla aussitôt. Ils étaient chargés de finir le travail.

– On est venu fouiner ? lança le plus laid.

Il avait une face de bouledogue et portait un blouson à l'effigie de la marque de vêtements nazie Thor Steinar. Il accompagna sa remarque d'un coup qui ne fendit que du vide. Simon avait anticipé le geste lourdaud.

– Que voulez-vous ?

– T'enlever l'envie de revenir dans le coin, répliqua l'agresseur vexé.

– C'est le Corpus Coranicum qui vous emploie ?

– À ton avis ?

Simon détectait au sein du groupe de la haine, de la bêtise et de l'énergie mal contrôlée. Mais il n'avait aucune envie de se battre, ni de briser leurs misérables os. L'art de vaincre sans combattre était à sa portée.

– Connaissez-vous monsieur X ? leur demanda-t-il.

Les skinheads s'échangèrent des regards étonnés. Le bouledogue était accompagné d'un échalas à poils blonds et ras, un costaud chauve qui ne semblait pas avoir froid dans un tee-shirt proclamant « Das Reich kommt wieder » et un maigrichon qui affichait « No surrender » sur son sweat-shirt à capuche. Simon était tombé sur des poètes.

— Pas plus que madame Y, rétorqua le bouledogue.

Éclats de rire gras.

Le costaud empoigna le col de chemise de Simon et actionna un biceps aussi puissant qu'un treuil. Il faillit le soulever du sol.

— T'es un marrant, toi, beugla-t-il.

— Attends, tu n'as pas tout vu, fit Simon.

Il lui tordit l'oreille d'un geste leste pour en sortir des billets de vingt euros. Profitant de la seconde de stupéfaction, Simon jeta les coupures en l'air, prolongea son geste derrière la nuque du costaud tout en soulevant le coude qui articulait le treuil musculeux. Les bras en croix comme deux ailes d'un moulin, il fit tourner son agresseur qui roula par terre.

— Vas-y, Hanz, fais-lui goûter tes phalanges ! postillonna le blond aryen tout en visant un billet de vingt qui avait atterri près de ses godillots.

— Pas de prénom, connard ! avertit Hanz en se relevant plein de hargne.

De son côté, le maigrichon s'était jeté aux pieds de ses camarades pour ramasser l'argent éparpillé. Tout alla alors très vite. Simon poussa Hanz sur son camarade à quatre pattes et décapsula sa canette de Coca. Un geyser de liquide sucré fit reculer les deux qui étaient encore debout. Il lança la canette sur le front du bouledogue, qui heurta un scooter et perdit l'équilibre. Les quatre comparses formaient désormais un tas à l'aplomb d'un balcon. Simon prit appui sur un dos, une épaule et une tête et s'éleva à la hauteur du balcon, enjamba le garde-corps, pénétra dans un salon occupé par un vieil homme installé devant sa télévisision, traversa la pièce sans un mot et quitta l'appartement, puis l'immeuble, puis le quartier.

51

Le réceptionniste de l'hôtel nota l'allure un peu débraillée de Simon.

— Tout va bien, monsieur ?

— J'ai croisé une bande de skinheads, expliqua-t-il en prenant ses clés.

— Y en a de plus en plus qui traînent dans les rues, déplora l'employé.

— Manquerait plus qu'ils traînent dans les bibliothèques ! Simon monta se cloîtrer dans sa chambre.

Manifestement, monsieur X communiquait avec Paul à l'insu de la direction du Corpus Coranicum. Il était possible qu'il fît partie des chercheurs du projet chargés de numériser les photos tirées des microfilms de Gotthelf Bergsträsser. Monsieur X avait-il permis à Paul d'avoir accès aux archives ?

Simon s'endormit sur l'ouvrage de Luxenberg et se réveilla à l'aube.

Après quelques mouvements de tai-chi-chuan qui lui permirent d'entamer la journée sans stress, il descendit déjeuner. Le réceptionniste lui remit une enveloppe.

— Quelqu'un est passé cette nuit la déposer pour vous.

— Qui était-ce ?

— La personne n'a rien dit à ce sujet.

— Vous pourriez me la décrire ?

— Difficilement. Elle portait un voile.

Simon s'isola dans un coin du restaurant de l'hôtel avec un café et la lettre qui lui était adressée. Celle-ci était manuscrite.

Monsieur Lange,
Ce qui vous est arrivé devant l'Académie n'était qu'un avertissement.
Je ne saurais donc trop vous recommander de ne plus vous approcher de l'Académie des sciences, de quitter Berlin, d'oublier tout ce qui concerne le Corpus Coranicum ainsi que les recherches initiées par votre père.
La vérité n'est pas forcément bonne à découvrir, encore moins à dire. Un grand maître zen a écrit un jour que la connaissance n'était pas la voie. Je crois que vous pratiquez le zen et la méditation, monsieur Lange. Alors vous me comprendrez sûrement.
Si vous suivez ce conseil, vous avez encore une chance de ne pas mettre votre vie en péril de façon irréversible.
En revanche, si vous vous entêtez, vous ne récolterez que du malheur.
Une personne aurait jadis pu vous aider. Le professeur Oskar Lander. Il a publié à compte d'auteur des études qui rejoignent et complètent celles de Christoph Luxenberg. Mais ses travaux ont transformé sa vie en enfer. Renvoyé de l'université, il vit désormais caché, n'accorde plus d'entretien et ne veut plus aborder le sujet du Coran.
Vous devriez suivre son exemple. J'ose vous parler de lui car son nom serait parvenu à votre connaissance tôt ou tard. Je vous préviens donc qu'il est inutile de chercher à le contacter.
Personnellement, je ne vous demande qu'une seule chose. N'essayez plus d'entrer en relation avec moi. Votre visite hier m'a mis en danger.
Adieu, monsieur Lange,
Monsieur X

Simon relut la lettre plusieurs fois, ne sachant comment l'interpréter. Elle était à double sens. Derrière l'avertissement, son auteur, qui semblait bien le connaître, lui livrait le nom d'Oskar Lander. Un nom qu'il avait déjà entendu plusieurs fois au cours de ses investigations, y compris dans la bouche de Gerd Pogel.

Simon accéda au service Internet de l'hôtel pour en savoir plus. Il découvrit ainsi qu'Oskar Lander était un théologien, philosophe et philologue allemand. À quinze ans, il avait été sanctionné pour avoir refusé d'intégrer les jeunesses hitlériennes. Après des études de théologie, il avait dirigé le Goethe Institut à Alep en Syrie. À son retour en Allemagne, il avait travaillé pour l'université de Berlin. Dans les années 1970, il avait présenté sa thèse sur l'interprétation de quelques sourates du Coran comme d'anciens hymnes chrétiens. Il avait reçu la meilleure note, mais l'orientaliste Anton Spitaler avait obtenu son exclusion de l'université. Lander avait alors décidé de publier à compte d'auteur *Sur le Coran primitif.* Il avait poursuivi ses travaux de façon autonome avant de se retirer définitivement à la fin des années 1990.

Simon remonta dans sa chambre et téléphona à Sabbah pour la tenir au courant des derniers événements. La jeune femme proposa de l'aider à localiser Oskar Lander.

— Tu connais un moyen de l'approcher? lui demanda-t-il.

— Et toi?

— J'ai une petite idée.

— Si elle est petite, tu peux te la garder.

— J'en déduis que la tienne est grande.

— Je t'ai bien amené jusqu'à ton collectionneur anglais.

— Tu vas faire intervenir un nouveau soupirant?

— Tu vois une autre solution?

– Pour une vierge, cela te fait beaucoup de soupirants.
– Si je ne l'étais pas, on appellerait ça des amants.
– Exact.
– Tu souhaites vraiment mon aide, Simon ?
– Oui, pourquoi ?
– Parce que si tu ironises encore une fois sur ma virginité, je disparais de ta vie.

52

Simon descendit en début d'après-midi à la gare de Nuremberg, grosse ville médiévale de Bavière associée au procès des hauts dignitaires du IIIe Reich.

Le ciel était noir.

Il n'avait fallu que quelques heures à Sabbah pour lui dénicher un moyen de rencontrer Oskar Lander. Le titulaire de la chaire Unesco pour les arts et la culture à l'université Friedrich-Alexander Erlangen-Nuremberg lui avait confié que Lander vivait ici. Le professeur y menait des travaux dans le plus grand secret et refusait toute entrevue. On ignorait où il résidait exactement, mais on pouvait tenter sa chance de le croiser au cours d'une de ses promenades quotidiennes entre 15 heures et 16 heures.

– Nuremberg est une grande ville, lui avait signalé Simon.

– C'est même la deuxième ville de Bavière. Oskar Lander y a deux pôles d'intérêt : le musée du Procès de Nuremberg et le centre de documentation. Sa promenade quotidienne passe par ces deux endroits.

– Comment le reconnaîtrai-je ?

– Tu n'as qu'à aborder toutes les personnes de plus de quatre-vingts ans qui affichent un air intelligent.

Simon arpentait les ruelles de la ville avec le *Canon* de Pachelbel dans la tête lorsqu'il se mit à pleuvoir. Il se dépêcha de gagner le mémorial du tribunal, qui accueillait une exposition. La pluie était peut-être sa chance de tomber sur Oskar Lander retranché lui aussi à l'abri.

Devant la photo des accusés du procès de 1946, il distingua un vieil homme doté d'un front immense. Son regard fatigué et corrigé par de larges lunettes posées sur un nez flasque passait en revue Göring, Hess, von Ribbentrop et Keitel en noir et blanc assis au premier rang.

— Professeur Lander ?

L'homme se tourna vers lui sans répondre et reporta aussitôt son attention sur la photo. Simon sut qu'il s'agissait de l'homme qu'il cherchait.

— Je suis le fils de Paul Lange.

— Que voulez-vous ? marmonna le vieil homme.

— Connaissiez-vous mon père ?

— Non. Maintenant, permettez-moi de poursuivre ma visite.

Simon se mit en travers de son passage.

— Vous détenez des réponses qui me concernent directement.

— Je n'accorde plus aucune interview.

— Gerd Pogel m'a confié qu'il n'y a que vous, mon père et Christoph Luxenberg qui ont osé démontrer les origines chrétiennes du Coran.

Lander scruta l'espace autour de lui pour vérifier que personne ne risquait d'écouter leur conversation.

— Que voulez-vous savoir ?

— Pourquoi tombe-t-on sur les nazis quand on creuse l'histoire du Coran ?

— En quoi cela vous concerne-t-il directement ?

— Je recherche les assassins de mon père.

– Votre père travaillait sur le Coran ?

– Sur le Coran et sur une carte ancienne de Syrie.

– Vous pensez qu'il a été la cible d'une bande de néonazis ?

– J'essaye de faire le lien. D'où ma question.

– Il faut remonter à Ernest Renan.

– Quoi ? Celui qui a donné son nom au cercle ?

– Quel cercle ?

– Un club d'histoire des religions que mon père fréquentait à Paris.

– Ernest Renan a inauguré la méthode historico-critique de lecture de la Bible. Il en a payé le prix fort. Pie IX condamna ses travaux qui remettaient en cause le caractère surnaturel de la révélation chrétienne. Il fut suspendu du Collège de France...

– Ses travaux portaient-ils aussi sur l'islam ?

– « L'islam a persécuté la libre pensée, je ne dirais pas plus violemment que d'autres systèmes religieux, mais plus efficacement. Il a fait des pays qu'il a conquis un champ fermé à la culture rationnelle de l'esprit », tels furent les mots de Renan lors d'une conférence à la Sorbonne en 1883. Si aujourd'hui vous tenez de tels propos, vous écopez d'une condamnation pour islamophobie dans les dix minutes. Depuis cent cinquante ans, les méthodes historico-critiques ont fait leurs preuves sur la Bible mais pas sur le Coran. Trop dangereux.

– Vous avez bien pris ce risque en publiant un livre sur le sujet.

– Un sujet que je n'aborde plus en public aujourd'hui.

– Je ne comprends pas l'intérêt des nazis pour le Coran et l'islam. Ne considéraient-ils pas les Arabes comme des sous-hommes ?

– Détrompez-vous, ces derniers étaient considérés comme des aryens d'honneur, au même titre que les Japonais. Les nazis, au plus haut de la hiérarchie, avaient des raisons de ne pas critiquer l'islam. Savez-vous quels étaient les trois objets qu'Heinrich Himmler avait toujours sur son bureau ?

– *Mein Kampf,* je suppose.

– Dans l'édition de luxe. Et puis ?

– Un pistolet Luger ? Une capsule de cyanure ?

– Non. Un crayon vert, comme la plupart des dirigeants nazis. Et un Coran.

Simon marqua son étonnement.

– Himmler n'était pas musulman, pas plus qu'Hitler. Mais l'islam était une religion qu'ils respectaient, à la différence du christianisme auquel ils reprochaient d'avoir éloigné les Allemands de leur culture aryenne et d'en avoir fait des êtres faibles.

– Je crois que mon père, qui m'avait adopté à l'âge de deux ans, menait des recherches sur l'islam pour remonter la piste des assassins de mes parents biologiques, morts il y a trente ans dans un attentat à Beyrouth.

– Votre famille a souffert d'un destin tragique, constata Oskar Lander.

– Il est temps d'y mettre un terme.

– C'est étrange... à une époque j'étais en relation avec un Allemand qui partageait la même préoccupation que vous et votre père.

– Comment s'appelait-il ?

– Markus Kershner.

– Markus ? s'exclama Simon. C'est l'ami de mon père !

– Il devait alors probablement l'assister dans ses investigations.

Lander promena à nouveau un air méfiant autour de lui.

– Pensez-vous avoir été suivi ? demanda-t-il.

– Je ne crois pas. Que voulait savoir Markus exactement ?

– La même chose que vous. Appréhender la nature même du Coran.

– Vous lui avez parlé des nazis aussi ?

– Il était particulièrement intéressé par une partie de l'histoire qu'on n'enseigne pas à l'école.

– Laquelle ?

– La période après guerre au cours de laquelle des nazis quittèrent l'Allemagne pour trouver refuge en Égypte, en Irak et en Syrie. Ils s'y firent une nouvelle santé en soutenant la création du parti Baas et son accession au pouvoir, la montée du nationalisme arabe et du djihad, le combat contre les juifs et les Américains. Certains se convertirent même à l'islam. Savez-vous que *Mein Kampf* est le sixième livre le plus vendu en Syrie ?

– J'ai du mal à croire que l'islam fascinait à ce point Hitler et Himmler.

– L'intérêt qu'ils portaient au Coran n'était pas d'ordre spirituel, mais provenait de sa force d'endoctrinement. Hitler avait chargé Himmler de diriger un groupe d'étude des grands textes sacrés comme la Bible, le Coran, les mythes nordiques ou la mythologie égyptienne. L'idée du Führer était de prendre le meilleur de cette littérature pour créer une religion destinée au peuple allemand.

– Le meilleur ?

– Le plus efficace. Ces textes leur servaient d'instruments de travail. Hitler avait compris que, pour avoir la totale adhésion du peuple, il fallait le prendre aux tripes avec des idées simples et binaires, réveiller son instinct guerrier, l'embrigader, l'hypnotiser, lui donner une espérance. Il s'est donc approprié les recettes qui avaient fait leurs preuves depuis des siècles pour endoctriner les peuples. Himmler jugeait que le Coran était pratique et attrayant pour un soldat.

– S'ils y portaient autant d'intérêt, pourquoi les nazis s'opposaient-ils à l'étude scientifique du Coran ?

– Hitler y a pioché des idées-forces comme la volonté de conquête universelle, le choix d'un bouc émissaire ou le paradis pour les guerriers. Il a créé une nouvelle religion messianique, avec un dogme, un prophète, un royaume. En laissant travailler librement les scientifiques, il aurait risqué qu'on dévoilât les mécanismes historiques de la constitution du Coran. Cela aurait affaibli le pouvoir du Livre conféré par une origine divine, légendaire, mythique. Cela aurait révélé les supercheries sur lesquelles était bâti *Mein Kampf* ainsi que la manière dont Hitler avait détourné les techniques des religions pour s'en servir à des fins d'embrigadement. Écoutez, je ne peux pas rester ici plus longtemps.

Lander était constamment sur ses gardes.

– C'est tout ce que vous avez appris à Markus ?

Le professeur hésita. Il y avait autre chose.

– Qu'est-ce que je dois savoir ? insista Simon. Que les assassins de mes parents étaient des nazis islamistes ?

– Quittons d'abord cet endroit.

– J'ai l'impression de tourner en rond, déplora Simon.

– La vérité est au cœur d'une spirale. Plus vous tournez autour, plus vous vous en approchez.

53

La pluie n'avait pas cessé de tomber. Ils prirent le bus. Oskar Lander s'assit au fond pour surveiller les passagers qui montaient.

— Qu'est-ce qui vous a décidé à m'aider, professeur ? demanda Simon.

— Si Gerd a donné mon nom, cela signifie que je peux vous faire confiance et vous servir aussi de guide.

Le professeur commenta sa destination :

— Je vous emmène dans un musée qui accueille une exposition permanente intitulée « Fascination et violence ». On y montre comment le parti nazi fanatisait les gens avec des congrès aux allures de grandes messes. Les mécanismes de la fascination y sont décortiqués.

Le bus les lâcha non loin du musée.

Simon essaya d'englober dans son champ de vision l'immense esplanade de trois cent quatre-vingts hectares que les nazis avaient jadis transformée en terrain de parades. Depuis, des HLM avaient poussé et un reste de tribune avait été reconverti en gradins pour concerts.

— Regardez devant vous ! s'exclama soudain Lander.

Simon se mit en position de réagir à une attaque avant de réaliser que le professeur désignait l'esplanade.

— C'était là que décollaient les dirigeables Zeppelin, expliqua Lander. Plus d'un million de personnes se rassemblaient chaque année lors des congrès du parti nazi qui duraient une semaine. L'architecture, inspirée du Colisée à Rome, a été pensée pour que le regard du public converge vers le podium d'où Hitler haranguait la foule.

Ils entrèrent trempés dans le centre de documentation. Simon constata que celui-ci avait été inauguré en 2001.

– Il faut du temps pour accepter les horreurs de l'histoire, jugea-t-il.

– Alors qu'il est si facile de les éviter.

– Facile?

– Il suffit d'entendre les avertissements. Dès 1929, le
pape Pie XII avait prévenu que tout cela se terminerait mal.
Il s'étonnait qu'en Allemagne personne ne s'aperçoive de
rien et se demandait si seulement quelqu'un avait lu *Mein
Kampf,* « ce livre à faire dresser les cheveux sur la tête ».

– Doit-on se poser la même question sur le Coran?

– Des gens éclairés se sont efforcés de nous prévenir
depuis longtemps.

– Qui?

– En 1956, André Malraux annonçait dans *Time
Magazine* qu'il était déjà trop tard pour endiguer la poussée
de l'islam, porteuse de violence et de tyrannie, sous-
estimée par un monde occidental peu préparé à affronter le
problème et dépourvu de véritable homme d'État. Claude
Lévi-Strauss, dans *Tristes Tropiques,* dénonçait l'intolérance
musulmane et nous mettait en garde contre la néantisation
d'autrui professée par l'islam. Carl Gustav Jung déclarait
en 1936 que la religion d'Hitler était la plus proche qui soit
de l'islamisme, promettant le Walhalla, prêchant la vertu
de l'épée et du sacrifice, combattant le même bouc émissaire : les juifs.

– Même si l'islam n'atteint pas la bienveillance universelle du bouddhisme, il existe une spiritualité chez les
musulmans. Les soufis, par exemple, enseignent un islam
bienveillant et tolérant qui...

– Qui n'a rien à voir avec le wahhabisme, le coupa
Lander. C'est ce que je tente de vous expliquer. Le mal est
à l'œuvre quand la religion sert un pouvoir politique ou
des conquêtes territoriales.

– Le Coran serait dangereux alors ?

– Le problème n'est pas le Coran en lui-même, mais le statut qui lui a été donné par les premiers califes : divin, parfait, dicté en arabe, la langue de Dieu. Ce statut empêche aujourd'hui de réformer le dogme qui s'oppose à un vivre ensemble, sans condition d'appartenance religieuse. Réformer, c'est s'en prendre à Allah. À l'époque, les califes ont eu besoin de créer cette légende du Coran éternel et parfait pour conforter leur pouvoir et unifier les territoires conquis. Une fois qu'on a transformé en ennemi celui qui ne partage pas nos croyances, on peut tout se permettre pour le combattre lorsqu'on a avec soi la volonté de Dieu ou du Führer. Je parle en connaissance de cause, ayant été la cible à la fois des nazis et des islamistes.

– Comme mes parents.

– Le problème est qu'on ne les trouve jamais. Soit ils se font sauter avec leurs victimes, soit ils maquillent leurs crimes en accident. Prenez Gotthelf Bergsträsser, vous en avez peut-être entendu parler.

– L'orientaliste qui a pris les photos des premiers Coran ?

– Exact. Mort « accidentellement » au cours d'une expédition sur le mont Watzmann. Ses microfilms, qui constituaient la meilleure preuve que le Coran n'était pas tombé du ciel, furent récupérés par des orientalistes nazis, d'abord par Otto Pretzl, puis par Anton Spitaler qui les a cachés pendant cinquante ans.

– C'est Spitaler qui vous a fait virer de l'université ?

– J'avais eu l'audace de mettre en doute ses propos sur la perte des microfilms.

– Tout cela est donc vrai.

– Difficile à croire quand la guerre, l'espionnage, le crime et la religion se mêlent à l'histoire. Les enfants adoreraient qu'on leur enseigne ça à l'école.

– Je vois mal un enseignant dire que *Mein Kampf* et le Coran étaient dans le même camp.

– Pourtant les faits historiques sont là. Hitler avait repris la stratégie d'alliance avec les pays musulmans initiée par le Kaiser Wilhem II en dépêchant des hauts dignitaires nazis. La dissémination des modèles européens de l'antisémitisme auprès des musulmans constitua un réel programme du parti nazi, visant à retourner les musulmans contre les juifs et le sionisme. Durant les années qui ont précédé la Seconde Guerre mondiale, deux leaders musulmans ont porté l'idéologie nazie aux masses musulmanes : Hadj Amin al-Husseini, le grand mufti de Jérusalem qui entretenait des liens étroits avec Hitler, et l'Égyptien Hassan al-Banna, le fondateur des Frères musulmans. Durant la guerre, la propagande hitlérienne s'est attelée à démontrer les convergences d'intérêts entre le Reich et le monde arabo-musulman, appelant à la guerre sainte contre les juifs, les communistes et les Anglais. On flattait la dignité et l'unité des musulmans pour qu'ils luttent contre les infidèles, à grand renfort de versets coraniques. Deux fois par jour, Radio Berlin émettait en arabe et l'on inondait la ville de tracts islamistes. Vous mesurez maintenant pourquoi les nazis ne tolèrent aucune critique contre le Coran, que ce soit dans les cercles diplomatiques ou dans les instituts de recherche scientifique ?

– Des nazislamistes, c'est vague, comme profil, souligna Simon, obsédé par l'identité de ceux qui avaient tué ses parents.

– J'aime bien le terme.

Lander entraîna Simon à l'écart des visiteurs de l'exposition.

– Pour affiner le profil des assassins de votre famille, il faut avancer dans le temps. Après la guerre, Reinhard

Gehlen fonda le BND, les services secrets ouest-allemands. Cet ancien officier de la Wehrmacht recruta des centaines d'anciens agents nazis, qui continuèrent à lutter contre la poussée du communisme dans les pays arabes en utilisant l'islam. On retrouve ces agents dans les services secrets et les organismes de propagande des pays arabes ainsi que dans les armées qui attaquèrent Israël. En Égypte, les services de sécurité utilisèrent comme conseillers plus d'une centaine d'anciens SS soigneusement sélectionnés par un officier de commando de la Waffen-SS. En Syrie, les collusions entre nazis et pouvoir en place étaient courantes aussi. Pour les rescapés du IIIe Reich, Hitler n'avait pas perdu la guerre contre les juifs. Elle se poursuivait dans les pays arabes. Vous connaissez *Le Protocole des sages de Sion*?

— C'est une mystification.

— Certes, mais qui se présente comme un plan de conquête du monde établi par les juifs et les francs-maçons. Il fut fabriqué à la demande de la police secrète tsariste qui souhaitait en faire un instrument de propagande contre les juifs. Nicolas II refusa de s'en servir mais Hitler y fit référence dans *Mein Kampf* afin de faire croire au complot juif. Ce faux devint une pièce maîtresse de la propagande du IIIe Reich, avant d'être repris par Nasser en Égypte! J'insiste sur ces connivences et ces alliances pour que vous compreniez la raison à la fois tactique et politique pour laquelle les nazis ont empêché, de tout temps, que le Coran soit remis en cause dans ses fondements. Bien entendu, ces accointances idéologiques et circonstancielles ne retirent rien au fait que les musulmans vivant dans les pays alliés ont très majoritairement combattu contre les nazis. Certains ont caché et sauvé des juifs.

— Je cherche des meurtriers. Pas des justes.

– Je suis historien, pas policier.

– Dois-je en conclure que les responsables de la mort de mes parents se cachent en Égypte ou en Syrie ?

– Si vous chassez le grizzli, il vaut mieux aller en Amérique du Nord qu'en Afrique.

– Vous croyez qu'aujourd'hui les liens sont restés étroits entre activistes islamistes et héritiers du nazisme ?

– Aujourd'hui, le soleil d'Allah brille sur l'Occident.

– Pardon ?

– C'est le titre d'un best-seller écrit par une islamologue et historienne allemande.

Simon avoua son ignorance.

– Ce livre de propagande fait l'amalgame entre la culture arabe et la religion musulmane. Son auteure met les inventions scientifiques de la civilisation arabe sur le compte de l'islam qu'elle glorifie pendant quatre cents pages.

– Quelle auteure ?

– Sigrid Hunke. Elle incarne bien cette fusion entre les deux idéologies. En 1941, elle passe son doctorat à Berlin avec l'islamologue Ludwig-Ferdinand Clauss, qui est l'un des promoteurs des théories de la supériorité raciale des aryens. Pendant la guerre, elle adhère au parti nazi. Elle est une amie d'Himmler dont elle partage les thèses. Jusqu'à sa mort en 1999, elle affirmera que l'Europe doit se débarrasser du christianisme pour retrouver la paix.

Oskar Lander regarda encore une fois autour de lui et baissa un peu la voix.

– De nos jours, le conflit n'oppose plus résistants et anciens nazis, mais scientifiques et religieux. Les premiers sont parvenus à établir que le Coran avait des sources syriaques et empruntait son contenu à des hymnes chrétiens. Des thèses inadmissibles pour les seconds.

Oskar Lander regarda par-dessus l'épaule de Simon.

– Vous êtes sûr que vous n'avez pas été suivi ?

– Pour être franc, depuis une semaine, j'ai l'impression d'avoir constamment des gens dans mon dos.

– Il n'est pas prudent d'être venu me voir. Luxenberg se cache derrière un pseudonyme. Pas moi.

– J'ai été agressé deux fois par des nazis. Pas plus tard qu'hier, à proximité du Corpus Coranicum. Depuis je fais attention.

– Le Corpus Coranicum ? C'est là que sont enfermés les microfilms de Gotthelf Bergsträsser !

– Mon père avait un contact au sein de l'Académie des sciences. Un certain monsieur X. Cela vous dit quelque chose ?

– Non, je ne connais qu'Angelika Neuwirth. Elle a obtenu l'exclusivité des recherches sur les photos de Bergsträsser avec pour mission d'accoucher d'une première édition officielle du Coran en 2025 !

– Un siècle pour interpréter des photos !

– Je n'attends rien des conclusions de Neuwirth.

– Les gros bras du Corpus Coranicum s'en sont pris à vous aussi ?

– L'agression fut médiatique. Angelika Neuwirth a attaqué mes travaux et ceux de Luxenberg dans *Journal of Islamic Studies*, une revue financée par l'Arabie saoudite. Notre relecture du paradis islamique dérange ceux qui envoient les djihadistes au martyre.

– Markus n'a jamais fait mention de ce que vous venez de me raconter.

– Peut-être essayait-il de vous préserver.

– Que dois-je savoir de plus ?

– Qu'il faut être prudent.

– Votre relation avec Markus se serait ainsi bornée à un cours d'histoire ?

– Vous savez, jeune homme, le terreau de l'islam n'est pas seulement la complaisance des élites et la pauvreté du peuple. C'est surtout l'ignorance. Pour y voir clair, vous devez reformater votre esprit. C'est une façon de penser qu'était surtout venu chercher Markus auprès de moi. Et cela ne s'acquiert pas en deux minutes comme sur un plateau télé.

– Donnez-moi une piste.

– Je ne suis qu'un passeur de vérités scientifiques. Markus, lui, vous donnera les réponses dans les autres domaines.

– Vous avez une idée de l'endroit où il est ?

– Non. Nous devons nous séparer maintenant.

– Une dernière question : Markus vous a-t-il parlé de moi ?

– Il m'a dit une fois que le fils d'un ami porterait un jour la vérité en lui. Je suppose qu'il faisait allusion à vous.

– C'est tout ?

– Un détail me revient. Markus était persuadé que le fils de son ami...

Un bruit sourd et des cris interrompirent Oskar Lander au milieu de sa phrase. Un panneau de verre venait de se détacher de son support et avait failli blesser une femme et sa fille. Lander sortit de sa tétanisation pour afficher de la stupeur, se courber mollement et basculer en avant. Simon le réceptionna de justesse dans les bras et n'eut pas besoin de lui demander ce qui lui arrivait.

Un long couteau était planté dans son dos. La lame le perçait de part en part. Elle avait crevé le cœur, qui leur éclaboussait les pieds.

Une bousculade et de nouveaux cris furent déclenchés par la scène de crime.

Simon allongea par terre Oskar Lander sans pouls et se donna trois secondes pour prendre une décision lourde de conséquences : attendre la police ou fuir.

Dans les deux cas, il serait accusé.

Dans le deuxième, il resterait libre.

Lorsque la police arriva sur les lieux, il n'était plus là.

LIVRE X

«Je lui expliquai que je ne pouvais pas être le Messie. Ce à quoi Sabbah me répliqua que cela dépendait de quel Messie je parlais!»

54

Dans l'avion qui le transportait à Tel-Aviv, Simon ne cessait de se repasser la scène du meurtre d'Oskar Lander. Comment ne l'avait-il pas anticipé, lui qui maîtrisait l'art de détourner l'attention ? Les tueurs avaient combiné la chute du panneau de verre dans le musée avec l'agression d'une violence inouïe. Il fallait une force prodigieuse pour transpercer sa victime avec un couteau !

Il n'avait même pas vu le visage de l'ennemi qui avait tué juste devant lui.

On avait éliminé un scientifique gênant et transformé le fils de Paul Lange en suspect. D'une pierre deux coups ! Machiavélique.

En fuyant, Simon s'était accusé du crime, mais il avait conservé la possibilité de retrouver Markus. Il avait couru jusqu'à la gare. Gagné Berlin en train. Téléphoné à Sabbah. Sans poser de questions, elle lui avait demandé de l'attendre à Berlin. De là, ils prendraient l'avion tous les deux pour Israël. C'était la destination la plus sûre et la plus judicieuse pour continuer ses recherches. En la retrouvant dans le hall de l'aéroport de Berlin, Simon s'était plu à croire en ses dons de magicien. Être capable de faire apparaître Sabbah au moment où il en avait le plus besoin, requérait un sacré pouvoir.

«Je vais arrêter de te faire rencontrer des gens», l'avait-elle piqué en faisant référence à Sir Caldwell et à Oskar Lander.

Pris entre les nazôréens et les nazislamistes, Simon se demandait quand viendrait son tour.

— Tu vas tenir le coup? lui demanda-t-elle une fois à bord.

— Je n'ai pas le choix. Il faut que j'aille de l'avant, sinon je me noie. M'apitoyer sur mon sort n'est pas une option.

— Tout finira par s'éclaircir.

— Qu'est-ce qui te permet de le croire?

— Tout ce que tu as appris en une semaine. À ce rythme, tu vas bientôt découvrir les secrets de la genèse.

— Fous-toi de moi!

— Si je ne pensais pas ce que je dis, que ferais-je sur ce vol?

— Les gens meurent autour de moi. Markus doit probablement compter parmi les victimes lui aussi.

— On décime ta famille et ceux qui collaborent avec elle pour empêcher que la vérité soit divulguée. Maintenant, c'est à toi de mettre un terme à cette série noire, Simon.

— Comment? Une fois qu'on aura identifié ces assassins, qu'est-ce que ça changera?

— L'enjeu est plus grand que ça, non?

Il ouvrit l'exemplaire des Évangiles qui avait appartenu à son père. Il essayait de reconstituer le travail de Paul en reliant les annotations entre elles. Quatre mots-clés revenaient sous sa plume, dans la marge de plusieurs ouvrages : «Secte», «Simon», «Syrie» et «Quraychites».

Sabbah le laissa échafauder des hypothèses et des équations pour se plonger dans le dossier de l'Unesco qu'elle avait emporté avec elle. Elle s'était intéressée à la mise en œuvre d'une résolution concernant la création d'un Institut de la préservation du patrimoine architectural de la vieille ville de Jérusalem, financé par la Commission européenne, et avait convaincu sa hiérarchie du bien-fondé de son déplacement précipité en Israël.

– « *Mon royaume ne vient pas de ce monde* », déclara soudain Simon.

Sabbah se tourna vers lui, un sourcil en forme de point d'interrogation.

– Jésus dit ça dans l'Évangile selon saint Jean. Mon père a souligné ce verset.

– Tu en déduis quoi ?

– Jésus ne s'est jamais fait le porte-parole d'une doctrine de prise de pouvoir qui diviserait le monde entre bons et méchants. Il professait une spiritualité intérieure, une révolution, mais au sein de notre âme. On est d'accord ?

– On est d'accord.

– Or les nazôréens, qui se revendiquaient de Jésus, professaient l'établissement du royaume de Dieu sur Terre ! Que s'est-il passé entre la doctrine du maître et celle des disciples ?

– Quelques événements qui te changent un homme, comme l'exécution de Jacques, la guerre contre les Romains, l'exode en Syrie, la destruction du Temple, la défaite de Bar Kokhba, l'échec de la reconquête davidique. De quoi pousser une frange des nazôréens à la radicalisation, non ?

– Et à préparer leur revanche.

– Oui, mais quand ?

– Au VIIᵉ siècle, par exemple. À cette époque, les tribus araméennes et arabes sont divisées et écrasées par les empires perse et byzantin. Les nazôréens réussissent à les convaincre de s'unir autour d'un projet de reconquête en agitant des lectionnaires tirés des Évangiles. En 630, Mahomet et les Quraychites de Syrie, à la tête des tribus devenues alliées, tentent de reprendre Jérusalem. Ils échouent, mais le premier calife y parviendra en 638, volera la victoire aux nazôréens et transformera en Coran les lectionnaires qui ont soudé les tribus.

— Condamnant les nazôréens à attendre un nouveau contexte favorable, conclut Sabbah.

— Dans ce contexte de conquête de territoire, le Messie des nazôréens ne peut être qu'un Messager dont le retour serait un déclencheur des hostilités. Ce n'est pas Lui qui sauve mais ses fidèles transformés en guerriers armés. Cette doctrine sous-tend le Coran.

— Ce Coran-là n'est pas celui qui m'anime, objecta Sabbah.

— Puiser dans le Coran ce qui nous plaît et en rejeter ce qui nous déplaît, ce n'est plus vraiment croire dans le Coran.

— Tu me donnes la migraine avec tes raisonnements.

— Ne te fais pas plus bête que tu ne l'es.

— Là par contre, tu pouvais m'épargner cette expression ridicule. Quoi, qu'est-ce qu'il y a ?

— Ce type, là... trois rangées devant nous. Il nous épie.

Il désigna un crâne dégarni sur une grosse tête ronde posée en équilibre sur deux épaules tombantes.

— Tu es sûr ? douta Sabbah.

— Il n'arrête pas de tourner la tête dans notre direction.

— Je lui ai peut-être tapé dans l'œil.

— Choisis un passager au hasard.

— Pourquoi ?

— Je vais le faire disparaître... Allez, vas-y... n'importe qui.

Elle désigna l'homme au crâne dégarni.

– Pourquoi lui ?

– Tu penses qu'il t'espionne et je sens qu'il me lorgne. Deux bonnes raisons de le faire disparaître.

– Okay.

Il lui mit un masque de sommeil sur les yeux et entama des formules magiques. Lorsque Sabbah récupéra la vue, l'homme n'était plus là.

– Il s'est levé pour aller aux toilettes, subodora-t-elle.

– Non.

– Fais-le réapparaître. Tout de suite.

Il lui posa les mains sur les paupières et formula des incantations. Quelques secondes plus tard, l'homme était de nouveau à sa place.

– Comment tu réussis ça ? s'étonna-t-elle.

– Règle numéro un du magicien : ne jamais révéler ses ficelles.

– Allez, dis-moi. Juste celui-là.

– Non.

– Alors recommence.

– Règle numéro deux du magicien : ne jamais réaliser deux fois le même tour. Mais je peux t'en montrer un autre. Encore plus difficile.

– Vas-y.

Elle avait les yeux qui brillaient.

– Je te parie un repas au restaurant que je suis capable de t'embrasser sans te toucher, dit-il.

– Pari tenu.

Il colla ses lèvres sur les siennes avant de s'écarter.

– Raté ! s'exclama-t-il.

Elle lui décocha un coup de coude rageur dans les côtes et lui conseilla de retourner à sa lecture des Évangiles. Elle avait moyennement apprécié la manœuvre.

55

Jérusalem.

Ville trois fois sainte.

Reconnue par les religions monothéistes comme l'emplacement du sacrifice d'Abraham. Sanctuaire le plus sacré des religions juive et chrétienne et troisième lieu saint de l'islam après La Mecque et Médine.

À son approche, Sabbah se contracta, comme si la ville exerçait une emprise sur elle. Simon lui en fit la remarque.

– C'est l'effet «J'lem», expliqua-t-elle. Ce n'est pas une ville comme les autres. Je suis amoureuse de cette terre.

– Plus que de La Mecque et de Médine ?

– C'est vers elle que Mahomet a recommandé de diriger la prière avant qu'il ne choisisse La Mecque lors de l'hégire. Et c'est de là que le prophète est monté au ciel.

– Sur le même cheval ailé qui avait déjà trimballé Abraham !

– Je sens du sarcasme dans ta remarque.

– Au contraire, un mulet au buste de femme, avec des ailes d'aigle et une queue de paon, c'est pratique comme moyen de transport.

– Jérusalem ne représente donc rien pour toi ?

– Si, plein de choses dont le culte de Shalem.

– Shalem ?

– Une divinité de la création et du soleil couchant chez les Cananéens. Elle donna son nom à la ville au troisième millénaire avant Jésus-Christ.

Shalem était justement en train d'exercer son pouvoir sur l'horizon crépusculaire. L'air était doux. Ils étaient arrivés dans l'après-midi à Tel-Aviv et avaient pris le bus pour Jérusalem, quittant l'effervescence de la capitale moderne pour le bouillonnement de la ville antique.

Les paysages arides et dépouillés qu'ils traversèrent entre les deux cités animées incitaient à l'humilité, au recueillement, à la prière. On comprenait pourquoi Dieu les avait choisis pour y écrire Son histoire. De cette austérité, les colons tiraient des jardins, des vergers et des oraisons, dans une lumière qui semblait éclairer cette terre plus que les autres.

Ils déposèrent leurs bagages dans un hôtel de la vieille ville où Sabbah avait l'habitude de descendre lorsqu'elle était en mission pour l'Unesco. Ils se mirent aussitôt en quête de Markus. L'Allemand n'était pas chez lui. Sabbah interrogea les voisins. Personne ne l'avait revu depuis le cambriolage de son appartement.

Avant de rentrer à l'hôtel, ils errèrent dans la vieille ville trépidante. Simon retrouva le bar dans lequel il s'était enivré. La barmaid qui les avait servis et qui connaissait Markus ne travaillait pas. Elle s'appelait Talia et serait là le lendemain.

Simon s'acquitta de sa créance en invitant Sabbah à dîner au restaurant.

– On finira par croiser sa route, le rassura-t-elle. Ton ami est du genre à se faire remarquer.

– Est-il vraiment mon ami ?

– Tu en doutes ?

– Un ami est quelqu'un qui est là quand tu as besoin de lui. Sans poser de questions ni de conditions.

– Un peu comme moi, quoi.

Sabbah portait une robe noire échancrée dans le dos et collant à sa peau mate. Ses cheveux savamment ébouriffés retombaient sur ses épaules nues. Sa main se posa comme une plume sur celle de Simon qui allait lever son verre pour masquer son trouble.

— Évite l'alcool, susurra-t-elle. N'oublie pas qu'il est la cause de tes soucis.

Simon ne résista pas. À cet instant, elle aurait pu lui demander n'importe quoi, y compris de chanter un karaoké en araméen. De plus, elle avait raison. Non seulement l'alcool l'avait fait échouer sur l'esplanade des Mosquées, mais il avait jeté un voile sur ce souvenir.

— Demain, je t'emmènerai voir le dôme du Rocher, déclara-t-il.

— Si on réussit à y accéder.

— Markus m'a montré quelque chose que je veux que tu voies.

— Jérusalem recèle des trésors cachés.

— Ce que je vais te montrer est à la vue de tout le monde.

Sabbah parut intriguée, mais Simon n'en dit pas plus. Ils s'accordèrent sur le fait que Jérusalem était ensevelie sous des couches de civilisations, marquée par l'histoire et les religions, concentration de races et de confessions diverses voire opposées, melting-pot riche et conflictuel, où chaque pierre était un enjeu identitaire, chaque espace à conquérir. Cette ville ne laissait personne indifférent, ni Sabbah qui y percevait le souffle d'Allah, ni Simon qui y voyait le creuset de l'humanité.

— Comment as-tu réussi à escamoter ce passager dans l'avion ? demanda-t-elle à la fin du repas.

— Je l'ai observé.

— C'est tout ?

— C'était suffisant pour savoir qu'il se levait tous les quarts d'heure pour vérifier le contenu de son sac qu'il avait rangé dans un compartiment derrière nous.

— Pourquoi faisait-il ça ?

— Trouble obsessionnel compulsif. Certains vérifient si le gaz est fermé. Lui, c'est le contenu de son sac. Au début j'ai cru qu'il transportait une bombe. Mais le type était avec sa femme et son fils. Et les kamikazes ne travaillent pas encore en famille.

Ils rentrèrent à l'hôtel vers minuit. Simon accusa un coup de cafard. Il avait la sensation qu'il ne retrouverait jamais Markus.

– Demain, nous irons dans les endroits fréquentés par Markus, l'encouragea Sabbah. On croisera forcément quelqu'un qui saura quelque chose. Et puis n'oublie pas que tu as des dons. Tu es capable de faire réapparaître les gens, non ?

– Je connais un tour qui rate tout le temps, dit-il en arrivant devant la porte de la chambre de Sabbah.

– Eh bien, va t'entraîner tout seul avant de t'exercer sur moi.

56

Le jour se leva sur le décor mythique de la Bible et du Coran. Des chambres de l'hôtel, on pouvait contempler la coupole dorée du dôme du Rocher associée au sacrifice d'Abraham et à l'ascension de Mahomet, le minaret pointu de la mosquée d'al-Aqsa, les murs crénelés de l'esplanade du Temple et le mont des Oliviers qui vit l'ascension de Jésus.

Au cours du petit déjeuner, Simon fit part du trouble qu'il avait ressenti face au panorama.

– Le mont du Temple est inscrit dans nos gènes, expliqua Sabbah en mordant dans une tartine.

– Le mont du Temple ?

– Quoi, j'ai dit une bêtise ?

– Non, je suis étonné que tu utilises la désignation juive et non musulmane.

— « Mont du Temple » ou « Noble Sanctuaire », c'est pareil.

— Pas vraiment.

— Je ne suis pas comme les autres, je te l'ai déjà dit.

— Au point de t'exprimer comme une juive ?

— Tu cherches à me provoquer ou quoi ? Le temple de Salomon a été construit bien avant que les musulmans n'édifient le leur. On peut accorder ça aux juifs, non ?

— Je croyais qu'une terre devenue musulmane et arrachée aux infidèles était considérée comme musulmane à jamais car rendue à Dieu.

— As-tu entrepris de combattre ma foi à la manière des crétins qui assimilent tous les musulmans à des islamistes obtus ?

— Non, mais je constate que tu t'y prends bizarrement pour défendre ta religion.

— Pour défendre ma religion, j'ai ça.

D'un geste leste, elle baissa le zip de son sweater et en écarta les pans pour révéler un débardeur aux couleurs bleu et blanc de l'Unesco, tendu sur une poitrine généreuse.

— Pas de bâtons de dynamite, mais un cœur. Pas de fatwa, mais une mission au sein d'un organisme qui vise le rapprochement des peuples.

— Le rapprochement est déjà fait. C'est l'entente qui pose problème.

— Ne joue pas sur les mots, Simon, c'est pénible à la fin !

— J'appelle un chat un chat. Avant de s'appeler Israël, la Palestine était le pays de Canaan, qui fut donné à Abraham par Yahvé il y a plusieurs milliers d'années. Ce bout de terre est ainsi passé entre les mains des Cananéens, des Hébreux, des Assyriens, des Babyloniens, des Philistins, des Perses, des Grecs, des Romains, des Sassanides, des Byzantins, des Arabes musulmans, des Croisés, des Mamelouks, des Ottomans, des Britanniques...

– Tu me fatigues de bon matin !

Sabbah avait haussé le ton et attiré l'attention des autres convives.

– De quel peuple Jérusalem doit-elle être la capitale ? demanda Simon.

– Je suis sûre que tu as ton idée là-dessus.

– En esprit et en vérité, déclara Simon.

– Qu'est-ce que tu baragouines ?

Elle bouillait.

– C'est ce que Jésus répondait lorsqu'on lui demandait où est-ce qu'il fallait prier, à une époque où le Grand Temple était aux mains de prêtres à la solde des Romains.

– Il ne s'est pas trop mouillé, ton Jésus.

– Normal, il marchait sur l'eau.

– Très drôle. En tout cas, ses dons et ses beaux discours ne lui ont pas permis de chasser les usurpateurs du temple de Jérusalem !

– Il n'était ni un guerrier, ni un fanatique.

– Est-ce que ce voyage allumerait en toi la flamme de la foi chrétienne ?

– Si cela ne tenait qu'à moi, je rebaptiserais « esplanade de Dieu » ce lieu qu'on appelle « esplanade du Temple » ou « esplanade des Mosquées ». J'y ferais construire une église et une synagogue en plus de la mosquée. Le dôme du Rocher comprendrait trois accès : un pour les chrétiens, un pour les musulmans, un pour les juifs. Là, on pourrait parler de réconciliation des trois religions monothéistes.

– Im-po-ssible ! s'exclama-t-elle en tapant sur la table.

Nouveaux regards courroucés des clients de l'hôtel. Un serveur vint les prier de faire moins de bruit.

— S'ils veulent dormir, lui rétorqua Sabbah énervée, qu'ils retournent dans leur chambre !

Simon signala au garçon qu'ils s'en allaient.

57

Ils poursuivirent leur conversation animée en marchant vers ce lieu saint qui les rendait si prolixes.

— Pourquoi est-ce «im-po-ssible» ? demanda Simon en imitant Sabbah.

— Les fanatiques ne le permettront jamais.

Ils rejoignirent la rue Jericho et passèrent devant le King Salomon Hotel.

— Il n'y a pas de solution, alors ? fit Simon.

— Puisque tout le monde convoite ce lieu, eh bien, qu'il n'appartienne à personne ! s'exclama Sabbah. Que l'esplanade devienne un espace vide. Seul le vide peut recevoir la grandeur d'Allah. Rendons ce lieu à Dieu.

— Et la mosquée, tu la rases ?

— Je la déplace. On a déplacé le temple d'Abou-Simbel pour sauver quelques pierres, on peut bien bouger la mosquée d'al-Aqsa pour sauver l'humanité.

Simon sourit devant l'audace d'une telle proposition.

— Ta solution rejoint la mienne, mais elle est plus difficile à appliquer.

— Pourquoi ?

— Les hommes préfèrent occuper un lieu plutôt que de le vider.

Ils firent une halte à Gethsémani au pied du mont des Oliviers.

— Il y a deux mille ans, Jésus se tenait à cet endroit, commenta Sabbah.

– Il y a deux semaines, c'était Markus qui se tenait là avec moi.

Sur leur droite, s'étendait le cimetière juif. Derrière eux, deux hommes aux costumes poussiéreux gardaient leur distance.

– On est suivis, remarqua Simon.

Sabbah se retourna sur les deux costumes couleur de pierre. Ils étaient noyés au milieu des touristes regroupés devant une plaque murale.

– L'endroit grouille de monde, commenta Sabbah. Ici, on est constamment suivis, devancés, encadrés.

– Ces deux types ne sont pas en pèlerinage, insista Simon.

– Tu veux que je leur demande la raison de leur séjour ?

Elle tourna le dos à l'hésitation de Simon et se dirigea vers les deux inconnus. Simon la rattrapa.

– Où vas-tu ?

– Leur demander s'ils ont vu Markus dernièrement.

Elle sentit la poigne de Simon sur son bras qui lui interdisait de les aborder.

– On les oublie, décida-t-il.

Ils poursuivirent leur chemin en direction du cimetière catholique, montèrent un sentier et débouchèrent sur la Haofel Promenade. Les deux costumes couleur de pierre avaient disparu.

– On y est ! annonça Sabbah.

La porte du Messie se dressait devant eux. Des barrières métalliques étaient disposées autour du site. Trois gardes grillaient au soleil.

– On dirait qu'ils ont renforcé la sécurité après ton passage.

Simon s'approcha de l'un des gardes, qui le mit en joue en lançant des sommations. Impossible de faire un pas de plus. Les pieds dans le cimetière, il se rappela soudain s'être précipité droit sur cette muraille.

— Que s'est-il passé ? s'interrogea-t-il en fixant la porte infranchissable.

— Il n'y a que deux possibilités, lui souffla Sabbah.

L'un des gardes leur demanda de ne pas rester là. Sabbah s'arrêta devant une tombe en empruntant un air de recueillement. À ses côtés, Simon adopta la même posture tout en évaluant la distance qui le séparait du mur.

— Deux possibilités, tu disais ?

— C'est par là que Jésus est entré à Jérusalem. Et c'est par là qu'il est censé repasser lors de son retour, à la fin des temps...

— Je sais tout ça.

— Justement ! Sachant cela, tu t'es pointé ici il y a deux semaines et tu as foncé droit sur la porte en question.

— Dans quel but ?

— Par provocation. C'est bien ton genre. Tu as voulu impressionner ton compagnon de beuverie avec un de tes tours de magie. Et tu as percuté le mur de plein fouet. D'où les cicatrices sur ton visage.

— C'est ridicule ! En plus, ces marques proviennent d'une agression à Berlin.

— Cette solution est cohérente avec un état éthylique, mais elle n'explique pas comment on t'a retrouvé de l'autre côté en train de chanter *La Traviata.*

— *Carmen.*

— Peu importe.

— Tu parlais d'une deuxième possibilité ?

— Si tu ne t'es pas fracassé contre le mur, c'est que tu l'as traversé.

— Comment peux-tu soutenir de telles inepties ?

Les gardes les hélèrent. Ils devaient s'éloigner. Sabbah et Simon quittèrent les lieux à contrecœur.

Simon se remémora son rêve, la porte murée s'ouvrant sur une immense aire où était posé un vaisseau scintillant comme de l'or et gardé par des hommes en noir.

— Ce ne sont pas des inepties, lança Sabbah au milieu de son introspection.

— Qu'est-ce que tu essayes de me dire ?

— Tu détiens des informations que toi seul possèdes. Tes origines sont mystérieuses. Tu as quasiment l'âge du Christ lorsqu'il est mort. Personne ne te connaît, tu possèdes des dons que tu masques sous de la magie. Tu poursuis une quête. Tu es en mission, Simon.

— À quel moment dois-je rire ?

— Tu es le Messie.

— Et toi, tu te payes ma tête.

— Je préférerais. Car si tu as traversé cette porte, cela signifie que la fin des temps est proche.

— Depuis la fin de l'Empire romain, on n'a annoncé que 183 fois la fin du monde !

— Probable que la 184e sera la bonne.

58

Ils errèrent dans les artères du souk. Simon était perturbé par la thèse ahurissante de Sabbah. Comment une femme aussi intelligente pouvait-elle tenir de tels propos ? Les devait-il à son incorrigible sens de l'ironie ? Sous les tapis colorés suspendus et dans les odeurs d'encens, Simon se remémora sa virée nocturne avec Markus. Il n'y décela que des souvenirs d'ivrogne. Rien qui se référait à une soudaine révélation messianique.

— Sérieux, Sabbah, il existe forcément une troisième solution.

— Entre le oui et le non, il n'y a pas de vérité. Soit tu as franchi cette porte, soit tu ne l'as pas franchie. Et jusqu'à présent, tous les éléments sont en faveur de la première option.

Face à son désarroi, elle lui proposa de l'emmener à l'École biblique. Elle y connaissait Zeev, l'un des chercheurs du centre qui avait travaillé sur les origines du Coran. Un petit homme au regard vif les reçut chaleureusement au milieu de ses livres. Une platine vinyle diffusait une musique rock entraînante qui détonnait avec le décor.

— Qu'est-ce que tu écoutes, Zeev ? lui demanda Sabbah.

— *Kling I Klang* de Paul Weller. Son album regorge de pépites brit-pop.

— Paul Weller du groupe The Style Council ?

— De The Jam aussi, mais tu n'étais pas encore née.

Simon les laissa discuter de musique britannique et diverger sur les raisons de la séparation des frères Gallagher avant d'aborder les parchemins esséniens que Zeev avait eu la charge de traduire. À la pointe des recherches archéologiques et des traductions bibliques, l'École était aussi réputée pour son travail en égyptologie et en assyriologie. Ce dernier point suscita la curiosité de Simon, qui orienta la conversation sur les Sumériens. Zeev dut avouer que cette civilisation entourée de mystère était fondatrice.

— Abraham était issu du pays des Sumériens, affirmat-il. Si la datation du patriarche est de 1900 avant Jésus-Christ, il a connu cette civilisation qui fut la toute première à occuper la Mésopotamie et qui n'a pas pu ne pas marquer le jeune Abraham.

– Les Sumériens sont à la source de tout, reconnut Simon. Les mythes de la création du monde et des civilisations, les concepts de loi, de gouvernement et d'organisation urbaine, le système astronomique et mathématique permettant de mesurer le temps et l'espace, la poterie, la roue, l'écriture, et j'en passe... Leur influence sur le peuple hébreu ne s'arrête pas à Abraham. Cet héritage a pesé sur la Bible. Pas moins de onze chapitres de la Genèse véhiculent les légendes et les histoires des Sumériens.

– Le judaïsme marquera sa différence en proposant le concept du monothéisme.

– Bien entendu.

– Je vous sens passionné par les Sumériens, nota Zeev.

– Mon père me racontait *L'Épopée de Gilgamesh* quand j'étais enfant. Cela a nourri mon intérêt pour cette civilisation lumineuse. Son apparition et sa disparition soudaines ont conduit certains à penser que les Sumériens étaient des colons extraterrestres ayant séjourné un temps sur Terre.

– Permettez-moi d'y voir la main de Dieu qui aurait tracé une voie pour les hommes. Une voie qui fut suivie par Abraham.

– Si la Bible et le judaïsme ont été influencés par les Sumériens, qu'en est-il du Coran selon vous ?

– La question est épineuse car elle touche à la susceptibilité du peuple arabe.

– Avez-vous entrepris des recherches sur ce sujet ?

– Cela relève en effet de nos compétences. On peut affirmer sans trop se tromper, nonobstant une prudente discrétion, que le Coran dérive de la religion chrétienne.

– Zeev, l'interrompit Sabbah, est-ce que tu connais Markus Kershner ?

– Markus, bien sûr, pourquoi ? répondit-il à leur grande surprise.

– Nous le cherchons.

– Il habite la vieille ville, je crois.

– Je sais. Mais il a disparu depuis plus d'une semaine.

– Malheureusement, je ne puis être d'une grande aide. Nous ne nous rencontrons qu'ici, à l'École biblique.

– Quel est l'objet de ses visites ? demanda Simon.

– Il vient confronter ses recherches aux nôtres.

– Sur quoi portent-elles ?

– Markus essaye de remonter aux origines premières du Coran. Il a une théorie peu banale. Pour lui, l'islam dérive du christianisme, lui-même influencé par l'essénisme dérivant du judaïsme qui fut influencé par les Sumériens, eux-mêmes influencés par les extraterrestres.

– Êtes-vous d'accord avec ça ?

– Je le laisse libre de son interprétation et des raccourcis hasardeux qui pourraient en résulter, car, au-delà de la civilisation sumérienne, nous manquons de preuves.

– Et les nazôréens ? Par qui furent-ils influencés selon vous ?

– Il y a assurément une portée essénienne dans leur doctrine, notamment à travers la convergence du projet messianique de ces deux sectes religieuses. Dans son Évangile, saint Jean annonce le retour du Christ qui sera « le dernier pasteur de l'humanité ». Ce Christ est mentionné par les Esséniens dans le manuscrit 4Q534-536 qui fut découvert à Qumran. Pour les deux sectes, Jésus reviendra lors de l'Apocalypse.

– Qu'est-ce que tu en penses, toi, du retour de Jésus ? lui demanda Sabbah.

– Que ce ne sera pas facile pour lui.

– Pourquoi ?

– John Lennon l'a affirmé : « J'essaie de vivre comme le Christ, et c'est dur, je peux vous le dire. »

– D'accord, les coupa Simon, mais en quoi les nazôréens divergent des esséniens ? Puisque, pour former une nouvelle doctrine, il faut bien se distinguer.

– Les esséniens choisirent la voie de la non-violence. Pas les nazôréens.

59

Simon et Sabbah entrèrent dans le Hiero Bar à moitié plein. L'animation sonore était assurée par une boîte à rythme ponctuée par les cris d'une chanteuse à la voix synthétique. Simon se dirigea vers le comptoir et reconnut Talia, la barmaid, en train de secouer un shaker. Elle versa le contenu coloré et mousseux dans un verre à cocktail, servit son client et s'intéressa à Simon. Elle aussi se souvenait de lui.

– Je cherche Markus, dit-il. Vous l'avez revu depuis ?

– Quoi, depuis que vous vous êtes torchés ?

– La dernière fois que vous l'avez vu, c'était quand ?

– Il y a quatre ou cinq jours.

Markus était donc revenu à Jérusalem entre-temps. Avait-il au moins quitté la ville ? L'idée qu'il ait orienté ses poursuivants sur Berlin avec la réservation d'un vol qu'il n'avait jamais pris effleura l'esprit de Simon.

– Il était seul ?

– Qu'est-ce que j'en sais ? Je ne peux pas me souvenir de tous les clients.

– Ce n'est pas non plus ce que je vous demande.

– Écoutez, je suis payée pour servir à boire, pas pour bavasser.

Simon sentit qu'on le bousculait. Talia embrassa violemment le zinc. Sabbah était penchée sur elle et lui maintenait fermement la nuque.

– C'était il y a quatre ou cinq jours ? l'interrogea-t-elle.

– Lâchez-moi, vous me faites mal !

Sabbah s'écarta sous l'air ahuri de Simon.

– Putain, vous êtes du Mossad ou quoi ? beugla la barmaid.

– Non, de l'Unesco. Mais ce n'est pas le problème. Alors ?

– Cinq jours.

– J'ai remarqué que vous aviez un système de vidéosurveillance dans le bar. On peut visionner les enregistrements ?

– Faut demander au patron.

– Pouvez-vous nous mener à lui ?

– Je suis obligée de rester derrière ce comptoir.

Elle leur désigna la porte des toilettes.

– Prenez à droite des chiottes, c'est au fond du couloir.

En s'y rendant, Simon demanda à Sabbah quelle mouche l'avait piquée.

– Je précipite un peu les choses.

– C'est ce qu'on vous apprend à l'Unesco ?

– Non. Pas plus qu'on nous apprend à cuisiner le kawaj ou à prier cinq fois par jour.

Elle baissa le zip de sa veste et détacha ses cheveux, gagnant soudain en sex-appeal.

Une minute plus tard, ils étaient assis dans un bureau en désordre, face à un homme adipeux et poussif qui toussait entre deux phrases et lorgnait les seins de la visiteuse. Celle-ci s'employa à convaincre le patron, qui se nommait Aaron Lipstein, de leur montrer les vidéos de J moins 5.

– Vous voulez savoir quoi exactement ?

– Nous cherchons Markus Kershner, répondit Simon.

– L'enjeu est important, affabula Sabbah, car l'individu en question est soupçonné d'avoir dérobé un manuscrit à l'École biblique. Je suis mandatée par l'Unesco pour retrouver ce précieux document.

– Votre requête n'est pas banale.

– Les demandes simples n'ouvrent la porte qu'à des explications longues et compliquées. L'inverse est préférable.

– Ce n'est pas faux.

Face à l'assurance et au charme de Sabbah, Lipstein céda. Il se tourna vers un ordinateur et ouvrit un logiciel dans lequel il entra une date.

– Cela risque d'être un peu long.

– Markus est un bon client, dit Simon. Il y a des chances pour qu'il soit resté un bon moment dans votre établissement.

Ils s'installèrent devant l'écran. Lipstein fit défiler les images en accéléré.

– Stop! s'écria Simon.

Markus apparaissait à l'écran. Assis à une table. Il discutait avec un homme, grand, bien bâti, cheveux gris. Impossible de distinguer le visage de l'individu qui restait dos à la caméra. Ils entrevirent une partie de son profil lorsqu'il se tourna pour commander un autre verre.

– Je le connais! s'étonna Simon en fixant l'écran.

– Qui est-ce? demanda Sabbah.

– Je ne sais pas mais je l'ai déjà vu quelque part...

On ne percevait pas ce qu'ils se disaient mais leur conversation était animée, ponctuée par des exclamations, des rires, des gestes d'ivrogne, marquée aussi par de la complicité.

– Ce type me suivait quand je suis sorti du commissariat, se souvint enfin Simon.

Ils remercièrent Lipstein et gagnèrent leur hôtel à pied.

– Que faisait Markus avec cet homme? s'interrogea Simon à voix haute.

– Markus l'aurait chargé de veiller sur toi.

— Dans quel but ?

— Te protéger contre ceux qui veulent t'empêcher de découvrir la vérité sur la mort de tes parents.

Alors qu'ils atteignaient leur hôtel, Sabbah proposa de retourner à la Porte dorée. L'idée était de reconstituer la soirée arrosée dont il n'avait gardé que des bribes. En chemin, Simon s'arrêta brusquement :

— Un pékinois !

— Quoi ?

— J'ai pissé sur le cadavre d'un chien. Un pékinois.

— Pourquoi tu as fait ça ?

— On était soûls, je ne m'en suis pas aperçu tout de suite.

Face à la muraille qui se dressait dans le crépuscule, Simon se rappela avoir provoqué Markus.

— On se lançait des défis, comme cracher du feu ou chanter du Bizet. C'est moi qui l'ai branché sur la porte du Messie. Il prétendait que c'était impossible de la franchir.

— Il avait raison.

— J'étais soûl et persuadé que mes dons étaient sans limite.

— Qu'est-il arrivé ensuite ? demanda Sabbah.

— Je crois que Markus a sorti son téléphone.

— Pour téléphoner à qui ?

— Pas pour téléphoner, mais pour filmer.

— Il existe donc une vidéo de ce qui s'est passé.

— Probable.

— Et après ?

— Je me rappelle avoir couru vers la muraille. Après, c'est le trou noir. Jusqu'à ce que j'émerge dans une cellule de dégrisement du commissariat. Les flics m'ont informé qu'on m'avait retrouvé devant le dôme du Rocher en train de chanter *Carmen*.

– Tu offensais le sanctuaire sacré de l'islam.

– Pour Markus, le Dôme est en réalité un sanctuaire chrétien.

– Il est le plus ancien monument d'inspiration islamique !

– C'est ce que tout le monde pense, mais Markus ne cessait de répéter que la preuve du contraire était devant nous depuis plus de treize siècles.

– Quelle preuve ?

– Les inscriptions sur les arcades du Dôme. Il suffit de les lire.

– Et depuis treize siècles personne n'aurait rien vu ?

– Depuis treize siècles, qui a vu que le Coran n'était pas arabe ?

60

Avant de rentrer à l'hôtel, Sabbah proposa à Simon d'aller dîner dans un restaurant de King George Street où elle avait l'habitude de manger lorsqu'elle était de passage dans la région. L'établissement était fréquenté par la jet-set de Jérusalem.

Ils pénétrèrent dans une salle bondée.

– Sabbah !

Un vieil homme aux cheveux blancs et aux yeux lumineusement bleus se leva d'une table occupée par trois autres convives pour s'élancer vers la jeune femme. Il l'enlaça comme s'il avait retrouvé sa fille après des années d'absence. Sabbah fit les présentations. L'homme s'appelait Yaacov Zelder. Il était un chercheur scientifique au Weizmann Institute of Science à Rehovot. Il était surtout un ami des parents de Sabbah, qu'il connaissait depuis son plus jeune âge.

— Je l'ai fait sauter sur mes genoux, déclara-t-il à Simon. *Mazel tov!* Elle a oublié d'être vilaine, n'est-ce pas?

Simon ne pouvait pas dire le contraire.

— Qu'est-ce que tu fais à Jérusalem? demanda Sabbah.

— Oh! Un colloque de plus sur la physique quantique. Je suis avec quelques collègues. Venez vous joindre à nous, on parle de bosons et de fermions.

Sabbah et Simon échangèrent un regard d'hésitation. Sans attendre leur réponse, le savant imposa à ses collègues de se serrer.

— Et toi, ma chérie, qu'est-ce qui t'amène à Jérusalem? demanda-t-il à Sabbah qui s'installait. Un autre projet de l'Unesco?

Elle lui confia la véritable raison de sa venue et la nécessité de découvrir ce qui était vraiment arrivé à Simon devant la Porte dorée.

— Il y a peut-être une troisième hypothèse, dit Yaacov à Simon, en dehors de celles qui vous portent à croire que vous étiez ivre ou bien l'Élu. Avez-vous entendu parler de l'effet tunnel?

Simon et Sabbah firent signe que non.

— L'effet tunnel est un effet quantique qui permet à une particule de franchir une barrière de potentiel de hauteur supérieure à son énergie. La probabilité de franchir la barrière est fonction d'une part de la largeur et de la hauteur de la barrière, d'autre part de l'énergie de la particule...

Le savant se mit à dessiner sur la table des abscisses et des ordonnées traversées par des courbes sinusoïdales, des rapports d'intensité, des racines carrées.

— Si le coefficient de transmission T...

— Je suis perdue, l'arrêta Sabbah.

— Et moi je suis très sérieux. L'expérience a déjà été réalisée avec un électron.

– De quelle expérience parles-tu, Yaacov? On ne comprend rien à ce que tu racontes.

– Un électron a traversé un mur, ma chérie! Maintenant, imagine ton ami Simon à la place de l'électron et mets la Porte dorée à la place de la barrière de potentiel. Comme tout être humain, Simon est un amas d'atomes et d'électrons.

– «Amas d'atomes», je retiens le compliment, dit-il.

– Vous êtes un nuage de particules, si vous préférez. Vous êtes une onde aussi, puisque à toute onde on peut associer des particules et inversement. Si on vous lance contre un mur, une partie de vous-même traverse le mur tandis que l'autre rebondit comme une balle. Confronté à la matière, cet amas d'atomes que vous représentez, cher ami, a donc la possibilité de se scinder en deux.

Le scientifique leva le doigt pour marquer le passage le plus important de sa démonstration.

– Ne l'écoutez pas, railla un de ses collègues à l'autre bout de la table. Yaacov se prend pour Einstein.

Le savant garda son doigt en l'air et ignora la flèche sarcastique de son collègue.

– Un tel état scindé, poursuivit-il, ne dure pas dans la nature, parce que les deux parties de l'électron inte-ragissent avec le matériau dans lequel elles ont pénétré. L'une des deux parties fond, l'autre grossit. L'électron se retrouve alors entier d'un côté ou de l'autre du mur. Il est passé ou pas, selon la partie qui a grossi.

– Tu nous parles de téléportation, là? s'exclama Sabbah, incrédule.

– Parfaitement, ma chérie. La partie restée derrière le mur a la possibilité d'être téléportée avec l'autre. Comme s'il y avait eu un tunnel dans le mur par lequel elle serait passée. Alors qu'elle est passée nulle part! C'est ce qu'on appelle l'effet tunnel. Comme par magie.

— Simon est magicien, confirma Sabbah.

— D'après vous, je serais passé à travers la muraille de la Porte dorée qui est aussi épaisse que les remparts d'un château-fort ?

— À notre connaissance et à ce jour, la partie en arrière du mur a toujours été celle qui a grossi. Mais peut-être que vous venez de modifier les statistiques et que vous avez réussi à vous retrouver de l'autre côté.

Ils finirent le repas sur un ton plus léger en évoquant la série *Star Trek,* les téléportations pratiquées par l'équipage de l'Enterprise et le beau dépoussiérage de la licence par J. J. Abrams au cinéma.

Sabbah et Simon quittèrent Yaacov, qui fit promettre à la jeune femme de venir le voir plus souvent à Rehovot.

Dehors, la vieille ville vibrait au rythme de la nuit. Ils regagnèrent leur hôtel, grisés par une journée riche en sensations. Sabbah posa un baiser délicat sur la joue de Simon et lui conseilla de se reposer.

— N'essaye pas de traverser la cloison qui sépare nos chambres, l'avertit-elle. J'ai besoin de dormir cette nuit.

Simon se sépara à contrecœur de ce bel « amas d'atomes » mêlé de molécules de jasmin. Avant de s'endormir, il tenta de repousser les questions qui l'assaillaient. Qu'était devenu Markus ? Quelles étaient ses intentions réelles ? Que s'était-il vraiment produit à la porte du Messie ? Markus l'avait-il filmé ? Fallait-il prendre l'hypothèse de Yaacov Zelter au sérieux ? Est-ce que la dénigrer revenait à se ranger dans le camp de ceux qui traitèrent Copernic de fou ? Beaucoup de phénomènes restaient énigmatiques en ce monde. Certaines personnes trouvaient des clés dans la religion, d'autres dans la science. La clé de Simon, elle, s'appelait Markus.

61

Le soleil faisait miroiter le dôme du Rocher, fascinant octogone de mosaïques érigé sur le site du premier et du second temple par le chef musulman Abd al-Malik à la fin du VIIe siècle. Il était surmonté d'une gigantesque coupole dont le revêtement d'aluminium doré rongé par la rouille avait été remplacé en 1993 par une parure en or.

Coiffés respectivement d'un hijab et d'un keffieh, Sabbah et Simon avaient déjoué la vigilance des gardes qui n'accordaient l'accès à l'esplanade qu'aux musulmans. Simon attribua la tension qui régnait aux abords de la zone à sa récente et mystérieuse intrusion. Ils s'approchèrent du sanctuaire, munis de quelques ouvrages spécialisés et d'un appareil photo.

– Là où s'est déroulé le sacrifice d'Abraham, commenta Simon.

– Là où la police t'a trouvé ivre mort, commenta Sabbah.

– Peut-on éviter de revenir là-dessus ?

À l'intérieur du bâtiment, elle lut l'inscription en arabe classique qui déclarait l'existence d'un Dieu unique, donc sans descendance :

« *Ô vous peuple du Livre, n'outrepassez point les limites de votre religion, et en Dieu parle seulement la vérité. Le Messie, fils de Marie, est seulement un apôtre de Dieu, il est la parole de Dieu transmise à Marie, il est un Esprit émanant de lui. Croyez donc en Dieu et en ses apôtres, et ne dites pas Trois. Ce sera meilleur pour vous. Dieu est seulement un. Loin serait de sa gloire pour lui d'avoir un fils* ».

L'architecture du monument était d'origine byzantine et syrienne, sans véritable influence islamique. Les empreintes musulmanes n'apparaissaient que dans les mosaïques et les inscriptions.

Sabbah guida Simon à l'intérieur du Dôme jusqu'à l'énorme rocher circonscrit par une rotonde.

– La roche sainte, s'extasia-t-elle.

– Le choix de ce lieu saint, le plus sacré du judaïsme, révèle la volonté du calife Abd al-Malik de plonger les racines de l'islam dans la tradition juive. N'oublie pas que la roche sainte, c'est aussi le sépulcre d'Adam, la pierre qui ferme le déluge, le siège du trône de Yahvé, le nombril de la Terre, l'entrée des enfers...

Ils tournèrent autour du rocher, encerclés par un octogone d'arcades. Simon leva les yeux sur la coupole.

– L'influence chrétienne est manifeste. Regarde le dôme, il est une imitation de celui de la basilique du Saint-Sépulcre. Markus m'en avait fait la remarque.

– Tu veux démontrer quoi, Simon ?

– Il est possible que le dôme du Rocher ait été un sanctuaire chrétien. En tout cas c'est la thèse de Markus et de Christoph Luxenberg.

Il lui attrapa le bras et l'invita à lire les inscriptions sur les arcades qui reprenaient des sourates du Coran. On en dénombrait plus d'une centaine, sur les faces internes et externes. Simon sortit de son sac l'ouvrage de Christoph Luxenberg qui l'aiderait à interpréter le sens des inscriptions.

– La plupart d'entre elles proclament l'unicité de Dieu conformément au dogme musulman, expliqua Sabbah.

– Markus prétendait que la preuve était devant nous, à la vue des millions de gens qui défilent ici.

Pour le contredire, Sabbah en commença la lecture à voix haute.

– « *Au nom de Dieu clément et miséricordieux, il n'y a pas de Dieu sauf Lui seul, Il n'a pas d'associé. À Lui appartient la souveraineté et à Lui la louange. Il fait vivre et Il fait mourir, Il est omnipotent. Muhammad, le serviteur de Dieu et Son envoyé.»*

— Erreur !

— Quoi ? Tu comprends mieux l'arabe que moi peut-être ?

— Pas moi, mais Luxenberg, répliqua Simon dont le regard oscillait entre la thèse de l'orientaliste et les versets gravés dans la pierre.

— Qu'a-t-il encore à redire, celui-là ?

— «Muhammad» n'est pas un nom de personne, encore moins celui du prophète. Il s'agit d'une forme verbale ! Il ne faut pas traduire cette inscription par «Muhammad, le serviteur de Dieu et son envoyé», phrase qui ne contient pas de verbe d'ailleurs, mais par «Soit loué le serviteur de Dieu et son envoyé»! La louange à Dieu, ici, est suivie de la louange à son serviteur et envoyé. Reste à définir l'identité de ce dernier.

— Mahomet, qui veux-tu que ce soit d'autre ?

— Devine.

— Je suis sûr que ton Luxenberg a sa théorie là-dessus.

— Pas besoin de théorie. La réponse est devant nos yeux. Lis la suite de l'inscription.

— *«Seigneur, bénis ton envoyé et serviteur Jésus, fils de Marie! Paix sur lui...»* traduisit Sabbah.

— L'envoyé et serviteur de Dieu est Jésus, conclut Simon.

Sabbah demeura sans voix. Elle essayait de trouver une explication conforme au dogme. Simon enfonça le clou.

— Et ce n'est pas la seule inscription qui fait référence à Jésus.

Sabbah parcourut du regard les deux cent quarante mètres de frises.

– D'après les archéologues et les historiens, expliqua Simon, le dôme du Rocher aurait été construit au nom du christianisme syro-arabe en réponse au christianisme byzantin symbolisé par la basilique du Saint-Sépulcre.

– Un christianisme syro-arabe ?

– Abd al-Malik en aurait été le représentant, soutenant l'idée que le Christ n'était que l'envoyé et le serviteur d'un Dieu unique. Une conception qui, nous le savons, fut soutenue par les nazôréens puis par les musulmans, contrairement aux autres chrétiens qui défendaient la Trinité et la thèse que Jésus était le fils de Dieu.

– Où cela nous mène-t-il, Simon ?

– Les versets que tu as lus n'ont pas été gravés sous l'influence de l'islam. Pourtant, on retrouve des sourates similaires à celles du Coran. Comment l'expliques-tu ?

Sabbah cherchait une réponse dans les versets que Simon mitraillait avec son appareil.

– Inutile de t'user les yeux sur la pierre, dit-il. La question qu'avait soulevée Markus à cet endroit précis a sa réponse chez les codicologues, les philologues et les orientalistes que j'ai rencontrés ou lus depuis.

– Vas-y, accouche.

Simon trouva l'expression déplacée dans la jolie bouche de Sabbah.

– Ces inscriptions sont tout simplement tirées des mêmes textes qui ont inspiré le Coran : les fameux lectionnaires chrétiens.

Un barbu en djellaba les interrompit pour leur intimer d'évacuer les lieux. Simon lui en demanda la raison.

– Vous n'avez rien à faire ici.

– Ah bon, pourquoi ? s'insurgea Simon.

– Vous n'avez rien à faire ici, répéta le barbu d'une voix gutturale.

Sabbah lui flanqua sa carte de l'Unesco sous le nez.

— Nous avons classé ce site patrimoine mondial. Cela signifie qu'il a une valeur universelle exceptionnelle. Il serait bon que vous ne la gâchiez pas par votre présence.

L'Arabe, estomaqué, au moins autant que Simon, par le ton de la jeune femme, pivota sur ses sandales et fila en agitant les bras.

— Pressons, dit-elle, on n'a plus beaucoup de temps.

— Il a le droit de nous virer ?

— N'importe quel peigne-cul avec du poil au menton peut prendre ici le droit d'emmerder les gens.

— Je remarque aussi qu'il vaut mieux éviter de te chercher des poux.

Elle leva à nouveau les yeux sur les inscriptions, déterminée à trouver un indice qui pourrait contredire la thèse de Simon.

— Si l'islam n'a pas dicté ces inscriptions, pourquoi est-ce que je lis « islam » sur celle-ci ? argua-t-elle à l'autre bout de la frise.

Des livres ouverts plein les bras et l'appareil photo autour du cou, Simon rejoignit Sabbah qui pointait son index sur :

« Pour Dieu, la religion est l'islam »

Il prit un cliché.

— Cette façon de lire « *islam* » n'existait pas au VIIe siècle. À l'époque, ce mot dérive du syro-araméen *salmuta* qui signifie « alliance ». Selon Luxenberg, la traduction exacte est : « Pour Dieu, l'attitude juste est l'alliance ».

— Quelle alliance ? L'alliance biblique ?!

— Ou chrétienne. Qu'elle soit « ancienne » ou « nouvelle », il s'agit de l'alliance qui lie Dieu au peuple hébreu ou chrétien.

— J'en ai marre d'entendre ça, je m'en vais.

Elle fila sous une arcade en bousculant un homme en chemise blanche qui s'éclipsa subitement dans la direction opposée. Alerté par le comportement peu naturel de l'individu, Simon le suivit autour du sanctuaire. Il accéléra le pas. L'homme aussi.

— Hé, vous! cria Simon.

L'inconnu détala et disparut dans la foule. Simon rejoignit Sabbah qui téléphonait à l'ombre d'un cyprès.

— Qui appelais-tu? demanda-t-il en la voyant éteindre son portable.

— Cela ne te regarde pas, répondit-elle sèchement.

— Je ne veux pas que ça te mette de mauvaise humeur.

— Excuse-moi d'être contrariée en découvrant que ma foi est basée sur un canular.

— N'exagère pas. Il ne s'agit pas d'un canular. Ceux qui ont écrit l'histoire se sont octroyé des libertés avec la vérité, c'est tout.

Une larme glissa sur la joue de Sabbah. Simon la récupéra délicatement sur un ongle comme s'il s'agissait d'un diamant.

— Où est passée la guerrière? Tu m'as dit que la foi est un combat, alors bats-toi, Sabbah. Défends ta religion!

Autour d'eux, la foule allait et venait, contemplait, priait, numérisait sur caméra. Le soleil effaça la larme sur le doigt de Simon. Comme si Dieu avait dissipé le chagrin de la révélation.

— On devrait évacuer les lieux, suggéra-t-elle.

Elle désigna le vigile en djellaba qui rappliquait vers eux avec deux sbires. Sabbah et Simon marchèrent d'un pas rapide en direction de la sortie et se mêlèrent à la population qui grouillait dans la ville. Après s'être assurés qu'ils n'étaient plus suivis, ils s'arrêtèrent dans un café.

Simon réalisa qu'en remettant en cause la foi musulmane de Sabbah il remettait en cause son projet de vie. Mais la vérité le démangeait. Cette vérité qui tuait et pour laquelle sa famille s'était sacrifiée, avait-il le droit de lui tourner le dos pour épargner les croyances d'une jeune femme, aussi attachante soit-elle?

– Si on se fie à l'histoire, dit-il, la question que l'on est en droit de se poser est: que devient Mahomet? Ou Muhammad, si tu préfères.

– Je ne préfère rien.

– On a vu que *muhammad* signifiait «soit loué» et désignait le messager de Dieu. Selon les inscriptions du dôme du Rocher, le premier *muhammad* serait Jésus. Comment le distinguer du prophète Mahomet qui sera inévitablement lui aussi désigné par *muhammad*? On sait que ce n'est qu'à partir du VIIIe siècle, au moment de l'écriture de la biographie du prophète, que l'on transformera la forme verbale «*muhammad*» en un nom propre. «Soit loué» deviendra «Mahomet», qui sera assimilé à tous les *muhammad* et donc à Jésus. Historiquement, deux choses sont sûres: *muhammad* n'était pas le nom initial de celui qui a été choisi pour incarner le prophète de l'islam et l'islam première version fut un courant chrétien dont émergea l'islam deuxième version.

Emporté par son raisonnement, Simon comblait les failles de l'histoire officielle. Les lectionnaires chrétiens avaient inspiré à la fois les inscriptions du dôme du Rocher et les sourates du Coran. Difficiles à modifier, les versets gravés dans la pierre avaient été conservés dans les manuscrits réécrits par les califes. En revanche, après que les successeurs d'Abd al-Malik eurent récupéré ce sanctuaire pour le transformer en haut lieu de l'islam, ils rajoutèrent des inscriptions au fil des siècles pour noyer celles qui faisaient référence au Christ et établirent rétroactivement le nom de Muhammad comme un nom de personne de façon à changer le sens de celles qui donnaient un rôle prépondérant à Jésus.

— Tu vas trop loin, Simon, jugea Sabbah. Tu t'en prends aux symboles de l'islam, les uns après les autres, jusqu'au nom du prophète !

— A-t-il au moins existé ?

— Ces offenses ne te ramèneront pas tes parents.

— Non, mais elles me conduiront à leurs assassins.

— Ce qui s'est passé il y a treize siècles ne peut pas mener aux assassins de ta famille.

— Pourtant, Paul et Markus étaient convaincus du contraire.

62

Les sens en alerte, Simon s'assit au pied d'un grand arbre du parc Sacher. Douceur de l'herbe grasse, vigueur du tronc gorgé de sève, chatoiement des feuillages, babillage mélodieux des merles, roulade d'un garçonnet avec son chiot dans une nuée de moucherons. Les éléments l'exaltaient. Il y avait du divin dans cette infinité de petits miracles de la nature. Il ne manquait que la présence de Sabbah pour parfaire la scène. La religion les avait brouillés. À la sortie du café, ils avaient décidé de finir la journée chacun de leur côté.

Simon remplit un nouveau carnet. Il s'en était procuré plusieurs pour noter tout ce qu'il voyait, ce qu'il entendait, ce qu'il faisait, ce qui lui traversait l'esprit, tout ce qui l'aidait à raisonner et à prendre des décisions. Il reportait même ses discussions avec Sabbah dont la dialectique était fertile. Il traçait des tableaux chronologiques, des arbres généalogiques, couchait même des souvenirs de son enfance susceptibles de l'éclairer sur lui-même.

En tombant, la nuit balaya du parc les kippas et les foulards, les flâneurs et les pique-niqueurs. Il ne resta que les joggers, des couples romantiques, un parfum de jasmin et de friture.

Sabbah se tenait derrière lui, un sac à la main. Elle transpirait.

— Tu as couru ? s'étonna-t-il.

— J'ai eu du mal à te trouver.

— Sans La Truffe, c'est moins facile.

— Tu as mangé ?

Elle ouvrit le sac qui contenait des falafels qu'elle avait achetés à un marchand ambulant. Simon saisit sa main qui saignait.

— Tu t'es coupée ?

Sabbah retira sa main.

— C'est rien, dit-elle. J'ai fouillé mon sac trop vite et je suis tombé sur une épingle.

— Tu portes des épingles à cheveux, toi ?

— Non, c'est pour ça qu'elle était au fond de mon sac.

Simon ne chercha pas à discuter car il sentait que Sabbah se fermait. Ils mangèrent sans un mot, laissant le champ libre à la rumeur de la ville. À la fin de leur collation, Simon osa rompre le silence.

— Je suis désolé de détruire tes croyances, Sabbah. Suis-je pour autant le dernier des serviteurs d'Alal ?

— D'halal ?

— Alal, le démon sumérien destructeur et tentateur.

— C'est bon, j'en suis pas morte.

— Je n'ai rien contre toi, ni contre ta foi. Je ne fais que collecter des preuves.

– Prouver qu'on m'a menti sur le Coran ou sur Mahomet ne changera pas ma relation intime avec Dieu.

– J'ai du mal à te suivre, mais j'admire ta constance.

– Tes parents t'ont menti. Est-ce que tu les aimes moins pour autant ?

– Je ne vois pas le rapport.

– L'amour ou la foi ne sont ni quantifiables, ni prouvables.

Simon se promit de reporter cette conversation dans son carnet. L'assurance de Sabbah installa le doute en lui.

– Quelque chose de bon peut-il naître de la vérité ? À quoi rime de prouver que le Coran est un plagiat et non une révélation, que La Mecque est en Syrie et pas en Arabie saoudite, que tous les djihadistes de la Terre se battent au nom d'un Dieu chrétien et que les kamikazes se font sauter pour une grappe de raisin ?

Sabbah prit le temps de mâcher et d'avaler sa boulette persillée.

– Tu dois gérer un héritage pesant et compliqué.

– Paul m'a toujours caché l'existence de mes vrais parents tout en passant sa vie à chercher les responsables de leur mort.

– Avec une drôle de méthode consistant à disséquer l'histoire du Coran.

– Qui est liée à la mienne, comme l'avait confié Paul à Gerd Pogel.

– Tu crois qu'il avait trouvé les réponses ?

– Il les avait même déposées dans un coffre.

– Un coffre vide.

– Quelqu'un d'autre s'est servi avant moi.

– Markus était au courant de l'existence de ce coffre ?

Le visage de Simon s'éclaira soudain.

– Markus ! Comment n'y ai-je pas pensé plus tôt ?

– Quoi ?

– Aux funérailles de mes parents, il a proposé de m'accompagner à Jérusalem sans paraître au courant des travaux de Paul, alors qu'il travaillait avec lui. La seule chose que Markus ignorait, c'est que Paul me révélerait tout à sa mort. En découvrant que celui-ci m'avait donné accès au coffre, Markus s'est arrangé pour le vider avant moi.

– Pourquoi aurait-il fait ça ?

– Ses motivations restent floues. Markus m'a conduit à Jérusalem. Il m'a montré les inscriptions du dôme du Rocher. Il m'a incité à le défier devant la porte du Messie et m'a même filmé avec son portable. Puis il s'est volatilisé.

– Il pense peut-être que tu es le Messie, lui aussi.

– Arrête avec ça.

– En tout cas, il existe un film de ton exploit.

– Il faut absolument que je retrouve Markus.

– Tu imagines s'il diffuse la vidéo sur Internet ?

– Qu'est-ce que tu crois qu'on y verra ? Un ivrogne en train de s'écraser contre une muraille.

– Si tu ne crois en rien et que tu remets tout en question, tu n'avanceras pas.

– Je crois en l'amour de Paul et Amina. Ils n'auraient jamais pu agir contre moi. S'ils ont voulu me léguer leurs travaux, c'était pour mon bien.

– Alors va jusqu'au bout de ce que tu penses être bien.

Simon se tut pour contempler la grâce mahométane sous la lumière argentée d'une nuit israélienne. La nimbe se mirait sur ses cheveux de jais et glissait sur ses pommettes pour se déverser dans des yeux qui renvoyaient leur brillance aux astres. Il perdit peu à peu sa retenue, le contrôle de son souffle. Une force mystérieuse qui pompait son intensité dans les battements de son cœur mis à rude épreuve l'attira vers Sabbah. Il approcha son visage du sien, les mains liquéfiées et le crâne en fusion. Sans attendre sa réaction, il embrassa la jeune femme avec une fougue qui la fit basculer en arrière. Lorsqu'il sentit sa langue à son tour pénétrer dans sa bouche, il chavira dans un état second. Son organisme s'enflamma d'un immense désir. Son esprit fut foudroyé par un sentiment amoureux d'une violence inouïe. Emporté par cette fulgurance émotionnelle, il roula sur sa conquête et scella l'étreinte d'un baiser sans fin.

Lorsqu'ils se détachèrent, leurs lèvres étaient en feu.

Leurs regards n'osaient se croiser.

Un long silence les liait encore.

Sabbah le rompit pour ne pas se transformer en statue d'airain.

– J'ai eu mon lot de sensations fortes pour aujourd'hui, dit-elle en se levant. Il est tard, rentrons.

Ils prirent le chemin de l'hôtel en évitant les sujets sérieux, côte à côte, sans oser se toucher, par crainte de ne pouvoir retenir un nouveau débordement passionné.

Dans le hall de l'hôtel, Sabbah redescendit sur terre.

– Qu'as-tu décidé pour demain ? demanda-t-elle.

– Je n'ai pas encore pris de décision.

– Ne la prends pas en fonction d'une passade.

– Une passade ?

– Ne complique pas les choses, Simon. Je t'ai dit quel était le sens de ma vie. Et nous savons quel est le tien.

– Si tu ouvres les yeux sur les fondements de ta foi, tu verras que c'est toi qui compliques les choses.

– Il ne s'agit pas de moi. Je ne fais pas partie de la vérité que tu poursuis.

– Au contraire.

– Qu'est-ce que tu racontes ?

– C'est la première fois que j'éprouve un sentiment aussi fort.

– Tu n'es jamais tombé amoureux ?

– Si. De deux personnes, mais elles n'existaient pas.

– Quoi ? Qui ça ?

– Jill McBain et Alicia Huberman.

Ces deux noms n'évoquaient rien à Sabbah.

– Quand j'étais enfant, ma mère m'emmenait souvent au cinéma. Deux films m'avaient particulièrement marqué : *Il était une fois dans l'Ouest* et *Les Enchaînés*. J'avais eu le coup de foudre pour les actrices. Claudia Cardinale et Ingrid Bergman. La première incarnait le personnage de Jill McBain, la seconde celui d'Alicia Huberman.

– Eh bien, tu mets la barre haute, toi !

– Comme toi, on dirait.

Ils arrivèrent devant la porte de la chambre de Sabbah.

– Poursuis la mission qui s'est imposée à toi, conseilla-t-elle. Retrouve Markus et les assassins de tes parents, éclaire le monde de l'indicible vérité si telle est la volonté de Dieu. Bonne nuit, Simon.

– Reste avec moi encore un petit peu.

– Tu sais que je déteste ce mot « petit ». Encore plus quand il qualifie un « peu ».

Encore décoiffée par leur étreinte sur la pelouse, Sabbah entra dans sa chambre en lui décochant un sourire que Simon ne sut interpréter.

63

Il se réveilla comme au lendemain d'une cuite. Dans l'impossibilité d'évacuer toutes les questions qui le tourmentaient et d'occulter la présence de Sabbah de l'autre côté de la cloison, il n'avait pu trouver la paix nécessaire pour dormir.

Après sa toilette, il alla frapper à la porte de la jeune femme. Sans réponse, il descendit à la réception où on l'informa qu'elle avait rendu ses clés et quitté l'hôtel, une vingtaine de minutes auparavant. Sans laisser de message.

Simon se précipita dehors et héla un taxi avant même de savoir quelle était sa destination.

– L'aéroport ! s'exclama-t-il.

Le chauffeur démarra en trombe, dopé par la liasse de shekalim tendue par son client. La Mercedes qui s'élança dans leur sillage faillit écraser un piéton.

Simon mit deux fois moins de temps qu'à l'aller pour parcourir la distance entre Jérusalem et l'aéroport de Tel-Aviv, sans s'apercevoir qu'on le suivait. Après s'être jeté du taxi, il fendit la foule de l'aérogare, à la recherche de Sabbah, convaincu qu'elle avait décidé d'avancer son retour pour Paris.

Il l'aperçut dans le hall d'enregistrement de la compagnie Air France. Il cria son nom. Tous les visages se retournèrent sur lui. Il la rejoignit dans une file d'attente et la saisit par les épaules.

– Qu'est-ce que tu fous ?

– Je perturbe tes recherches.

– Tu les perturbes en partant.

– Tu te trompes, Simon.

– Se tromper, c'est le meilleur moyen d'avoir raison.

– Avec ce genre de raisonnement, tu n'iras pas loin.

Un couple âgé derrière Sabbah était captivé par l'échange animé.

– Même Enkidu et Gilgamesh comprirent leur complémentarité.

– Tes expressions vont me manquer.

– C'est la deuxième fois que tu me fais le coup de fuir en douce. Je déteste ça. Alors okay, rejoins ta «petite» vie de bonne sœur et rien à foutre si tu détestes ce mot.

Il lui tourna le dos et gagna la sortie de l'aérogare. Sabbah avait au moins raison sur un point. Elle le perturbait. Il devait l'oublier et se concentrer sur son objectif de retrouver Markus. Il entendit son nom et se retourna sur Sabbah qui l'avait suivi.

– Je suis désolée d'être partie comme une voleuse, mais je n'ai pas trouvé d'autre moyen plus efficace pour te quitter.

– Qu'est-ce que tu essayes de me dire ?

– Tu as tellement de choses à accomplir, Simon.

– Ce que j'ai accompli jusqu'à présent, je te le dois en partie.

– Pourquoi tiens-tu à ce que je reste, sincèrement ?

– Aide-moi à retrouver Markus. Après tu pourras rentrer chez toi.

– Je ne vois pas en quoi je peux t'être utile.

– Je vais retourner interroger le père Clément au Saint-Sépulcre. Il aura peut-être revu Markus depuis.

– Tu n'as pas besoin de moi pour ça.

Sabbah leva la poignée de sa valise à roulette, prête à regagner la file d'attente. Simon tendit les bras devant elle, mains fermées comme si elles contenaient quelque chose.

– À ma gauche, Jérusalem. À ma droite, Paris.

– Tu me fais un tour de magie, là ?

– Un tour que je tente pour la première fois.

Elle fit un pas à droite, hésita, revint sur la gauche, s'approcha du poing.

– Qu'est-ce que tu caches ?

– Si tu choisis Jérusalem, j'ouvre cette main.

Elle souffla sur le poing gauche.

Simon déplia lentement ses doigts. Sabbah écarquilla les yeux, médusée.

— Qu'est-ce que c'est ? demanda-t-elle.

— Une bague.

— Merci, je vois.

— Il s'agit d'une bague ancienne en opale noire sertie de diamants. Ma mère me l'a léguée à sa mort. Ce bijou a une longue histoire. Il a été mis au doigt d'une princesse égyptienne, d'une duchesse anglaise et de la meilleure amie de ma mère qui en hérita à sa mort. J'ai récemment compris que cette amie était ma vraie mère, Leila.

— J'imagine la valeur qu'elle doit avoir pour toi.

— J'aimerais que tu la portes.

— Simon, je ne suis pas digne de...

— Si tu refuses, je m'en débarrasse tout de suite.

Sabbah tendit timidement son annulaire. Il lui passa la bague et empoigna sa valise.

64

Après avoir déposé les bagages de Sabbah dans la chambre de Simon, ils se rendirent à l'église du Saint-Sépulcre. La jeune femme était hypnotisée par le soleil noir qui brillait à son doigt.

— Ceux qui nous filent doivent en perdre leur latin, dit Simon en se retournant sur la rue animée.

Avant d'entrer dans l'église, il montra à Sabbah une échelle en bois posée contre la fenêtre de l'étage supérieur de l'édifice.

— Elle est là depuis des siècles, dit-il.

— Personne n'a songé à l'enlever ?

— Si, moi.

– Qu'est-ce que tu racontes ?

– J'ai défié Markus en prétendant que j'étais capable de monter la retirer. Il a mal réagi. Cela m'a confirmé qu'il est très attaché à cette église.

– Quel rapport avec l'échelle ?

– Un *statu quo* répartit ici l'espace et les heures de prière entre six communautés religieuses. Mais il existe aussi des parties communes sur lesquelles on ne peut pas intervenir sans le consentement de toutes les congrégations. Cela comprend les rebords de fenêtres. Toucher à cette vieille échelle en bois revient donc à mettre le feu aux poudres entre les communautés.

– Et tu comptais escalader la façade pour aller la déloger ?

– Tu me crois capable de traverser un mur, mais pas de l'escalader ?

– Le Messie n'a pas l'intention de revenir en grimpant aux façades des églises.

– Je ne suis pas le Messie.

– Jésus non plus ne le savait pas au début.

Simon aperçut le père Clément qui s'esquivait derrière la rotonde. Il le rattrapa en bousculant un groupe de fidèles.

– Mon père, vous m'avez envoyé en Allemagne alors que Markus n'a pas quitté le pays.

Simon était calme, ce qui incita le prêtre à lui tenir tête :

– Ne me jugez pas responsable des décisions que vous prenez !

– Où est Markus ?

– Allez-vous-en !

Sabbah s'interposa entre les deux hommes. Le père Clément recula face à elle, les yeux sortis de leurs orbites, la bouche tordue sur un geignement qui firent se retourner un groupe de touristes choqués. Sabbah lui pressait les parties génitales et lui chuchotait à l'oreille :

— Nous avons besoin d'un renseignement fiable cette fois, sinon je te débarrasse de cet organe dont Dieu t'a inutilement pourvu.

— Il est au Liban, bredouilla-t-il en se recroquevillant sur son entrejambe.

Sabbah le lâcha avec un air dégoûté et se retourna sur Simon médusé.

— Tu voulais mon aide, non ?

— Sortez de cette église ! ordonna le religieux.

— Le Liban, ce n'est pas assez précis, répliqua Sabbah en menaçant de revenir à la charge.

— J'ai croisé Markus il y a quelques jours, confessa le prêtre. Il partait pour Beyrouth.

— Impossible à partir d'Israël.

— Il a dû effectuer un détour par Chypre.

— Comment peut-on le trouver ?

— Je l'ignore, mais on pourra sûrement vous renseigner au siège patriarcal de Beyrouth.

— Vous nous faites courir aux quatre coins du monde, remarqua Simon.

— C'est ce qui vous attend si vous essayez de rattraper Markus.

— Le siège de votre Église est à Beyrouth ?

— Non, à Damas. C'est le siège de l'Église catholique syriaque qui est à Beyrouth.

— Markus fréquente combien d'Églises différentes ?

— Nos Églises diffèrent par le nom, mais elles ont toutes des racines chrétiennes.

— Votre langue liturgique est le syriaque, n'est-ce pas ? remarqua Simon.

— Oui, c'est un dialecte araméen. Pourquoi ?

Les connaissances de Simon sur le sujet remontaient à ses études supérieures. Pour se distinguer des païens, les chrétiens de la Grande Syrie avaient transformé l'araméen en dialecte, le syriaque, dont s'inspirèrent ultérieurement les Arabes pour créer leur alphabet.

– La langue de Jésus, répondit Simon.

– En effet.

– Et celle des nazôréens, ajouta-t-il pour tester la réaction du prêtre.

– L'humanité s'en est peu à peu éloignée.

– Que savez-vous au sujet des nazôréens ?

– C'était une secte messianique judéenne.

– Markus vous en a déjà parlé ?

– Pourquoi l'aurait-il fait ? Les nazôréens ont disparu depuis longtemps.

– Ils croyaient que Jésus reviendrait sur Terre, c'est ça ?

– Oui, pour prendre la tête des armées de libération.

Simon remercia le père Clément et se retira de l'église en entraînant Sabbah.

65

– Quelle mouche t'a piquée ? reprocha Simon à Sabbah.

– Si je n'avais pas pris les choses en main, ce prêtre t'envoyait à Katmandou.

– Ce sont des «choses» que tu n'aurais pas dû toucher.

– Regarde ce qu'on a appris ! Markus entretient des liens étroits avec l'Église syriaque, qu'elle soit catholique ou orthodoxe, et il est actuellement à Beyrouth. Tu peux aussi ajouter «syriaque» à la liste de tes mots-clés.

– Ce père Clément semble en connaître un rayon sur les nazôréens.

Bousculé par la foule qui se pressait aux abords du Saint-Sépulcre, Simon spéculait sur la dernière phrase de Sabbah. En associant tous les mots-clés qu'il avait notés sur un carnet, il parvenait à composer une phrase complexe qu'il énonça à voix haute :

— La secte chrétienne des nazôréens établie en Syrie utilisa des textes liturgiques écrits dans leur langue, le syriaque, pour faire croire aux Quraychites qui vivaient dans les montagnes de La Mecque et auxquels appartenait Mahomet qu'ils étaient les descendants d'Ismaël et devaient s'allier à eux pour reconquérir Jérusalem.

— Tu as oublié le mot-clé «Simon» dans ta phrase, remarqua Sabbah.

— Qu'est-ce qui pourrait me relier à une ancienne secte messianique ?

— Le Messie, justement.

— Tu me soûles avec ça ! Le Messie est déjà venu une fois, ça suffit.

— Tout le monde attend son retour, les musulmans, les chrétiens, les juifs, même les bouddhistes attendent Maitreya, et toi, tu prétends qu'il ne reviendra pas ?

— Pourquoi le ferait-il ?

Simon proposa de s'arrêter déjeuner dans un restaurant de la vieille ville. Une fois qu'ils eurent commandé, il expliqua à Sabbah que Jésus était désigné «fils de Dieu», mais pas seulement lui. Selon l'apôtre Paul, «tous ceux qui sont conduits par l'Esprit de Dieu sont fils de Dieu[1]». Si Jésus était le fils unique, il n'aurait pas dit : «Notre Père qui êtes aux cieux.» Ce titre avait été dévié de son sens premier par les chrétiens pour contrer les pharisiens.

---

1. Nouveau Testament, Épître aux Romains 8, 14 ; voir aussi Luc 20, 34-36.

Inspirés par la mythologie grecque où les dieux s'unissent aux mortels, les chrétiens élevèrent Jésus au rang de demi-dieu, fruit de l'union de la vierge Marie et du Dieu biblique. «Fils de Dieu» devint alors «le fils unique de Dieu» au sens généalogique, physique et biologique du terme, c'est-à-dire empreint de divinité. Ce fut la naissance du dogme chrétien de l'incarnation. Jésus était dès lors censé accomplir les prophéties bibliques et couper court à la cabale des pharisiens.

— Qui était vraiment Jésus, selon toi ? demanda Sabbah.

— Il était surnommé le Nazaréen, pas à cause du village de Nazareth, comme cela a été inventé quatre siècles plus tard, mais d'après le mot *nazir* qui exprime l'état du «consacré». Il était le fils de Joseph, descendant d'une famille de charpentiers du grand temple. Il était aussi le cousin de Jean le Baptiste, qui le baptisa et l'introduisit dans une lignée de prêtres.

— Il était un rabbin, quoi.

— Jésus réunit, par sa généalogie et ses titres, la descendance davidique, la proximité du temple, la filiation spirituelle. Il a donc toute la légitimité pour être le nouveau grand prêtre que le peuple juif réclame. La véritable mission de Jésus sur Terre, celle que l'histoire officielle a occultée, était de rétablir le sacerdoce légitime en reprenant le pouvoir religieux confisqué par les Romains et les collaborateurs.

— Un projet qui ressemble à celui des nazôréens six cents ans plus tard !

— Oui, le projet de reconquête du temple n'a jamais disparu après la mort de Jésus. Il s'est perpétué. Et c'est là le hic !

— Quel hic ?

– Les nazôréens n'avaient rien compris. Ils attendaient le retour du Messie car, pour eux, Jésus avait échoué dans sa mission. Alors que c'était le contraire.

– Finir sur une croix, tu appelles ça une mission réussie ?

– Imagine, depuis le IIe siècle avant notre ère, les juifs n'ont ni le pouvoir politique qui est exercé par l'occupant romain, ni le pouvoir religieux détenu par les procurateurs romains qui nomment les grands prêtres. Dans leur grande majorité, les juifs considèrent que ces grands prêtres qui officient dans le grand temple ne sont plus les intermédiaires légitimes entre Dieu et les hommes. Jésus voulait juste reprendre les rênes du Temple en délogeant l'usurpateur acoquiné avec l'occupant. Devenir leader spirituel et non politique. Le peuple était avec lui. Alors, pour l'éliminer, les juifs complices du pouvoir l'accusèrent de vouloir devenir leur roi au sens politique, donc ennemi de l'occupant romain. Réalisant que la mission était impossible à mener sans violence, Jésus renonça à son projet terrestre.

– Il aurait pu se défendre un peu !

– En choisissant le chemin du martyre et de la mort, il renonce à la violence que suppose la reconquête matérielle. Il déplace le lieu du sacerdoce dans le monde céleste. Jésus le dit lui-même, son règne n'est pas politique : « Le royaume de mon Père n'est pas de ce monde. » En ce sens, sa mort est une victoire.

– Il ne pouvait donc plus être un modèle pour les nazôréens !

– Exact. En mourant sur la croix, il exerce un sacerdoce universel dépassant largement celui du Temple. Sa célèbre phrase : « Je détruirai le Temple et je le reconstruirai en trois jours », indique que chacun doit se concentrer sur un cheminement intérieur plutôt que de se perdre dans la conquête de lieux de pierres.

– Cette voie est loin d'être suivie par tout le monde.

– Elle le sera par les trois frères de Jésus. Jacques, Simon et Jude lui succéderont à la tête de la communauté de Jérusalem et seront à leur tour éliminés pour qu'ils ne deviennent pas grand prêtre. Après, ça dégénère. Un courant chrétien s'écarte de la position non violente pour engendrer les nazôréens, qui entreprennent de déloger les infidèles par la force. Ils entraînent les Arabes dans leur projet de reprendre Jérusalem pour rebâtir le temple et y réintroduire le grand prêtre.

– Qu'essayes-tu de démontrer, Simon ?

Sabbah n'avait pas touché son plat qui avait atterri devant elle depuis un moment.

– Jésus ne viendra pas car il est déjà venu délivrer son message avec succès. Contrairement à ce que tu penses, Sabbah, je ne peux donc pas être le Messie. Et tant pis pour ceux qui n'ont pas saisi que le renoncement à toute violence est l'ultime victoire.

– Cela dépend de quel Messie tu parles.

– Il n'y en a pas cinquante.

– Alors les nazôréens qui considèrent que sa première venue fut un échec parce qu'ils ont préféré suivre la voie de la lutte armée au nom de Dieu n'ont pas le droit d'attendre leur Messie ?

– Il faudrait d'abord que les nazôréens existent.

– Tu disais l'autre jour qu'ils avaient changé de nom au fil des siècles. On retrouvait même leurs descendants chez les alaouites.

– Et alors ?

– La possible existence de la secte des nazôréens entraîne le possible retour de leur Messie, non ?

– Difficile à croire.

– Markus et ton père étaient remontés jusqu'à eux dans leurs recherches. De notre côté, que savons-nous de ces nazôréens ? Ils attendent le Messie pour reprendre Jérusalem, et les conditions semblent réunies aujourd'hui pour sa venue. Le monde est au bord du chaos, même le sol de Jérusalem tremble chaque jour. Toi, tu arrives sur Terre il y a trente-deux ans. À l'âge de deux ans, tu échappes miraculeusement à un attentat. Tes parents adoptifs s'aperçoivent que tu es différent des autres enfants. Paul, qui n'est ni un imbécile, ni un illuminé, s'intéresse à tes origines. Ses recherches le mènent non pas au Coran comme tu l'as cru au début, mais aux nazôréens qui l'ont inspiré et qui attendent le retour du Messie. On t'enseigne la théologie et l'araméen, tu te tournes vers une vie spirituelle, tu développes des dons et puis, un jour, tu franchis la porte du Messie. Les autorités étouffent l'événement, qui n'échappe pas aux services secrets de plusieurs pays. On va alors te suivre ou te kidnapper pour savoir qui tu es vraiment, on va tenter de te faire obstacle ou de t'aider. Quant au dossier que ton père avait établi sur toi et qu'il t'avait légué à sa mort, celui-ci disparaît mystérieusement.

Simon la laissait s'exprimer car il ne pouvait lui opposer aucun argument.

– Tu connais beaucoup de gens dans ton cas ? lui lança-t-elle.

– Tu as raison, Sabbah, finit-il par répondre. Il vaut mieux qu'on se sépare.

– Quoi ? C'est ça, ta conclusion ?

– C'est la plus sage.

– Ce n'est pas en te débarrassant de la personne qui t'ouvre les yeux que tu te débarrasseras de ton problème.

– Je te remercie pour tout ce que tu as fait pour moi. Je regrette seulement de t'avoir empêchée de prendre ton avion.

– Nous n'avons donc plus rien à faire ensemble, si je comprends bien.

Sabbah se leva de table. Simon la regarda partir, sans bouger, sans un mot. Il commanda à boire pour noyer le présent et ne conserver à l'esprit qu'un objectif : retrouver Markus afin de mettre un terme à cette histoire.

LIVRE XI

«Je réalisai soudain que j'avais fait le vide en moi pendant toutes ces années pour avoir la place de recevoir l'énorme vérité. Je me préparais sans le savoir.»

66

Simon avait gagné Chypre par avion avant de monter sur un bateau en partance pour le Liban. Une traversée sur une mer d'huile entre Larnaca et le port de Beyrouth l'amena sous le soleil du Liban qui avait éclairé tant de conflits, de guerres, de sièges, de blocus, d'invasions, d'attentats.

Il était seul.

Avec tous ses fantômes.

Pour les semer, Simon avait mis au point une technique d'invisibilité urbaine. Il empruntait des axes fréquentés, se mêlait aux passagers des transports en commun, montait et descendait à la fermeture des portes, entrait dans un restaurant pour en ressortir par les cuisines, payait ses déplacements en liquide, ne prenait jamais de chemin direct, revenait sur ses pas, changeait souvent de vête-ments, se mêlait aux mouvements de foule dont il adoptait le rythme avant de s'en extirper brusquement pour gagner une zone piétonne, montait subitement dans un bus ou un taxi pour descendre quelques kilomètres plus loin, recourait à des moyens de diversion en enflammant des poubelles ou en créant des incidents dans la rue qui engen-draient parfois des mouvements de panique et masquaient sa fuite.

Il présenta à la douane son passeport libanais, qui ne comportait aucune trace d'un séjour en Israël incompatible avec une visite au Liban. Il ne restait plus qu'à espérer que le signalement du suspect numéro un de l'assassinat d'Oskar Lander à Berlin ne soit pas diffusé jusqu'ici. Par sécurité, Simon s'était coupé les cheveux et se laissait pousser la barbe. Le douanier lui rendit ses papiers après avoir estimé que l'homme devant lui était le même que sur la photo d'identité.

Simon prit un taxi qui le mena directement au centre-ville, cœur historique de Beyrouth. Le chauffeur le lâcha place de l'Étoile. Simon déambula dans le quartier de son enfance, ce qu'il n'avait pas eu le temps de faire lorsqu'il était venu assister aux funérailles de ses parents. Les sens en alerte, il happait des souvenirs. Son passé était imprégné d'histoire. Ses parents, Henri et Leila, avaient été tués en 1983, l'année des attentats du Hezbollah contre les casernes françaises et américaines qui firent plus de trois cents morts. Il avait quitté le pays à la fin de la guerre, en 1990. Il avait neuf ans.

En flânant au pied des nombreuses églises chrétiennes et des mosquées qui avaient poussé comme des champignons sur un terreau d'Orient et d'Occident, il se sentit à la fois chez lui et à l'étranger. Une sensation bizarre due à la ville même de Beyrouth. Celle-ci avait changé. Les boutiques de luxe et les enseignes des multinationales avaient remplacé les souks. Les tours modernes se dressaient au milieu des bazars. La capitale libanaise était un chantier permanent hérissé de grues. Les trottoirs grouillaient d'une population cosmopolite, les rues étaient embouteillées. Beyrouth avait des airs prospères de Riviera.

Il se présenta au siège de l'Église catholique syriaque, où personne ne semblait connaître Markus. Le père

Clément lui avait-il menti ? Sabbah y était peut-être allée trop fort avec lui. Pénétré de l'aphorisme selon lequel il est préférable de s'adresser au bon Dieu qu'à ses saints, Simon força la porte du patriarche Ignace Joseph III. Le vieil homme était penché sur un ouvrage encyclopédique. Il leva le nez, les lunettes et la toque sur Simon qui essayait de se débarrasser des griffes d'un secrétaire. Il fit signe au prêtre de se replier et invita le visiteur cavalier à s'avancer. Simon expédia les excuses et alla directement à l'essentiel :

– Où se cache Markus Kershner ?

– Pourquoi devrais-je répondre à cette question ?

Simon chassa la vision de Sabbah en train de saisir les parties génitales du père Clément et opta pour une autre méthode. Dire la vérité.

– Markus est en danger. Il est menacé par une secte messianique qui prétend que le Messie est revenu pour lever une armée.

– Je connais les théories de Markus sur les origines chrétiennes du Coran, le rôle fondateur de la Syrie, le retour du Messie attendu par une mystérieuse secte millénaire...

– Ce ne sont pas des théories.

– Ah bon ? Vous avez une preuve que le Messie est revenu, vous ?

– Oui. Elle est devant vous.

67

Simon ressortit du siège de l'Église après avoir sérieusement ébranlé le patriarche d'Antioche. Sans porter la main sur lui. Il avait fini par obtenir le renseignement sur Markus. L'église Saint-George était son point de chute à Beyrouth.

Il y avait deux églises Saint-George dans la ville. Mais celle mentionnée par le patriarche était peu connue et très peu fréquentée. Simon comprit pourquoi quand il parvint au bout d'une rue étroite bordée de bâtiments désaffectés et de portes murées. À première vue, l'église était à l'abandon. Les colonnades et les murs peints se dressaient majestueusement vers la voûte dénuée de toit. Des mauvaises herbes et des étais jaillissaient du sol crevé. Un échafaudage de planches de récupération était flanqué contre l'une des façades. Un homme en tunique cloutait un coffrage. Simon appela l'ouvrier, qui descendit par une échelle bancale pour venir à sa rencontre. Il avait la soixantaine, une barbe drue et un regard apaisant.

– Vous êtes tout seul pour rénover cette église ? s'étonna Simon.

– Qui d'autre s'intéresse à elle ?

– Markus.

– Vous le connaissez ?

– Il est l'ami de mon père qui vient de mourir. Je voudrais lui parler. Le patriarche Ignace Joseph III m'a dit que vous pourriez me renseigner.

– Cela fait longtemps que je ne vois plus Markus. Avant, il me donnait un coup de main sur le chantier. Plus maintenant.

– Pourquoi ?

– Il s'est radicalisé. Markus se sert de la religion comme d'une arme.

– Et vous ?

– Moi, c'est le contraire, je sers la religion.

– Vous n'avez aucune idée de l'endroit où il est ?

– Une idée, oui, mais pas une certitude.

– Dites toujours.

– À votre place, j'irais voir du côté de Notre-Dame, à Zahlé. Mais j'ai peur de vous envoyer là-bas pour rien.

– Qu'est-ce qui vous fait croire que Markus pourrait s'y trouver ?

– Si vous cherchez un fanatique chrétien comme l'est devenu Markus, c'est l'endroit.

– Pourquoi ?

– Monseigneur Youstinos Boulos Safar qui officie dans cette église a la réputation d'un homme très engagé lui aussi.

– Engagé dans quel sens ?

– Dans sa lutte contre les milices islamistes. Notre-Dame a d'ailleurs été la cible d'un attentat le mois dernier.

– Est-ce que l'attentat a été revendiqué ? lui demanda Simon.

– Pas à ma connaissance. Je suis désolé mais mon ciment va sécher.

Simon remercia le prêtre et décida de passer la nuit dans un hôtel du centre cerné par un marché coloré.

Il lutta contre l'envie de se coucher, écrivit quelques pages, sortit pour aller manger des rougets frits et un gâteau de semoule à la cannelle. L'effervescence de la ville le guida ensuite vers le quartier branché de Gemmayzé. Il but un Talisker dans un bar fréquenté par des jeunes fêtards et des couples amoureux. La solitude lui pesa à nouveau, comme à Paris. La ville renforçait cette sensation. À moins que ce ne fût l'absence de Sabbah qui l'éprouvait. En quittant le bar, il se dirigea vers la corniche, poussé par le besoin de marcher avant de s'allonger sept heures dans un lit.

Il traversait la rue John-Kennedy lorsqu'un fourgon noir s'arrêta pour lui couper le passage. La portière latérale glissa sur deux malabars qui le happèrent dans l'habitacle pendant qu'un troisième, jailli de l'avant, le poussait violemment. Pendant que le fourgon repartait sur les chapeaux de roue, ils lui bombardèrent une lumière dans la figure, un uppercut dans l'estomac et un godillot dans les reins. Collé au sol, Simon visa la lampe torche. D'un coup de talon, il les plongea dans le noir, roula sur le dos comme un chat, se recroquevilla comme un ver, déplia ses jambes comme une grenouille, se plaqua au plafond comme un gecko. Membres tendus, pieds et paumes en pression contre la tôle, il se maintint en équilibre au-dessus de leurs têtes. Les ravisseurs ne s'étaient pourvus que d'une seule lampe torche. D'un coup de pied, il leur avait fait perdre la vue. Contre trois aveugles, Simon avait ses chances. Au lieu de se taire, les trois malabars n'arrêtaient pas de jurer, ce qui lui permit de les situer facilement. Il gifla l'un d'eux, qui répliqua d'un direct dans la face du complice devant lui. Simon lâcha prise dans un virage pour atterrir sur les épaules du troisième sbire qui s'écrasa sous son poids. Il cisailla une paire de jambes, glissa comme un serpent vers la poignée et fit coulisser la porte au-dessus de la rue qui défilait très vite. Simon plia en arrière le pouce de la main qui l'agrippait, arrachant un cri de douleur, et sauta. La tête rentrée, replié en boule, il roula sur l'asphalte comme un hérisson chassé par un chauffard. Il se releva en entendant freiner le fourgon. Sous le regard ébahi des passants, il se mit à courir, sans direction précise pour éviter que ses poursuivants n'anticipent son trajet. Il maintint le rythme de sa course pendant dix bonnes minutes, puis ralentit pour reprendre son souffle. La douleur à l'estomac l'empêchait de réfléchir. L'uppercut avait du mal à passer. Que lui voulaient ces types ? L'interroger ? Le dissuader de retrouver Markus ? Le pousser à quitter le pays ? L'éliminer ? Il ne leur avait pas laissé le temps de formuler leurs sommations.

Simon vit des gens entrer dans une boîte de nuit, se mêla à un groupe, échoua sous un déluge de lasers et de décibels.

Résurrection de Michael Calfan.

Cerné par des garçons coiffés au gel et des filles aux cheveux fluo, Simon commanda une eau pétillante et se fondit dans les watts.

Paradise de Coldplay, remixé par Fedde le Grand.

Les notes électro produisaient des vibrations dans le sol qui remontaient dans ses jambes, le long de sa colonne vertébrale jusque dans son occiput.

La clientèle était en transe sur la piste de danse.

What the F*** de David Guetta.

Simon ressortit deux heures plus tard, le cerveau lessivé et la douleur anesthésiée.

68

L'autobus parvint à s'extraire de l'entrelacs de voies rapides et d'autoroutes qui ceinturaient Beyrouth pour monter en altitude. Malgré l'agression de la veille, Simon n'avait pas l'intention de quitter le pays. D'autant plus qu'il devait limiter les passages en douane, qui représentaient un risque.

Décidé à ne pas fuir, il irait au bout de sa quête de Markus dont les traces se prolongeaient dans la haute plaine de la Beqaa jusqu'à Zahlé, blottie sur les contreforts du mont Sannine.

Avec pour adresse une église touchée par un attentat.

Avec la Syrie toute proche.

Simon avait sauté dans un taxi pour l'aéroport et payé la course à mi-chemin avant de descendre du véhicule au détour d'un virage et de prendre le bus collectif à la station

Cola. Ceux à qui il essayait de faire croire qu'il quittait le pays ne devaient pas se douter qu'il allait à Zahlé.

Il était assis à côté d'un homme agrippé à une canne qui trahissait une infirmité car la vieillesse ne l'avait pas encore marqué. Prenant Simon pour un touriste, le Libanais vanta sa ville natale, réputée autant pour son vin que pour les nombreux poètes et chanteurs qui en étaient issus. Il se prénommait Elias.

– À Zahlé, mon ami, tu goûteras aux meilleurs mezzés du Liban arrosés de Massaya, et tu deviendras poète à ton tour.

Simon orienta la discussion sur l'église Notre-Dame qui, selon le prêtre beyrouthin, avait été la cible d'un attentat le mois dernier. Elias éluda le sujet. Il préférait louer Zahlé que l'associer à l'actualité conflictuelle de son pays.

– Tu n'as jamais entendu parler de Najwa Karam, la chanteuse ?

– Et vous, connaissez-vous Youstinos Boulos Safar, l'évêque ?

– Najwa Karam a lutté pour la paix, tu sais ça ?

– Je dois rencontrer monseigneur Safar, insista Simon.

– Shakira, tu la connais quand même ? *Waka Waka* ?

– Oui, je la connais.

– Et tu savais qu'elle était originaire de Zahlé du côté de son père ?

Manifestement, Simon ne pourrait rien en tirer. À leur arrivée, Elias proposa de l'accompagner jusqu'à la zone industrielle dans laquelle était située l'église Notre-Dame. En chemin, le Libanais l'invita à s'arrêter dans l'un des cafés qui longeaient la rivière Nahr el-Berdawni afin de goûter au vin local. Simon avait la sensation qu'Elias essayait de le détourner de son but. De l'empêcher de rencontrer Boulos Safar.

– Je dois y aller, dit-il après avoir vidé son verre.

Elias sirota le nectar local avant de se mettre à fredonner :

– « Il y avait une terre et il y avait des mains bâtissant sous le soleil et dans le vent, et il y avait des maisons et des fenêtres, fleurissant, et il y avait des enfants avec des livres dans leurs mains, et en une nuit la fureur se répandit dans les maisons. »

Trois hommes pénétrèrent dans le café et se dirigèrent vers eux. Simon se contracta, prêt à réagir.

– C'est une chanson de Fairouz, précisa Elias, tirée d'un poème de Saïd Akl, originaire de Zahlé...

Le trio s'abattit sur Elias, qui se retrouva immobilisé et muselé. Simon effectua un mouvement de recul en direction de l'issue de secours qu'il avait repérée en entrant.

– Il est bavard comme une pie, lui lança un des hommes. Si vous ne l'arrêtez pas, vous y serez encore ce soir.

Ils lâchèrent Elias pestant contre ses amis qui venaient de lui jouer un tour.

– J'aurais pu vous tuer d'un coup de canne ! s'exclama-t-il.

Simon profita de la diversion pour s'éclipser et retrouver le chemin de la zone industrielle. Un vendeur ambulant le remit dans la bonne direction. À nouveau perdu, il dut demander son chemin à un groupe d'enfants qui se disputait un ballon puis à un dealer qui lui proposa du cannabis.

L'église Notre-Dame ne lui apparut qu'au dernier moment. Elle se dressait discrètement dans l'alignement d'une rue tranquille, du moins quand on ne venait pas y faire sauter des bombes. La porte avait été soufflée par une explosion qui avait laissé un trou béant sur la nef abîmée.

Assise sur le trottoir d'en face, une vieille femme regarda Simon s'introduire dans l'église.

Des chaises avaient été apportées dans la nef pour remplacer les bancs détruits par le souffle. L'autel était sérieusement endommagé. Si le sol n'avait pas été nettoyé, on aurait cru l'endroit désaffecté.

Un petit bruit électronique le fit se retourner sur un homme à moitié caché par un pilier. L'intrus escamota son téléphone portable et s'éloigna. Simon s'assit pour réfléchir à la situation. Allait-il attendre que l'évêque se pointe dans son église ? Quelques minutes s'écoulèrent avant qu'il ne se décide à sortir. La vieille femme était toujours là, figée sur sa chaise. Elle le renseigna sur l'attentat avant qu'il ne lui demande quoi que ce soit.

— Une bombe de deux kilos de TNT, vous vous rendez compte ? déclara-t-elle.

— Il y a eu des victimes ?

— Vous êtes journaliste ?

— Non.

— Agent secret ?

— Non, pourquoi, vous en voyez beaucoup par ici ?

— Ils ne vous donnent pas leur carte de visite d'habitude, mais j'en ai vu passer, des gens en costume et en uniforme, depuis l'attentat ! L'explosion n'a pas emporté que la porte de l'église. Les voitures garées devant et le mobilier à l'intérieur ont été démolis. Mais il n'y a pas eu de victimes. Dieu a su protéger les siens contre le diable.

— Quel diable a pu engendrer un tel acte ?

— L'attentat n'a pas été revendiqué, mais j'ai mon avis sur la question.

— Quel est-il ?

— Vous êtes sunnite ?

— Non, désolé.

— Vous n'avez pas à l'être. L'attentat est un coup des sunnites. Mais monseigneur Safar n'est pas du genre à se laisser impressionner, sauf par notre Seigneur Tout-puissant. Il continue de célébrer la messe du dimanche.

— Où est-ce que je peux le rencontrer ?

— Êtes-vous membre de la paroisse ?

— Non.

— Monseigneur Safar ne descend à Zahlé que pour y tenir la messe. Depuis l'attentat, il reste au monastère.

— Quel monastère ?

Elle remua un bras arthritique en direction du mont Sannine.

— Plus précisément ?

— Vous êtes sûr que vous ne lui voulez pas de mal ?

— Est-ce que j'ai l'air d'un sunnite ?

— Prenez la route de Baalbek et vous tomberez sur le monastère. Mais faites attention à vous, la région n'est pas sûre pour les étrangers.

— À quoi dois-je faire attention ?

— Vous êtes cycliste ?

— Non, pourquoi ?

— Il y a trois semaines, sept cyclistes estoniens ont été enlevés par des hommes armés. Êtes-vous estonien ?

— Pas plus que cycliste.

— Que Dieu vous garde.

— On sait ce qu'ils sont devenus ?

— Ils sont séquestrés quelque part dans la vallée en attendant qu'on les libère.

— Un coup des sunnites ?

— Zahlé est une ville chrétienne, jeune homme. Cela ne plaît pas aux fondamentalistes. Alors qui que vous soyez, je vous conseille seulement de surveiller vos arrières et de ne pas oublier vos prières.

Simon remercia la vieille femme prolixe, marcha jusqu'à la route principale et tendit le pouce. Persuadé d'avoir semé ses poursuivants, il ne pensa plus à se méfier.

Une demi-heure plus tard, un pick-up s'arrêta pour le faire monter.

Avec un type louche au volant.

69

Le chauffeur s'appelait Mika, « comme le chanteur », claironna-t-il. Il était cultivateur et fumait un joint en tenant le volant avec ses genoux. L'air suspect que lui avait trouvé Simon en prenant place sur le siège passager provenait de son regard défoncé par deux pupilles dilatées. Un nuage parfumé se répandait dans l'habitacle déjà saturé par une musique techno aux accents arabisants. *Habibi.*

— Musique libanaise ? demanda Simon pour maintenir le chauffeur au niveau de conscience nécessaire pour rester collé à la route.

— Le groupe est allemand, cousin. Enfin, l'une des chanteuses au moins, l'autre est algérienne je crois. Si tu les voyais, toutes les deux, au bord de la route, t'hésiterais pas à les prendre en stop, crois-moi.

Simon baissa la vitre pour éviter que la fumée ne supprime toute visibilité. Mika lui tendit son joint mal roulé. Simon déclina pour se concentrer sur la chaussée, comme si cela pouvait servir à éviter l'accident.

— Tu cherches quoi, cousin, dans ce coin, du haschisch ?

— Un monastère.

— Comme le haschisch, c'est pas ça qui manque.

— Vous avez une idée de l'endroit où se trouve le monastère le plus proche ?

— *Habibi !*

Le type fusionnait avec sa musique.

— Ça veut dire : «Je t'aime!» Ça peut servir, cousin.

Mika balança un clin d'œil qui fit frémir son passager car la route s'écarta de la trajectoire du véhicule. Simon saisit le volant pour éviter l'embardée.

— Les plantations de cannabis, je saurais te dire où en trouver, mais les monastères...

— Des plantations de cannabis?

— *Habibi!* Le cannabis, c'est la culture locale, cousin! Autant que la religion et le pinard.

Il tira sur son cône et fixa l'asphalte comme s'il découvrait qu'il était en train de conduire.

— Pas loin, il y a une communauté qui vit un peu à l'écart. Ils ont des discours religieux.

— Des discours de quel ordre?

— La fin du monde, le retour du Messie, ce genre de conneries.

— Vous pouvez m'y déposer?

— C'est pas sur le bord de la route. Tu devras crapahuter, cousin, sur un bout de chemin.

Quelques kilomètres plus loin, Mika s'arrêta à la naissance d'un sentier. Il lui désigna avec son joint la vitre du côté passager.

— C'est tout droit. Tu passes les chèvres et les cailloux et quand tu tombes sur un portail, c'est là. Bonne chance, cousin.

— Merci pour le transport.

— Si tu vois le Messie, transmets-lui mes amitiés.

70

Simon parcourut des pâturages rocailleux pendant une dizaine de minutes. Des troupeaux paissaient sous la surveillance nonchalante de bergers enturbannés. Quelques chiens aboyèrent sur son passage. Il suivit le sentier de terre qui se terminait par une propriété. Une grosse ferme à flanc de coteau, entourée de vignes et de quelques chèvres.

Il se posta devant un portail rouillé et tira sur une cloche qui réveilla un chien. Une femme en robe noire traîna les pieds vers lui en l'informant qu'il était sur une propriété privée. Elle affichait un air méfiant sur un regard serein. Une drôle de tête.

— Je souhaiterais m'entretenir avec monseigneur Safar.

— À quel sujet ?

— Markus.

— C'est un sujet, ça ?

— C'est le prénom d'un ami qui appartient à votre communauté, tenta Simon.

— Monseigneur n'est pas disponible.

— Je vais attendre qu'il le soit, dit Simon.

— Vous n'avez pas le droit de rester ici.

— Je sais, c'est privé.

— C'est surtout dangereux.

— Dangereux ?

Elle sortit un pistolet automatique.

— Parce qu'on peut vous tirer dessus.

Simon recula. Il avait oublié qu'il était au Liban.

— Écoutez, je viens de loin pour parler à Markus. Et je sais qu'il est en contact avec monseigneur Safar.

– Qui me prouve que vous êtes un ami de ce Markus ? objecta la femme en libérant la sécurité de son arme pointée sur le visiteur.

– Il m'a filmé en train de traverser la porte du Messie.

C'était comme s'il avait foudroyé la gardienne en robe noire. Elle se signa avec le canon de son arme, bredouilla quelque chose et disparut.

Quelques minutes plus tard, un homme, en robe noire lui aussi, s'avança. Il avait des cheveux jaunes coupés court et un nez pointu supportant une paire de lunettes rondes. Il ressemblait à un fou de Bassan arraché à une nappe de pétrole.

– Qui êtes-vous ? demanda-t-il.

– Je suis un ami de Markus.

Le religieux regarda par-dessus l'épaule de Simon.

– Êtes-vous seul ?

– Êtes-vous monseigneur Safar ?

– Avez-vous été suivi ?

– Faudra-t-il encore répondre à beaucoup de questions pour avoir le privilège de franchir le seuil de votre maison ?

Le religieux ouvrit le portail et guida Simon vers le bâtiment principal de la ferme. Une fois à l'intérieur, son comportement changea radicalement, ainsi que celui de la gardienne. Métamorphosée en domestique docile, elle posait des verres sur la table basse d'un salon rustique.

– Qu'est-ce qui vous amène à moi ? demanda le religieux, avouant par là même être Youstinos Boulos Safar.

– Markus Kershner.

– Je vous offre un peu de vin ?

Face à l'hésitation de Simon, il insista.

– C'est dans cette région que furent fabriqués les premiers vins. Huit mille ans avant Jésus-Christ ! Cela devrait vous intéresser en tant que Français.

– Qui vous a dit que j'étais français ?

L'évêque servit Simon.

– Saviez-vous que Noé devint vigneron après avoir été capitaine de l'arche du Déluge ?

– Je sais également qu'il but du vin de sa vigne, s'enivra et dansa tout nu dans sa tente.

– Vous avez donc lu la Genèse.

– Qui vous a dit que j'étais français ? répéta Simon.

Était-ce dans les usages du pays ou bien cela venait-il de lui ? Les gens de la région ne semblaient pas entendre ses questions.

– Ce qui n'est pas dit dans la Bible, continua l'évêque, c'est que l'arche de Noé se serait échouée sur le mont Sannine et non sur le mont Ararat à l'est de la Turquie. La tombe du patriarche se trouve à la sortie de Zahlé. Dans la mosquée de Kerak exactement.

– Pour la troisième fois, qui vous a dit que j'étais français ?

– Markus.

71

– Qui est vraiment Markus ? demanda Simon.

– Il est un membre dissident de notre ordre.

Selon l'évêque, Markus était un prêtre orthodoxe syriaque radical. Un électron libre qui changeait réguliè-rement d'identité et de paroisse depuis que sa tête avait été mise à prix par le Hezbollah, le Hamas et les services secrets saoudiens. Il vivait caché dans la région.

– Peut-être l'avez-vous rencontré en venant ici, déguisé en soldat, en chauffeur de taxi ou en berger coiffé d'un keffieh palestinien.

– Markus n'est pas son vrai nom, je suppose.

– Déduction élémentaire.

– Quel est-il ?

– Pour sa sécurité, je ne peux pas vous le révéler, même si je le savais.

– Vous croyez que je vais aller le hurler sur les toits ?

– Non, mais je suis sûr que vous le hurlerez sous la torture.

Simon but une gorgée de vin pour évacuer l'adréna-line qui affluait dans ses veines. Il avait de plus en plus soif.

– Markus s'est présenté à moi comme un ami de mon père, dit-il. J'ai découvert plus tard qu'ils menaient tous les deux des recherches sur les origines du Coran et de La Mecque.

– Une noble cause.

– Qui a entraîné la mort de mon père et la disparition de Markus.

– Markus a fait des origines chrétiennes du Coran une obsession. Il a passé une bonne partie de sa vie à en réunir les preuves.

– J'ai rencontré un homme à Paris, dit Simon, qui a évoqué ces preuves...

– Qui est cet homme ? le coupa Safar.

– Il ne s'est pas présenté. Il m'a seulement informé qu'il serait toujours derrière moi pour me protéger de ceux qui m'empêcheraient de réunir ces preuves.

– Est-il derrière vous aujourd'hui ?

– Je crois que j'ai semé tout le monde.

– C'est quand on croit ça que c'est le plus dangereux.

– Combien de preuves existe-t-il ?

– Cinq, selon Markus. Les inscriptions du dôme du Rocher en sont une. Elles constituent un Coran de pierre plus ancien que le Coran de papier. C'est la preuve la plus flagrante que le Coran a été écrit par des chrétiens.

– Je suppose que l'ancienne carte de Syrie en est une autre, dit Simon.

– Vos investigations n'ont pas été vaines.

– Quelles sont les autres preuves ?

– Êtes-vous prêt à recevoir la vérité ?

– Mon père estimait que je l'étais. Il m'a légué les résultats de ses recherches qui m'ont été volés avant que j'aie pu en prendre connaissance.

– Encore un peu de vin ?

Simon accepta.

– Pour comprendre quelle est la troisième preuve, il faut partir du commencement. À l'origine, le Coran fut un simple lectionnaire chrétien utilisé par la communauté des nazôréens pour évangéliser l'Arabie.

– C'est ce que j'ai cru comprendre.

– Le Coran est ce que son nom dit qu'il est. Traduit à partir du syriaque, « Coran » signifie « lectionnaire ». C'est-à-dire une anthologie de passages tirés de livres saints préexistants et adaptés à la lecture liturgique. Ce que confirment certaines sourates.

L'évêque se leva et alla chercher un exemplaire du Coran en bonne place dans sa bibliothèque. Il l'ouvrit à la douzième sourate et souligna du doigt les deux premiers versets :

« Nous l'avons fait descendre comme un lectionnaire arabe, afin que vous puissiez comprendre »

L'évêque leva les yeux sur la gardienne-domestique venue poser devant eux un assortiment de petits plats. Il piqua un morceau de pain pita et se tourna vers Simon pour continuer son explication la bouche pleine.

– Si «lectionnaire» est le nom qu'on lui a donné, c'est qu'on voulait qu'il soit compris comme tel, à savoir un livre liturgique avec des textes empruntés à l'Ancien et au Nouveau Testament. Saisissez-vous la conséquence d'une telle donnée ?

– Je saisis que le Coran n'est pas une révélation immédiate.

– Ce livre ne prétendait pas remplacer la Bible ni offrir une alternative à celle-ci, mais seulement en fournir une version intelligible aux Arabes de l'époque.

– L'évangélisation de l'Arabie étant un moyen pour les nazôréens de reconquérir Jérusalem. Vous ne m'apprenez rien, là.

– Ne vous impatientez pas et laissez-moi finir. J'ai trop peu l'occasion de raconter la véritable histoire du monde.

– Je vous écoute... si votre histoire conduit à Markus.

– Les nazôréens étaient des stratèges, pas des prosélytes. Ils savaient que, sans l'aide des tribus arabes, ils ne parviendraient jamais à reprendre Jérusalem. Et surtout à la garder pour préparer le retour du Messie et faire advenir l'ère messianique qu'ils attendaient tant. Ils s'allièrent les Arabes au nom d'une descendance d'Ismaël et étendirent à eux les promesses de domination universelle. Prenez un mezzé !

Simon se servit sans un mot. Après tout, il n'était plus à cinq minutes près.

– Après leur défaite en 629, continua l'évêque, les nazôréens et les troupes arabes en déroute se regroupèrent à Yathrib et se soudèrent autour du Coran. En 638, quatre ans après la mort de Mahomet, le calife Omar parvint à entrer dans Jérusalem. Il fit déblayer l'esplanade et bâtir un «cube» en bois là même où avait été jadis bâti le temple de Salomon. Le calife s'appropria la doctrine des nazôréens, qui devint officiellement l'islam, et effaça leurs traces, à l'exception des inscriptions du dôme du Rocher.

— Le problème, c'est que, dès le début, les auteurs du Coran se sont inspirés de textes religieux existants pour l'inscrire dans un projet politique.

— Et surtout dans une stratégie militaire! renchérit Safar. Imaginez *L'Art de la guerre* comme livre fondateur d'une religion. Sauf que le Coran n'a pas été pensé par Sun Zi mais par Waraqa.

— Le cousin de la première femme de Mahomet?

— Certains historiens estiment qu'il était même un cousin de Mahomet. Ou même des deux, ce qui était fort possible. Waraqa, de la tribu arabe des Quraychites, embrassa le judéo-nazaréisme avant l'apparition de l'islam et devint prêtre judéo-nazaréen! Il renforça donc le lien entre les deux peuples.

— Waraqa, auteur du Coran?

— Vous voyez que j'arrive à vous étonner! se réjouit l'évêque.

Simon était tout ouïe.

— Waraqa a joué un rôle tellement important dans son élaboration qu'il n'a pu être effacé de l'histoire officielle.

— Est-ce là la troisième preuve?

— La mort d'un auteur met généralement un terme à la production de son œuvre. Et la mort de Waraqa coïncida avec la fin de l'écriture du Coran.

— Une conjecture n'équivaut pas à une preuve.

— C'est tout ce qui nous reste car la preuve a été détruite.

Le religieux se leva pour aller se poster face à la fenêtre et fixer le dehors, les mains croisées dans le dos. Il s'expliqua en s'adressant à la vitre :

– En l'an 2000, les services secrets syriens ont eu vent de l'existence de manuscrits compromettants pour l'islam. Il s'agissait de lettres diplomatiques émises au VIIe siècle par les nazôréens demandant l'appui des tribus arabes pour délivrer Jérusalem. La plupart d'entre elles étaient rédigées par Waraqa en personne. Une lettre mentionnait le nom de Mahomet comme l'un des chefs de tribu sollicités. Les Syriens finirent par apprendre que ces manuscrits épistolaires étaient conservés dans l'une des nombreuses cavernes creusées dans les falaises de la vallée de Bamiyan en Afghanistan.

– Là où se trouvaient les sculptures des bouddhas géants ?

– Une communauté de moines bouddhistes vivait sur place. En apprenant l'existence des manuscrits, les talibans les ont chassés et ont fouillé les grottes, en vain. Ne souhaitant pas prendre le risque que la Syrie les découvre, ils ont bombardé intensivement les bouddhas géants pendant le mois de mars 2001. Espérant ainsi détruire les lettres diplomatiques sur lesquelles ils n'avaient pas réussi à mettre la main.

– *Exit* donc la troisième preuve.

– À moins que les moines aient déplacé les lettres avant d'être expulsés.

– Les autres preuves aussi ont été détruites ?

– La quatrième serait un Coran d'avant le Coran. Le Codex Coranicum.

D'après l'évêque, les lectionnaires dont le calife Uthman s'était inspiré pour faire rédiger la version que l'on connaît aujourd'hui n'avaient pas tous été détruits. Il demeurerait aujourd'hui un codex datant du VIIe siècle, écrit en syriaque et donc antérieur à Mahomet. Selon certaines sources, il n'aurait jamais quitté la Syrie.

— La Syrie, là où tout commence.

— Pardon ?

— Markus a-t-il retrouvé le Codex Coranicum ?

— Peut-être.

— Passons à la cinquième preuve.

— Des gens sont venus ici pour me poser des questions sur Markus. Ils cherchaient une vidéo qu'il aurait réalisée devant la porte du Messie. Je pense qu'il s'agit de la cinquième preuve.

— Qui étaient ces gens ?

— Les services secrets libanais, le Hezbollah et d'autres qui n'ont pas jugé bon de décliner leur identité.

— Que leur avez-vous dit ?

— Que Markus n'appartenait plus à notre ordre religieux.

— Vous avez vu cette vidéo ?

— Non.

— L'attentat perpétré contre votre église à Zahlé le mois dernier est-il lié à Markus ?

— J'ai pris cela comme un avertissement.

— Un avertissement pour que votre communauté prenne ses distances avec lui ?

— Vous comprenez vite.

Un homme au crâne dégarni et à l'allure pusillanime entra dans la pièce en compagnie de la femme en blouse noire. Ils s'entretinrent avec Safar en aparté. L'évêque gagna la porte et se retourna sur le seuil pour s'adresser à Simon :

— J'ai la conviction que la cinquième preuve repose sur vous. Excusez-moi, je n'en ai que pour quelques minutes.

72

La femme en robe noire réapparut. Simon lui demanda un verre d'eau car les mezzés avaient enflammé sa gorge. Elle lui rapporta une carafe.

– Monseigneur Safar n'en a plus pour longtemps, dit-elle.

Une minute plus tard, l'évêque était de retour.

– Vous devriez partir, conseilla-t-il.

Simon s'étonna de ce revirement. Le religieux l'informa que deux policiers s'étaient présentés au portail. Ils étaient à sa recherche.

– Je les ai orientés sur Baalbek.

Simon se leva et le remercia pour l'avance qu'il venait de lui octroyer sur ses poursuivants.

– S'impliquer dans cette affaire, c'est s'engager dans une guerre qui est menée depuis des siècles, l'alerta le religieux.

– Quelle guerre ?

– Savez-vous pourquoi les islamistes portent la barbe ?

– Quel rapport ?

– À l'instar des zélotes, ils ont fait serment de ne pas se raser tant que les infidèles n'auront pas été chassés jusqu'au dernier.

Youstinos Safar laissa sonner les cinq coups de l'horloge qui trônait entre deux piles de missels avant de continuer.

– Le salut proposé par ce lectionnaire très particulier que constitue le Coran passe par une transformation de la société et du monde, et non plus par une conversion intérieure et spirituelle. Quand vous aurez compris cela, vous aurez compris l'esprit du Coran. Il s'agit de séparer le bien du mal non pas en chaque individu, mais sur Terre, étant entendu que le mal est tout ce qui est contre Dieu. Aujourd'hui, ce point de vue demeure plus que jamais celui de l'islam, religion qui divise le monde en terre musulmane et en terre à conquérir.

– Dites-moi simplement comment retrouver Markus.

– Le Coran est un grimoire dont l'écriture et les formules mystérieuses ont l'art de transformer n'importe quel être frustré en assassin. Markus est un être frustré qui s'est trop penché sur le Coran.

– Insinuez-vous qu'il est un assassin ?

– En tout cas, il pourrait le devenir.

– Où est-il ? insista Simon.

– Qui êtes-vous vraiment ? demanda l'évêque.

– Pourquoi me demandez-vous ça ?

– C'est vous que Markus a filmé en train de franchir la porte du Messie, n'est-ce pas ?

– Vous allez me prendre pour le Messie, vous aussi ?

– Je ne suis pas qualifié pour en juger.

Simon en avait assez entendu. Il se leva et se dirigea vers la sortie.

– Attendez ! le rappela l'évêque. On m'a informé qu'une Mercedes rouge était stationnée au bout du chemin. Si j'étais vous, je ne prendrais pas cette direction. Je vous accompagne.

L'évêque examina Simon de la tête aux pieds :

– Il faut d'abord vous changer. Avec ces habits, vous êtes repérable.

Le religieux demanda à la domestique de procurer à son hôte des vêtements qui lui permettraient de se fondre dans le paysage. Elle lui rapporta une paire de sandales ainsi qu'un short et une tunique en lin.

Après s'être changé, Simon vit disparaître ses vêtements dans les bras de la servante.

– Ce troc est en votre faveur, constata-t-il.

– Est-ce que vous comptabilisez votre vie dans la balance ? demanda Safar.

Ce dernier lui tendit un keffieh.

– En bonus, dit-il.

– Ça lui va bien, commenta la femme.

– Nous avons perdu assez de temps, lança l'évêque. Partons tout de suite.

Simon rafla son sac et suivit son hôte qui sortit par-derrière. Ils traversèrent une basse-cour et un champ de betteraves puis marchèrent pendant une vingtaine de minutes en direction de l'est, à travers des vignes.

– J'ignore où est Markus, déclara le religieux.

Il s'arrêta sous un figuier en bordure d'un pâturage et plongea la main dans sa poche. Il en ressortit une boussole qu'il confia à Simon.

– Mais si vous continuez vers l'est, vous aurez une chance de le croiser. Il vous verra avant que vous ne le voyiez et ne se manifestera que s'il le souhaite. Je vous rappelle que Markus est un fugitif. Cette boussole est la seule façon d'entrer en contact avec lui.

– Et si je ne rencontre personne ?

– Vous vous retrouverez en Syrie.

– Belle perspective !

– J'ignore quel lien il y a entre vous, mais seul Markus pourra vous dire ce qui s'est réellement passé à la porte du Messie. Bonne chance, Simon.

Youstinos Boulos Safar se retourna et disparut entre deux rangées de raisins.

73

Simon marcha plus d'une heure. Il croisa des moutons, des chèvres, deux bergers, un homme sur une charrette tirée par un âne, un gamin courant derrière un chien. Comparée à Beyrouth, la campagne libanaise ressemblait à un bout du monde paisible et intemporel.

Le soleil déclinait au-dessus des collines. Simon jeta à nouveau un œil sur la boussole pour garder le cap à l'est. En relevant la tête, il distingua un mouvement dans un pré. Par réflexe il fit un pas de côté et se dissimula derrière un arbre. Un animal jaillit d'une gerbe d'herbes hautes et bondit sur lui. Au dernier moment, l'animal le contourna pour gagner les jambes d'un homme qui se tenait dans son dos. Le visage de celui-ci était mangé par une barbe et un turban, son dos arqué sur une canne.

— Vous m'avez fait peur ! s'exclama Simon.

L'homme se mit à rire. Sa main droite était brûlée.

— Markus ? fit Simon, incrédule.

— Ah quand même ! s'exclama l'homme en se redressant.

Il fit tournoyer sa béquille comme un bâton de majorette et ôta son keffieh. Simon n'en croyait pas ses yeux.

— Un foulard, une canne, et ça y est, tu ne me reconnais plus ! s'étonna Markus.

Ce dernier se jeta sur Simon pour le serrer dans ses bras et l'embrasser chaleureusement.

Simon ne savait pas par quelle question commencer. Markus le prit donc de vitesse :

— C'est Youstinos qui t'a mis sur ma piste ?

— Oui, mais...

— C'est qu'il doit avoir confiance en toi alors. C'est bien.

– Que s'est-il passé, Markus ?

– Quand ? Où ? Au VIIᵉ siècle en Syrie ?

– Il y a deux semaines à Jérusalem.

– Tu étais tellement soûl.

– Markus, tu as disparu d'un coup sans prévenir, tu as été cambriolé et...

Simon s'interrompit. Il avait entendu du bruit.

– Ne t'inquiète pas, dit Markus. Les soldats, les barbus et les agents gouvernementaux se risquent rarement dans le secteur.

Le chien, qui gambadait autour d'eux, se mit à aboyer.

– Depuis le début, je savais que tu étais différent des autres, affirma Markus.

– De quoi tu parles ? Quel début ?

– Tu n'avais pas deux ans que déjà tu marchais, tu parlais, tu communiquais avec les animaux. Tu avais ce don de deviner à chaque fois quelle main contenait un bonbon.

– Comment sais-tu tout ça ?

– Je t'ai vu sur la vidéo, Simon. Tu as traversé la porte du Messie.

– Chut !

Les sens en alerte, Simon essaya de situer d'où venait le léger craquement de broussailles qu'il avait perçu et qui se rapprochait d'eux.

– Il n'y a personne, le rassura à nouveau Markus, à part des chèvres et des moutons.

Comme pour lui démontrer qu'il avait raison, il écarta les bras et tourna sur lui-même en clamant : « Il n'y a que Dieu qui nous observe, ici ! »

Au-dessus de son sourire rayonnant, une balle traversa son crâne et effaça son regard pétillant. Markus s'écroula dans la poussière.

Simon s'écrasa au sol juste avant d'entendre un projectile siffler au-dessus de lui. Le chien aboya avant d'être foudroyé à son tour. Simon rampa jusqu'à son ami sans vie. Il le fouilla en espérant trouver une arme ou une réponse. Sa main ne rencontra qu'un Coran. Il s'en empara, recula à quatre pattes, se redressa à l'abri des ceps de vigne, ramassa une pierre, qu'il lança dans la direction opposée à celle qu'il emprunta, dos courbé, avec la peur d'être fauché par une balle à n'importe quel moment. Il gagna une lisière noyée dans l'ombre de la colline, pénétra un bois sans ralentir, pulvérisant brindilles et branches mortes sur son passage.

Il courut encore et encore.

Jusqu'à ce qu'il s'effondre.

74

À quatre pattes, Simon vomissait ses tripes. Il s'essuya d'un revers de manche et reprit sa marche vers le sommet, qu'il franchit au ralenti. Il dévala l'autre versant en se laissant gagner par la vitesse, trébucha, se déchira les mains, aperçut une route.

Embusqué sur le bas-côté, il reprit son souffle et perçut le moteur d'un véhicule. Une Mercedes rouge. Il resta invisible à son passage, ne risquant qu'un regard pour apercevoir deux hommes à bord. Quelques minutes plus tard, un vieux pick-up approcha. Simon jeta un œil par-dessus son épaule. Les assassins de Markus qui ratissaient la colline dans son sillage ne tarderaient pas à le rattraper.

Il bondit sur la chaussée et se planta devant la camionnette. Celle-ci dut freiner brusquement pour ne pas lui rouler dessus. Le conducteur balança un flot d'injures que Simon para en agitant ses derniers dollars.

– Où est-ce que vous allez ? demanda l'homme, amadoué.

– Comme vous, répondit Simon en prenant place à ses côtés.

– Je vais à Ham.

Confondant la réponse avec un raclement de gorge, Simon attendit une suite qui ne vint pas. Il estima donc que sa destination s'appelait Hum.

– C'est loin ?

– Au bout de la route.

– Cela me va.

L'homme redémarra dans un concert de grincements. Simon crut apercevoir des scintillements métalliques aux abords de la route. Les tueurs l'avaient-ils vu monter dans le pick-up ? Il s'enfonça dans son siège, ferma les yeux et essaya d'évacuer le stress et la fatigue.

Après avoir récupéré un rythme cardiaque normal, il ouvrit le Coran de Markus. L'ouvrage était personnalisé par une dédicace en anglais qui le stupéfia :

To the Chaldean,
to his struggle, his devotion, his teaching.
May you do justice one day to the real authors of this Book.
Oussama.
P. S. The Chaldean can'T FAIL[1] *!*

---

1. « Au Chaldéen, à son combat, son dévouement, son enseignement. Puisses-tu rendre justice un jour aux véritables auteurs de ce Livre. Oussama. P. S. Le Chaldéen ne peut PAS ÉCHOUER ! »

Simon ouvrit sa besace et ressortit avec fébrilité le livre de René Dussaud sur lequel Paul avait écrit une dédicace à l'attention de son père biologique :

À Henri,
À notre amitié,
au Chaldéen qui nous a tout appris
et à la Syrie qui a tout à nous apprendre.
Paul

Le Chaldéen était cité dans les deux dédicaces. Il faisait le lien entre Henri, Paul, Markus et un certain Oussama.

Simon leva les yeux sur le chauffeur qui l'épiait et sur le paysage vallonné coupé en deux par un étroit ruban gris, avant de reporter son attention sur le Coran entre ses mains. Si Markus était en possession de cet exemplaire, il était probable qu'il fût le destinataire de la dédicace et donc le Chaldéen qui aurait tout appris à Paul et à Henri. Il devait être aussi une de leurs relations intimes car il connaissait Simon depuis son plus jeune âge.

Il feuilleta les pages du Coran, en quête d'un autre indice. Certains versets étaient soulignés. Les numéros correspondaient à ceux de la liste trouvée dans le carnet de Paul.

Markus était-il aussi monsieur X ?

– Vous êtes un religieux ? demanda le conducteur.

– Pourquoi me demandez-vous ça ?

Il désigna le Coran sur les genoux de Simon.

– Non. Mais la religion m'intéresse.

– Là où on va, la population est en majorité chrétienne.

– Vous habitez à... Hum ?

– À Ham ? Non, j'y livre des bouteilles de gaz que j'ai chargées à Baalbek. J'habite à Khraibe, cela se trouve avant Ham. Et vous ?

– Un peu partout, au Liban, en Thaïlande, en France...
– En France ? J'y ai habité un an. Du côté de Lyon.
J'étais chauffeur routier. Mais j'ai dû revenir au pays. À
cause du froid et des radars. Ils m'avaient enlevé tous les
points du permis. Les flics, ils vous prennent pour cible
avec leurs lasers.

– Ici, c'est avec des fusils à lunette qu'ils vous visent.

Simon était désemparé. Tout ce temps, ces efforts et
ces risques pour voir Markus mourir devant lui. Il n'avait
plus d'objectif, se retrouvait face à un abîme, talonné
par des gens qui voulaient le pousser dans le vide. Paul,
Henri et Markus morts, il ne restait plus que le mystérieux
Oussama.

Et la Syrie dont il se rapprochait à grande vitesse.

La Syrie où tout commençait.

Oussama se terrait-il quelque part dans ces collines, à la
frontière libano-syrienne ?

– Je m'appelle Zafer, dit le chauffeur en lui tendant une
main qu'il venait de décoller du volant.

Une ville apparut à l'horizon.

– Quel est le meilleur endroit pour se planquer dans la
région ? demanda Simon.

– La région entière est une planque ! Pourquoi ? Vous
cherchez à vous cacher ?

– Je cherche quelqu'un qui se cache.

– De qui ? Des Libanais ou des Syriens ? Parce que ce
n'est pas pareil. Si on veut être hors de portée des Syriens,
il vaut mieux choisir Ham, car la route ne va pas plus loin.
Il est impossible de gagner la Syrie en voiture à partir de là.
Vous êtes obligé de revenir sur Zahlé. Je ne vous explique
pas le détour.

– Par contre, à Ham on est à la merci des Libanais.

– Comme dans un cul-de-sac.

Il entra dans le village en ralentissant. L'homme comptait faire une halte.

— Je dois passer voir quelqu'un, j'en ai pour cinq minutes.

— Qui ? se méfia Simon.

— Mon frère, je lui apporte des médicaments.

— De quoi souffre-t-il ?

Le chauffeur hésita avant de répondre.

— Il est comme... possédé.

— Quels médicaments lui donnez-vous ?

Zafer lui montra une boîte de cachets d'aspirine périmés.

— Je peux voir votre frère ?

Simon le suivit jusqu'à une maisonnette. Un vieillard était assis sur les trois planches qui tenaient lieu de véranda. Son regard était nerveux. Il tapait du pied et serrait un bâton dans ses mains. Zafer présenta Simon à son père et à sa belle-sœur Nadine, qui avança sur le perron.

— Mon mari est prostré depuis des jours, expliqua-t-elle.

— Vous êtes un espion israélien ! cria le vieillard en pointant son bâton sur Simon.

— Tais-toi, papa, répliqua Zafer.

Nadine guida Simon à l'intérieur jusqu'à une petite chambre sombre et pestilentielle. Un homme était cramponné à une paillasse, le regard fixé sur la toiture en tôle, hurlant des propos décousus.

— Il ne cesse de se vider, dit Nadine. Pourtant il ne mange rien.

Simon s'approcha et posa sa main sur le front brûlant de l'homme. Il était couvert de pustules et dégageait une odeur de selles. Quelque chose bougea sous son ventre décharné. Les nausées contractaient son estomac.

— Il va mourir, fit Nadine en retenant ses larmes.

Simon reconnut les symptômes de la fièvre typhoïde. Il alla chercher son sac et fouilla dans ses affaires.

– Attention, il a une arme ! s'agita le vieillard qui le surveillait du seuil de la pièce.

Zafer éloigna son père. Simon sortit la boîte d'antibiotiques qu'il trimballait avec lui. Indispensable pour détruire les bactéries, surtout quand on se trouve dans un endroit du monde loin de toute assistance médicale. Il donna une gélule à Nadine, qui s'empressa de la faire avaler à son mari.

– Vous êtes médecin ? lui demanda Zafer.

Simon ne comptait plus le nombre de fois où on lui avait demandé quel était son métier. À la différence des gens qui se définissent par rapport à leur fonction dans un système sociétal, il n'avait pas de réponse précise à cette question. Il prétendit cette fois qu'il pouvait soigner les gens car cette aura lui permettrait de gagner le respect et donc l'aide de Zafer.

Il céda sa boîte de médicaments à Nadine afin que son mari puisse poursuivre le traitement jusqu'à la guérison. Il fut ensuite invité à boire un thé servi par une jeune fille. Zafer avait deux sœurs et trois frères qui se partageaient deux maisonnettes mitoyennes.

Dans la chambre, le malade cessa de délirer et trouva enfin la paix dans le sommeil. Nadine se jeta aux pieds de Simon pour le remercier du miracle qu'il venait d'accomplir. Ce dernier la prit par les épaules, la pria de se relever et surtout de ne pas oublier d'administrer quotidiennement les cachets à son père jusqu'à la fin de la plaquette.

Contraint de repartir, Zafer prit congé de sa famille. Simon salua ses hôtes et le suivit jusqu'au camion. Le chauffeur s'excusa pour l'attitude démonstrative de Nadine.

– Votre belle-sœur est une belle personne qui aime son mari.

– Elle est très croyante.

Simon regarda autour de lui. Ils étaient entourés par des champs et des maisons basses hâtivement bâties qui n'avaient pas encore été touchés par le progrès.

– Y a-t-il un cybercafé dans le coin ?

– Vous passez l'opéra et le bowling et vous continuez tout droit, c'est en face du musée d'Art moderne, répondit le chauffeur avant d'éclater de rire.

Simon monta dans le pick-up et demanda à Zafer s'il connaissait un Oussama dans le coin.

– J'en connais deux, répondit-il.

Simon lui montra la dédicace.

– Les deux Oussama que je connais ne savent pas écrire, avoua Zafer en collant son nez sur la page. Encore moins l'anglais.

Simon ne savait pas quelle décision prendre. Rester dans le camion ou dans le village ? La première option lui permettait d'être une cible en mouvement.

– Vous trouverez peut-être votre Oussama à Ham, fit Zafer comme s'il avait lu dans ses pensées.

– On verra bien où cela me conduira.

– Vous vous en remettez au destin, c'est bien.

L'homme mit le contact en jetant un coup d'œil à la dernière phrase de la dédicace.

– Pourquoi la fin du texte est-elle en lettres capitales ?

P. S. The Chaldean can'T FAIL !

– Pour insister sur la négation, je pense.

– Ce bout de phrase ressemble à un nom de village.

– Tfail est le nom d'un village ?

– Droit devant vous. Tout proche de la frontière syrienne.

– C'est loin d'ici ?

– À vol d'oiseau, non. Mais en voiture ce n'est pas possible d'y accéder à partir d'ici. On ne peut le faire que de la Syrie.

Tfail était donc la planque idéale si l'on était recherché au Liban.

75

Les fesses douloureuses et la djellaba remontée jusqu'aux hanches, Simon tenta de changer de position. Sa monture renâcla. Il s'accrocha pour éviter de tomber.

Le paysage vallonné et désertique dansait autour de lui.

Zafer lui avait présenté un fermier qui avait accepté de l'aider à rallier Tfail à cheval. Son guide, prénommé Joseph, chevauchait devant lui. Il avait choisi l'itinéraire le plus accidenté, mais le plus rapide.

Le soleil était en train de tomber sur la Syrie devant eux.

– On est arrivés, annonça enfin Joseph.

Ils dominaient une vaste plaine au milieu de laquelle un éparpillement de minuscules carrés blancs représentait un village.

– Tfail, commenta Joseph. Huit cents habitants. Une seule route, menant en Syrie. Et pourtant, on est toujours au Liban. C'est vraiment là que vous voulez aller ?

Simon acquiesça et dirigea son cheval dans la pente.

Parvenus au centre du village, ils posèrent enfin un pied à terre. Le fermier attacha les deux chevaux devant une baraque qui ressemblait à un bar planté dans un décor de western.

– On ne pourra pas rester longtemps, avertit Joseph.

Il voulait repartir à Ham avant la nuit.

Joseph interrogea un homme qui servait du thé à deux clients et revint vers Simon avec une information :

– Il faut demander à la vieille.

– La vieille ?

– Une femme qui habite Tfail depuis quatre-vingt-seize ans.

Joseph traversa la rue et s'engagea dans un sentier jonché de mauvaises herbes. Il compta les maisons et s'arrêta devant la sixième. Une vieillarde recroquevillée sous un foulard noir les accueillit sur le palier. Joseph demanda à Simon de l'attendre dehors.

Une bande de gamins en guenilles encercla aussitôt l'étranger. Simon ramassa un caillou et le jeta en l'air. Il le rattrapa et ouvrit la main sous leurs yeux écarquillés. À la place du caillou, se trouvait un stylo, qu'il donna au plus petit. Le plus grand afficha un air sceptique et réclama un autre tour. Simon lui sortit une pièce du nez et lui demanda de la cacher dans une main. À chaque fois, il devinait où elle était.

– Comment fais-tu ? s'étonna l'enfant entouré par ses copains admiratifs.

– Il faut être attentif : au regard de l'autre, à la position de ses mains, à la façon dont il se tient, aux mots qu'il emploie. En se servant de ses yeux et de ses oreilles, on devine beaucoup de choses.

Joseph ressortit de chez la vieille et fit déguerpir les enfants.

– Un Irakien est arrivé au village il y a huit ans, à la suite de l'invasion de son pays par les Américains. Depuis, il n'a pas bougé d'ici. Il habite une maison à l'extérieur du village. On y va, si vous voulez.

L'Irakien résidait dans une maison blanche entourée d'une basse-cour, d'un potager et d'un verger. L'isolement de Tfail contraignait ses habitants à une quasi-autarcie.

Un homme caché derrière une paire de lunettes noires et une casquette New Yorker les reçut avec un pistolet automatique dans la main.

— Je vous laisse, dit Joseph en s'effaçant. Je serai au bar.

Simon s'approcha de l'homme, paumes écartées.

— Oussama?

— Que voulez-vous?

— Je m'appelle Simon et je suis un ami de Markus, le Chaldéen.

Il tendit le Coran ouvert à la dédicace. Un long silence lui indiqua qu'il avait fait mouche.

— Et alors? finit par réagir l'homme.

— Markus vient de mourir devant moi.

Impossible de lire une réaction derrière les grosses lunettes.

— En quoi cela me concerne? grogna l'homme après un nouveau silence.

— Vous avez écrit que le Chaldéen ne peut pas échouer. Vous vous êtes trompé.

L'homme fit entrer Simon dans un couloir sombre menant à un patio au milieu duquel poussait un oranger. Il fouilla le visiteur, inspecta son sac pour vérifier qu'il ne transportait ni armes, ni explosifs. Satisfait, il proposa un thé et disparut dans la cuisine.

Il revint peu de temps après avec une théière, deux tasses et une suggestion :

— Il faudrait commencer par se présenter tous les deux.

Simon résuma ses péripéties, de la disparition de Markus jusqu'à son assassinat. Puis il céda la parole à son hôte, qui retira ses lunettes, révélant un regard noir intense. Son nom était Oussama al-Chawi. Il était un ancien membre des services secrets de Saddam Hussein, refugié d'abord en Syrie, puis dans cette enclave libanaise. Il avait rencontré Markus fin 2003 au nord de Damas alors que ce dernier menait des recherches sur le Coran. Le Chaldéen, comme il se faisait parfois appeler à l'époque, avait découvert que les lectionnaires chrétiens établis par les nazôréens et dont le calife Uthman s'était inspiré pour faire rédiger le Coran n'avaient pas tous été détruits. Il existait un Codex Coranicum, peut-être même deux, antérieurs à Mahomet.

– Un Coran avant le Coran, conclut Oussama.

Il employait les mêmes termes que Youstinos Safar.

– Le Coran est né d'une stratégie politique, dit Oussama, d'abord judéo-nazaréenne puis arabe...

– C'est ce que m'a expliqué monseigneur Safar, le coupa Simon.

– Est-ce qu'il vous a dit aussi que Saddam Hussein a essayé de s'emparer du Codex Coranicum ?

Les services secrets irakiens avaient en effet réussi à mettre la main sur un Coran originel qui dotait l'Irak d'un formidable moyen de pression sur La Mecque. En envahissant le Koweït et en diminuant l'influence de l'Arabie saoudite, Saddam s'apprêtait à devenir le maître du Moyen-Orient. Mais les Américains détruisirent son rêve de puissance en attaquant l'Irak en 2003 et en lui confisquant le fameux manuscrit.

– Qu'en ont-ils fait ? demanda Simon, qui découvrait de jour en jour les dessous inédits de l'histoire.

– Je l'ignore. Car, avec le Codex, les Américains auraient pu mettre à genoux le monde musulman.

– Et le deuxième Codex, c'est Markus qui l'a trouvé ?

– Je crois que oui. Mais il ne l'a pas gardé.

– Qu'en a-t-il fait ?

– Je ne sais pas.

– Comment des manuscrits aussi compromettants pour l'islam ont-ils pu échapper à la destruction au fil des siècles ?

– Tout ce que je peux vous dire, à mon niveau, c'est que leur protection a longtemps été assurée par les descendants des nazôréens. Selon Markus, l'un des deux Codex aurait séjourné un temps dans la bibliothèque secrète d'Ivan le Terrible à Moscou.

Les deux hommes s'accordèrent un moment de silence pour boire leur thé.

– Après quoi courez-vous ? demanda Oussama.

– Mon père prétendait que les origines du Coran me concernaient directement. Cette quête s'est imposée à moi.

– Vous n'êtes pas le seul à convoiter le trésor.

– Qui sont les autres ?

– Tout le monde, les islamistes, le Vatican, les Évangélistes, les Russes, les services secrets saoudiens et j'en passe...

– Je les sens autour de moi.

– Si vous êtes encore en vie, c'est qu'ils ont encore besoin de vous.

Ils vidèrent leur tasse sur ces paroles peu rassurantes.

– Markus m'a caché qu'il collaborait avec mon père, dit Simon. Pourquoi, selon vous ?

– Il voulait probablement vous mettre à l'écart du danger.

– Vous pouvez m'en dire plus sur Markus ?

– J'ai utilisé mes relations pour lui procurer des faux papiers. Parfois, il utilisait cette maison pour se cacher. On a eu le temps de sympathiser, de se faire confiance. Mais il ne parlait jamais de lui.

– Je ne vous crois pas.

– Comment ça ?

– On ne peut pas avoir confiance en quelqu'un dont on ne sait rien.

L'Irakien esquissa un rictus face à la perspicacité de son visiteur.

– Markus avait une femme et un enfant, avoua-t-il.

– Que sont-ils devenus ?

– Morts dans un attentat à Beyrouth en 1983. Lui s'en est tiré, mais il s'est fait passer pour l'une des victimes. Il a recommencé sa vie sous une autre identité. Deux personnes seulement étaient au courant de ça. Son meilleur ami et moi.

– Quel meilleur ami ?

– Je ne connais pas son nom mais, d'après Markus, il s'agissait d'un diplomate français. Il était en poste à Beyrouth lors de l'attentat en 1983.

Simon était livide.

– Vous vous sentez mal ? s'inquiéta Oussama.

– C'est mon père.

– Qui ? Markus ou le diplomate ?

– Les deux.

76

La pièce que Simon venait d'ajouter au puzzle lui procura soudain une vision claire de l'ensemble. Oussama le laissa dans le patio face à lui-même et à un carnet qu'il noircissait nerveusement, comme un exutoire.

1983 : un terroriste islamique fait sauter un restaurant à Beyrouth où mes parents, Henri et Leila Lombardi, sont en train de dîner. Je suis là aussi. J'ai deux ans. Mes parents font partie des victimes. Du moins c'est ce que tout le monde croit. En réalité, mon père en réchappe, contrairement à ma mère, mais il fait croire à sa mort. Était-il la cible de l'attentat ? Un journaliste français menant des investigations sur les origines du Coran peut en constituer une. Henri disparaît sous un nom d'emprunt avec une idée en tête : poursuivre ses recherches jusqu'au bout afin de venger la mort de son épouse qu'il chérissait par-dessus tout. Ne pouvant s'en prendre aux responsables de l'attentat, il va s'en prendre à tous les musulmans de la Terre. Comment ? En révélant la vérité sur les origines du Coran, qu'il a déjà commencé à dépoussiérer. En sapant les fondements de cette religion meurtrière. Sa quête durera des années car la vérité est enfouie profondément et les preuves extrêmement bien gardées. Pour mener son combat à terme, mon père confie ma garde à ses meilleurs amis, Paul et Amina Lange. Il leur demande de devenir mes parents et de ne jamais évoquer son existence. Paul est diplomate, il peut modifier les papiers de l'état civil. Il reste secrètement en contact avec mon père et l'aide même dans ses recherches, mais jusqu'à un certain point. Car Paul finira par se décourager. De plus en plus menacé, il écrit à l'insu d'Henri cette lettre testamentaire censée me conduire au coffre où sont enfermés tout ce qu'ils ont découvert sur moi et les origines du Coran. Il cède son carnet à Markus, vend ses livres et tire un trait. Trop tard. Car son nom est inscrit sur la liste des hommes à abattre.

Henri Lombardi, lui, mènera son combat jusqu'au bout. Il devient Markus Kershner ou le Chaldéen. Il enquête de pays en pays, ne reste jamais longtemps au même endroit, intègre différents ordres religieux pour brouiller les pistes et approcher certains secrets, est même ordonné prêtre. Sa seconde vie est marquée par l'abnégation, l'obsession, le châtiment, l'extrémisme... la folie. Il

veut rassembler les cinq preuves. Les a-t-il toutes en sa posses-
sion ? Pas encore, sinon il les aurait déjà révélées au monde pour
assouvir sa vengeance. Ce qui est sûr, c'est que Markus est devenu
la bête noire des services secrets de nombreux pays et des fous de
Dieu...

— Tout va bien ? l'interrompit Oussama al-Chawi.

Simon s'arracha à ses pensées et regarda son hôte sans le voir.

— Votre guide est là. Il ne peut plus attendre.

— Dites-lui de partir sans moi.

— Vous pouvez passer la nuit ici, si vous voulez. J'ai une chambre. Celle que Markus occupait parfois.

Simon remercia Oussama et reporta son attention sur son carnet. Ne pas perdre le fil.

2013 : mon père m'aborde aux funérailles de Paul et Amina.
Je l'informe que Paul m'a laissé une lettre à sa mort. Il s'arrange
pour m'accompagner et retirer les documents du coffre avant que
je n'y accède. Veut-il me protéger en me privant de la vérité ?
Pourtant il m'initie à celle-ci en me montrant les inscriptions
du dôme du Rocher. Puis il me filme devant la porte du Messie.
Traqué, il disparaît subitement avant d'être abattu sous mes yeux
sans avoir pu mener à terme un châtiment qu'il aura préparé
pendant trente ans.

77

Simon fut réveillé par l'odeur d'un mauvais café et le grésillement d'une radio qui émettait des informations en continu. Il se débarbouilla sous un filet d'eau non potable avant de rejoindre Oussama dans la cuisine.

– Ça ne s'arrange pas en Syrie, dit son hôte en baissant le son.

Il sortit du frigo une assiette sur laquelle étaient posées deux boules de pâte et en étala une sur la poêle chauffée par une vieille gazinière. Il versa sur la galette un mélange d'huile et d'épices, posa un couvercle et commenta l'actualité :

– Bachar el-Assad reste le dernier rempart contre les islamistes, la CIA et l'Arabie saoudite.

– Les islamistes se sont trouvé des alliés efficaces, souligna Simon.

Il saisit la tasse de café que lui tendait Oussama et s'assit sur une chaise bancale.

– Notre histoire repose sur de drôles d'alliances avec l'islam, expliqua Oussama. L'Allemagne du IIIe Reich comme les services secrets des démocraties occidentales se sont alliés aux islamistes, la première pour combattre les Anglais, les seconds pour lutter contre le communisme.

– La haine de l'autre engendre d'étranges rapprochements.

– Vous ne croyez pas si bien dire. Après 1945, les anciens nazis récupérés par les services secrets de l'Oncle Sam conseillèrent aux Américains de s'allier aux musulmans pour combattre les Soviétiques. Ayant déjà utilisé eux-mêmes cette stratégie pour lutter contre l'ennemi britannique, ces ex-nazis, devenus citoyens américains, espéraient entraîner les États-Unis dans une coalition qui se retournerait contre leur pays d'accueil.

– Ils ont mis le ver dans le fruit.

– Le ver était aussi en Europe avec la mosquée de Munich mise en place par Hitler et les Frères musulmans. Elle devint la tête de pont pour diffuser les dogmes d'un islam radical sur le vieux continent.

Oussama al-Chawi servit la galette à Simon.

– Qu'est-ce que c'est ? demanda ce dernier.

– Une manaich. C'est une galette épicée. Il faut la rouler pour la manger. Vous pouvez ajouter des olives ou du labné[1].

Une délicieuse saveur propulsa Simon dans la cuisine de son enfance, quand sa mère, debout devant les fourneaux, lui préparait des petits déjeuners relevés en chantant *Kifak enta ?*[2], chanson de Fairouz en forme de déclaration d'amour à un homme marié qui fit scandale au Liban. Oussama prépara la deuxième manaich, éteignit sa radio et s'assit en face de son invité.

– C'est en 1960 que tout a basculé, dit-il en fixant Simon d'un regard aussi noir que l'or du Moyen-Orient.

Il lui résuma comment Saïd Ramadan, alors secrétaire général du Congrès islamique mondial, prit la direction de la mosquée de Munich après avoir viré le mufti Namangani, un imam décoré de la Croix de fer qui servit dans une division SS. Ce fut ce moment que choisit Anton Spitaler pour confier à Namangani les microfilms de Bergsträsser qu'il avait dissimulés.

– Spitaler ? s'étonna Simon.

– Vous connaissez ?

– J'en ai entendu parler.

– En mal, je suppose.

– Difficile d'en dire du bien.

– Parce que vous ne savez pas tout.

– Pourquoi livrer les microfilms au mufti qui avait été évincé ?

– Pour continuer le combat au côté des nationaux-socialistes arabes représentés par le parti Baas contre

---

1. Labné : yaourt libanais.
2. *Kifak enta ?* : « Comment vas-tu ? »

l'alliance des islamistes avec la CIA défendue par Saïd Ramadan.

– Je ne comprends pas qui est contre qui dans l'histoire.

– Normal, c'est un vrai foutoir. Même les musulmans y perdent leur arabe. Pour faire simple, disons que deux camps s'opposent.

– Les sunnites et les chiites, anticipa Simon.

– C'est le problème de cette religion. Dès le début, elle a été marquée par de sérieuses hostilités intestines. Principalement entre les sunnites et les chiites. Les premiers jugeant que les dignes successeurs de Mahomet étaient les premiers califes, les seconds estimant que les guides authentiques de la communauté musulmane étaient Ali et ses descendants.

– J'ai découvert récemment que le Coran avait été écrit pour faire la guerre, souligna Simon.

– On retrouve toujours dans le jeu des alliances cet antagonisme religieux originel, entre autres sujets conflictuels comme l'ethnie et la nationalité. Sauf bien sûr quand il s'agit de combattre Israël, où là tout le monde se met d'accord.

Oussama poussa au milieu de la table le bol de zaata[1] baignant dans l'huile.

– D'un côté, vous avez le parti Baas dont les leaders les plus illustres furent Saddam Hussein en Irak et Hafez el-Assad en Syrie. Bachar el-Assad, d'origine alaouite, est soutenu actuellement par l'Iran et le Hezbollah qui se réclament d'un islam chiite plus proche des alaouites que les sunnites.

L'Irakien fit glisser le pot de labné figurant le second camp, dans lequel il jeta trois olives.

---

1. Zaata : épice.

– De l'autre, vous avez l'Arabie saoudite, la Turquie, les Frères musulmans et le Hamas, inspirés d'un islam sunnite et soutenus par l'Europe et la CIA. Ce deuxième camp est en train de l'emporter dans un printemps arabe qui a tourné en sa faveur.

Oussama renversa le bol de zaata pour matérialiser la défaite du premier camp puis alla se servir la galette qui était cuite. Simon saisit un torchon posé sur le dossier d'une chaise afin d'éponger l'huile qui se répandait sur la table.

– Les alaouites descendent des nazôréens, argua ce dernier. La famille el-Assad serait donc d'origine nazôréenne.

– Pourquoi, à votre avis, Bachar el-Assad est le seul à être encore en place, alors que Saddam, Ben Ali, Moubarak et Kadhafi ont été balayés ?

– Il est soutenu par les Russes.

– Kadhafi l'était aussi.

– Je suppose que vous détenez la bonne réponse.

– Celle que personne ne vous donnera. El-Assad prétend détenir le Codex Coranicum, ce qui lui permet d'appâter les Russes tout en menaçant l'Arabie saoudite d'en révéler le contenu si le régime de la Syrie tombe.

– Vous ne m'avez pas dit que les Américains avaient ravi le Codex à Saddam Hussein ?

– Je vous ai aussi confié qu'il y avait deux Codex. Votre père les appelait Codex A et Codex B. Les Américains détiendraient le premier. Bachar el-Assad, le second.

La gorge en feu et le cerveau en ébullition, Simon éteignit le brasier en vidant sa tasse de café tiède.

– Depuis l'invasion du Koweït en 1990 par un Saddam galvanisé par la détention du Codex A, les conflits armés au Moyen-Orient ont masqué la quête impitoyable des deux Codex Coranicum. Il faut bien être conscient qu'ils constituent l'arme ultime. Plus puissante que la bombe nucléaire! Pour Israël, il est la reconnaissance de sa légitimité territoriale. Pour l'Arabie saoudite, il remet en question son autorité religieuse. Pour beaucoup d'autres pays tels que l'Irak, les États-Unis ou la Russie, il est un moyen de chantage politique et de négociation économique sans équivalent.

– Les États-Unis et la Syrie seraient donc en possession des Codex, résuma Simon.

– Je ne peux m'exprimer que sur le Coran A puisque ce sont les services secrets irakiens qui l'ont retrouvé. En ce qui concerne le Coran B, nous ne disposons que de la parole de Bachar el-Assad.

– Une parole qui a une valeur relative.

– Pour le Coran A, il faut suivre la piste d'Anton Spitaler. Comme je vous l'ai dit, l'orientaliste SS a confié les microfilms de Bergsträsser à l'ex-mufti Namangani en 1960 avant qu'ils n'échouent bien plus tard au Corpus Coranicum. Dix-neuf ans après, Saddam Hussein prend le pouvoir avec le concours d'anciens nazis et apprend l'existence de ces microfilms grâce à Namangani. Les services secrets irakiens remontent la trace du Coran A jusqu'à Maaloula, là où Bergsträsser l'a pris en photo.

– Maaloula?

– Un village chrétien situé au nord-est de Damas. On y parle encore araméen.

– Dans la course au Coran A, les services secrets irakiens furent donc plus rapides que les Frères musulmans.

Oussama acquiesça et s'écarta de la table en se balançant sur sa chaise.

– Vous connaissez la suite: en possession du Coran A, Saddam Hussein fait pression sur l'Arabie saoudite pour que les deux pays se partagent les pouvoirs politique et religieux au Moyen-Orient. Mais les guerres du Golfe en décident autrement. L'Arabie saoudite et les Américains font ravaler sa morgue à Saddam et sont censés à ce moment-là récupérer le Codex.

— Vous n'en semblez pas certain.

— Je crois que Markus avait mis la main sur l'un des Codex.

— Qu'est-ce qui vous le fait penser ?

— Il existe cinq preuves que le Coran a été écrit par une secte chrétienne. Markus était sur le point de les révéler toutes.

— La carte de Syrie, les inscriptions du dôme du Rocher, les lettres diplomatiques, le Codex Coranicum, cela fait quatre preuves. Quelle est la cinquième ?

— Celle qui lui manquait jusqu'à aujourd'hui pour accomplir son œuvre.

— Son œuvre était le rétablissement de la vérité sur le Coran qui allait remettre les musulmans à leur place. Mon père a tracé une voie que je dois suivre, par respect pour sa mémoire et celle de ma mère. Cela lui a pris trente ans de sa vie. Il était proche du but. Pouvez-vous m'aider à accomplir les derniers pas ?

Oussama ramena sa chaise sur ses quatre pieds et le fixa droit dans les yeux.

— Vous avez parlé de nazôréens tout à l'heure.

— Oui, et alors ?

— Votre père connaissait un prélat qui en sait long sur eux.

78

Un vent brûlant et sablonneux venu du désert masqua leur passage en Syrie. Le *khamsin*, comme l'appelait Oussama. L'ancien espion irakien guidait Simon à travers un paysage de montagnes nues, de vallées pelées et de fleuves sans eau. Ils franchirent à pied la frontière libano-syrienne située à quelques kilomètres de Tfail, foulant la terre brune qui couvrait un relief stérile piqueté çà et là d'arbres secs. Ils ne rencontrèrent ni voyageur, ni berger, ni village, ni poste militaire.

En perdant de sa force, le *khamsin* permit à l'horizon de dévoiler les hauteurs nimbées des mystères de l'Anti-Liban. Les vers évocateurs que Lamartine avait écrits à Baalbek lors de son voyage en Orient face aux ondulations du paysage syrien revinrent à l'esprit de Simon :

Mystérieux déserts, dont les larges collines
Sont les os des cités dont le nom a péri
[...]
Pour vous toucher du doigt, pour sonder vos mystères,
Un homme est venu d'Occident.

De l'autre côté de la frontière, il restait autant de kilomètres à parcourir, c'est-à-dire quatre ou cinq, avant d'atteindre le premier village, Assal-el-Ouard.

Une fois arrivé, Oussama désigna à Simon un arbre mort qui crevait le trottoir. Une femme voilée avait posé son sac de provisions dans son ombre chétive.

– Le bus passera là, dit l'Irakien. Il vous emmènera jusqu'à Maaloula.

— Merci pour votre aide, Oussama.

— Que Dieu vous garde, fils du Chaldéen.

79

L'autobus à moitié vide pénétra dans Maaloula avec une odeur de gasoil, à plus de mille six cents mètres d'altitude. Cinq mille âmes vivaient ici.

La ville aux maisons bleu pâle blotties les unes contre les autres était incrustée dans la montagne. Elle devait sa renommée à son site naturel exceptionnel creusé d'innombrables refuges troglodytes datant des premiers siècles du christianisme. Maaloula avait surtout la particularité d'être le dernier endroit au monde, avec deux autres villages voisins, où l'on parlait la langue de Jésus, autrefois répandue dans tout le Proche-Orient. Depuis la fin du XVIIIe jusqu'à la première moitié du XXe siècle, Maaloula n'avait cessé de fasciner les voyageurs, les orientalistes, les érudits, les poètes, les missionnaires... et les dictateurs. Susciter autant d'attrait et de convoitise était suspect.

Simon fendit une nuée d'enfants qui sortaient de l'école et se dirigea vers le monastère Mar Takla. L'édifice était encastré dans la roche autour de la grotte et du tombeau de sainte Thècle, qui s'était refugiée ici lors des persécutions contre les chrétiens. La chapelle, le cloître et les dépendances s'intégraient magnifiquement dans l'environnement. Seule la croix d'un bleu Yves Klein se détachait au sommet de la coupole.

À l'entrée, Simon demanda à parler à Salwan ibn Nawfal. C'était le nom du prélat vers lequel Oussama l'avait orienté. On lui répondit en araméen qu'il n'y avait personne de ce nom qui officiait à Mar Takla.

– Salwan ibn Nawfal est un archevêque grec-catholique, précisa Simon.

– Notre église est grecque-orthodoxe, répliqua le religieux qui le renseignait.

– Où puis-je trouver un monastère grec-catholique alors ?

Le prêtre leva les yeux au ciel. Simon réalisa qu'il lui désignait du regard une croix au sommet d'une falaise qui dominait le village et la vallée.

– Mar Sarkis doit être celui que vous cherchez.

Simon grimpa au sommet du promontoire sur lequel était perché un monastère antique. L'accès était fermé. Il contourna l'édifice en évitant de regarder l'à-pic.

– Qu'êtes-vous en train de faire ?

Il chercha à mettre un visage sur la voix jaillie au-dessus de lui. Un homme rondouillard s'agitait sur un balcon.

– Je souhaite parler à monseigneur Nawfal, lui répondit Simon.

– Il faudra revenir dimanche prochain.

– Dites-lui que je suis le fils du Chaldéen.

L'homme se figea en ouvrant une bouche qui le fit ressembler à une gargouille. Puis il s'éclipsa à l'intérieur du bâtiment.

Quelques minutes plus tard, un bruit de serrure rompit le silence monastique. La porte du rez-de-chaussée s'ouvrit sur la gargouille replète et sur un homme sec comme un cep, portant des lunettes aux verres fumés et un costume noir à col blanc.

– Je dois vérifier que vous n'avez pas d'arme, annonça le gros.

Simon écarta les bras et le laissa effectuer sa fouille sous la supervision du prélat.

– Vous me voyez désolé de procéder à cet accueil peu chrétien, déclara ce dernier. Mais la Syrie est infiltrée par des extrémistes et des mercenaires venus semer la terreur dans les zones chrétiennes.

– Êtes-vous Salwan ibn Nawfal?

– Qui vous a donné mon nom?

– Oussama al-Chawi.

Le prélat prit connaissance du passeport libanais de Simon que son coreligionnaire lui avait remis.

– Ainsi vous prétendez être le fils du Chaldéen. Comment va-t-il?

– Il est mort.

Une ombre balaya la sérénité sur le visage de l'archevêque.

– Il a été assassiné, hier, sous mes yeux, l'informa Simon.

– Un chrétien de plus dont la mort sera mise sur le dos de l'armée syrienne.

– Vous avez une idée de l'identité de son meurtrier?

– Si le Chaldéen est mort, c'est la fin.

– La fin de quoi?

– Entrez, dit l'archevêque.

80

Ils traversèrent l'église divisée en trois nefs qui se terminaient par trois absides. Les trois travées formaient, là où elles se rejoignaient, un carré surmonté d'une coupole à niches d'angle. Le dôme était recouvert d'une fresque représentant la vierge Marie et les deux saints Mar Sarkis et Mar Bacchus.

Salwan ibn Nawfal glorifia son église, la plus ancienne du monde chrétien encore en activité. Certaines des poutres au-dessus de leur tête avaient été coupées il y a deux mille ans. Les messes étaient dites en araméen, langue sémitique parlée et écrite par les premiers chrétiens du Moyen-Orient.

– N'appelait-on pas cette langue le syriaque pour se distinguer des païens ? demanda Simon.

– Le syriaque fut en effet la langue parlée, liturgique et littéraire du Moyen-Orient jusqu'au VIIe siècle, acquiesça l'archevêque. Il fut remplacé par l'arabe avec l'arrivée de l'islam, mais conservé par les communautés chrétiennes comme langue liturgique et littéraire.

– Le Coran a été écrit en syriaque, le saviez-vous ?

– Écrit en syriaque, en Syrie, là où tout commence.

Simon laissa résonner dans la nef la dernière phrase de Salwan ibn Nawfal. Les personnes qu'il rencontrait tenaient les mêmes propos. Comme s'ils s'étaient donné le mot.

– Vous avez déclaré que la mort de mon père annonçait la fin. La fin de quoi ?

– Votre père était sur le point de révéler la cinquième preuve qui allait enfin mettre un terme aux exactions dans notre pays.

– Aux exactions de qui ?

– Nous vivons dans la peur. Vous ne pouvez pas en prendre toute la mesure tant que vous n'habitez pas ici. Pour les médias internationaux, la vérité n'a qu'une seule face. Personne n'évoque l'invasion des groupes islamistes armés qui torturent, mutilent et tuent les militaires et les civils qui ne sont pas du côté des insurgés. Avant le Printemps arabe, on était en sécurité ici.

– Vous soutenez Bachar el-Assad ?

– Si le régime laïc qu'il a mis en place tombait, ce serait une catastrophe. Cela signerait l'abolition du principe de citoyenneté qui garantit l'égalité de traitement pour toutes les minorités, qu'elles soient chrétienne, druze, alaouite, chiite ou ismaélienne. L'instauration d'un régime islamique imposerait la charia et pousserait un million sept cent mille chrétiens à fuir le pays. Le plus cruel, c'est que les gouvernements occidentaux soutiennent les islamistes qui ont renversé les gouvernements tunisien, égyptien, libycn...

Simon se souvint des deux camps évoqués par Oussama.

— Les groupes islamistes commettent des carnages pour terroriser la population et la forcer à se révolter contre le gouvernement, continua l'archevêque. Ceux qui ne partagent pas leur vision sont éliminés, principalement les chrétiens et les alaouites, minorité à laquelle appartient le président Bachar el-Assad. Soixante-quinze pour cent de la population est derrière lui ! Et l'armée qui est décriée par l'Occident utilise ses chars pour protéger celle-ci, pas pour lui tirer dessus.

— Est-ce que Bachar el-Assad détient le Codex Coranicum ?

La question impromptue plongea Salwan dans un mutisme suspect. Simon en posa d'autres :

— N'est-ce pas le Codex B dont veulent s'emparer les Frères musulmans, avec le soutien de la CIA et de l'Arabie saoudite ? N'ont-ils pas déclenché le Printemps arabe pour saisir un manuscrit qui risque de les discréditer auprès d'un milliard et demi de croyants ?

— Vous êtes venu ici avec des questions qui contiennent des réponses.

— J'en ai une qui n'en contient pas : quelle est la cinquième preuve que mon père se préparait à révéler ?

L'archevêque fixa son interlocuteur pour le jauger. Simon devina sa pensée.

— Je suis prêt à entendre la vérité si c'est ce qui vous inquiète. Je suis arrivé au terme d'un long voyage que je pourrais qualifier d'initiatique. Ce n'est pas pour m'entendre dire des banalités.

– Bachar el-Assad prétend posséder le Codex B. On ignore s'il dit vrai ou s'il bluffe. En revanche, on sait que votre père avait réussi à mettre la main sur le Codex A. La quatrième preuve.

– Et la cinquième ?

– Vous allez bientôt la découvrir.

81

Monseigneur Salwan ibn Nawfal convoqua le prêtre rondouillard et s'entretint avec lui en aparté. Ce dernier s'effaça avec cet air ébahi qui revenait souvent sur son visage poupin. L'archevêque invita Simon à gagner la terrasse qui surplombait Maaloula et offrait une vue panoramique sur la vallée. Le soleil colorait ce paysage apparemment paisible qui avait fait naître la plupart de ceux qui écrivirent l'histoire de l'humanité. À commencer par les Sumériens, créateurs de nombreux mythes repris par les religions monothéistes. Cette immensité où l'œil avait du mal à se poser ramena Simon au vide intérieur qu'il avait toujours recherché.

– L'homme est né en Afrique, affirma l'archevêque pour briser le silence, mais son destin s'est joué sur ce bout de territoire.

– Tout se passe sur cinq cents kilomètres carrés, confirma Simon.

– En Syrie, là où tout commence.

– À se demander si Gilgamesh et David n'avaient pas le même sang ou si Jésus et Mahomet n'étaient pas de la même lignée.

— N'allez pas trop vite en besogne.

— Où est le Codex A ?

— Pendant la guerre d'Irak, le gouvernement américain a employé des sociétés militaires privées. Le Codex A n'a pas été récupéré par l'armée, mais par une de ces SMP avec le concours de votre père. Il se trouve que le P-DG de cette société est un évangéliste qui partage la doctrine des nazôréens.

— La communauté des nazôréens existe toujours ?

— Vous en avez la preuve devant vous.

— Je croyais que vous étiez un catholique melkite.

— Melkite, grec, catholique, orthodoxe, les frontières ne sont pas étanches entre chrétiens. Dans notre Église, il existe une grande liberté. Chaque diocèse a sa personnalité, son histoire, une manière d'exercer qui lui est propre. Votre père en a d'ailleurs bien profité, en passant de l'un à l'autre.

— L'essentiel est d'être chrétien, c'est cela ?

— L'essentiel est d'être un chrétien des origines.

— Nazôréen, quoi.

— Connaissez-vous le nom du prêtre nazôréen qui bénit le mariage de sa cousine Khadija avec Mahomet ?

— Waraqa, répondit Simon avec la rapidité d'un candidat à un jeu télévisé.

— Waraqa ibn Nawfal, précisa Salwan ibn Nawfal en souriant.

— Un lien avec vous ?

— Je suis un descendant de l'auteur du Coran.

— Les droits d'auteur sont tombés dans le domaine public. Dommage.

— Vous avez le cœur à faire de l'humour ?

— C'est un bon remède contre la folie. Les fous ne font pas d'humour.

— Vous craignez qu'on vous prenne pour un fou ?

– Non, pour le Messie.

– Celui-ci n'en était pas dénué. Ses paraboles sur la nature humaine en sont les meilleurs exemples.

– Quelle doctrine peuvent bien partager le P-DG d'une société militaire privée américaine, mon père et les membres d'une secte nazôréenne ? demanda Simon.

– Les nazôréens portent une idéologie de reconquête universelle, née des atrocités de la première guerre judéo-romaine qui les a chassés de Jérusalem en 68, de la destruction du Temple en 70 et de leur extermination par le calife en 638. Les survivants ont juré de ne plus retourner à Jérusalem à moins que ce ne soit pour la reprendre. Car c'est d'abord là que le salut du monde doit se jouer. Cela fait quatorze siècles que la secte attend la seconde venue du Messie pour éradiquer les fils des ténèbres et établir la domination des fils de lumière, royaume de perfection et de justice annoncé par Isaïe. Certains évangélistes américains, dont le P-DG de la société militaire en question, nous ont rejoints dans cette ambition d'instaurer un nouveau monde.

– Vous voulez déclencher une guerre ?

– Tout cela est imagé, bien sûr. Notre ambition est de rétablir la vérité.

– Quand le ferez-vous ?

– Selon le Coran, le chaos est nécessaire à la venue du Messie. Ces conditions sont aujourd'hui réunies : crises économique, financière, politique et religieuse, catastrophes naturelles et écologiques, guerres, attentats, surpopulation, pollution alarmante, perte des valeurs... vous connaissez la situation aussi bien que moi.

– Je croyais que le Coran n'était pas crédible, le provoqua Simon.

– Le Coran s'inspire du Codex des nazôréens. Il a été réécrit par les califes pour supprimer la trace de leurs vrais auteurs, mais les deux disent sensiblement la même chose.

– Comment identifier le Messie ?

– Il reviendra sur Terre à l'âge du Christ pour sauver l'homme.

– Est-ce que cela doit m'éclairer sur la teneur de la cinquième preuve ?

– Quelqu'un pourra répondre mieux que moi à cette question.

– Qui ?

– Une personne qui vous connaît bien.

82

L'évêque se retira à l'intérieur du prieuré.

Il réapparut peu après.

Sabbah était à ses côtés.

Simon n'en croyait pas ses yeux.

– La djellaba te va bien, dit-elle.

Elle tentait de désamorcer la tension avec son esprit moqueur et un demi-sourire bouddhiste.

– Que fais-tu ici ? attaqua Simon.

Salwan ibn Nawfal s'éclipsa.

– Je suis là pour l'Unesco, expliqua-t-elle.

– C'est ça.

– Nous avons inscrit Maaloula sur la liste des demandes d'inscription au patrimoine mondial de l'Unesco. Il faut protéger ce sanctuaire à tout prix.

– Le classement au patrimoine mondial des bouddhas géants de Bamiyan et des mausolées maliens n'a pas empêché leur destruction.

— Rien n'arrête l'extrémisme islamique. Mais on peut le ralentir.

— Pourquoi m'as-tu suivi ?

— Je t'ai devancé.

— Tu savais que je viendrais à Maaloula ?

— Tout est écrit, Simon.

Elle s'approcha de lui, remplaçant ses arguments par un parfum oriental. Cette proximité lui fit oublier ses questions.

— Tu m'as manqué, dit-elle.

Elle l'embrassa sur la joue.

— Le baiser de Judas ? souligna Simon.

Elle l'embrassa à nouveau. Sur la bouche.

Aussi longtemps que la première fois à Jérusalem.

Puis elle reprit son souffle.

— Je ne crois pas que Judas ait embrassé Jésus de la sorte, susurra-t-elle.

— Vas-tu m'expliquer pourquoi tu es ici ?

— Je crois en toi et je viens te porter secours.

— Qu'est-ce que tu racontes ?

— « *Chaque fois que Je vous accorderai un Livre et de la Sagesse et qu'ensuite un messager viendra vous confirmer ce qui est avec vous, vous devrez croire en lui et vous devrez lui porter secours* », récita-t-elle. Verset 81, troisième sourate.

Simon se détourna de Sabbah et observa les montagnes en train d'avaler le soleil. Sa vie était insignifiante dans ce vaste chambardement divin qui s'opérait chaque jour.

— Ma petite existence a pris trop d'importance pour vous, constata-t-il.

— Je ne veux pas entendre le mot « petite » dans ta bouche.

— Cesse de me prendre pour le Messie.

– Il existe une vidéo où l'on te voit franchir la Porte dorée. Celle du Messie.

– Comment veux-tu que je traverse une porte murée de cinq mètres d'épaisseur ? objecta-t-il en fixant l'horizon.

– Tu as des dons, Simon.

– Tu dis ça à cause de mes tours de magie ?

– Appelle ça comme tu veux, dons, magie, miracles... Ce n'est pas le plus important.

Il se retourna sur elle, osant braver son regard tourmenté.

– Qui es-tu vraiment, Sabbah ? Comment se fait-il qu'une musulmane soit impliquée dans les affaires d'une secte chrétienne radicale ?

– Je ne t'ai jamais dit que j'étais musulmane. Suivre les enseignements du Coran originel ne fait pas de toi un musulman.

– Tu es une nazôréenne ?

– Comme l'était devenu ton père.

– Mon père se serait converti à n'importe quelle religion pour réaliser son œuvre.

– Quelle œuvre à ton avis ?

– Se venger d'une religion responsable de la mort de son épouse.

– Se venger comment ?

– En torpillant les fondements sacrés de l'islam.

– Et après ? À part quelques fatwas, qu'est-ce que cela lui aurait rapporté ?

– Dis-moi ce que tu sais, ça ira plus vite.

– La cause de ton père était plus noble que la simple vengeance. Pendant trente ans, il s'est employé à préparer le retour du Messie, à le protéger dès son plus jeune âge, à réunir les preuves de sa légitimité.

Elle le fixait droit dans les yeux. Un vent léger vit voler ses cheveux sur son visage lumineux. Simon luttait contre l'ensorcellement.

— La cinquième preuve, c'est toi, lâcha-t-elle.

83

Dans la douce lumière crépusculaire qui jetait de l'ambre dans les yeux de Sabbah, Simon n'eut pas le loisir d'apprécier l'instant. Car il était devenu l'objet de la conversation.

— Le Messager viendra annoncer le retour des nazôréens à Jérusalem, assura Sabbah.

— Ma supposée traversée de la Porte dorée était un canular. Mon père l'a organisée à mon insu comme un pied de nez aux croyances religieuses qui ont détruit notre famille.

— Ainsi, vous ne croyez en rien, intervint l'archevêque en réapparaissant. Pas même en vous.

— Pas au rôle que vous voulez me faire endosser.

— Jésus aussi a douté, argua Sabbah.

— J'ai vu la vidéo, confia Salwan. On vous voit traverser la Porte dorée.

— J'ai vu Superman voler dans un film. Vous y croyez ?

— Nous détenons cette vidéo.

— Puis-je la voir ?

— Elle est entre les mains de notre patriarche.

— Es-tu prêt à nous suivre jusqu'à lui ? demanda Sabbah.

— Où doit-on aller pour ça ?

— Par sécurité, il est préférable que vous ne le découvriez que lorsque vous y serez rendu, répondit Salwan.

Simon leur emboîta le pas et attrapa le bras de Sabbah pour la retenir sur la terrasse.

– J'ai plein de questions à te poser, mais il y en a une en particulier qui ne peut pas attendre.

– Laquelle, Simon ?

– Est-ce que tu me prends pour un idiot ?

– Oui.

Il fut saisi par la réponse. Elle mit les points sur les *i*.

– Il faut que tu le sois pour ne pas t'être aperçu de ce que j'éprouve pour toi.

– Stop, Sabbah ! Notre rencontre n'est pas due au hasard. Tu t'es arrangée pour que je te remarque et qu'un contact soit créé. Le pourboire généreux au violoniste, l'écharpe oubliée sur la pelouse, le chien censé me retrouver grâce à son flair... Je suis sûr que c'est toi qui m'as volé à Pigalle, afin que je revienne vers toi.

– Tu le méritais après tes frasques dans un bar à putes !

– Tu t'es servie de ton charme pour me manipuler. Mission accomplie au-delà de tous tes espoirs !

– Tu te trompes, Simon. Tu es le Messager.

– Va te faire foutre, Sabbah !

– Sûrement pas.

– Je suis ce que mon père et Paul ont voulu que je sois : un spécialiste des civilisations anciennes et des religions. Ils m'ont éduqué pour que je finisse le travail s'ils venaient à disparaître avant que ne sonne l'heure de la vengeance. Ils se sont manifestés à moi avant de mourir pour me léguer la tâche de révéler au monde la vérité sur le Coran. Ils me conféraient un rôle de guide, mais certainement pas celui de Messie.

– Guide ou Messie, peu importe le terme.

Sabbah se jeta à ses pieds. C'était la deuxième fois qu'une femme le révérait de la sorte.

– Simon, tu es l'Élu. Et je suis ton apôtre. Demande-moi ce que tu veux et je le ferai.

– Relève-toi, s'il te plaît.

– Demande-moi de mourir et je le ferai.

Il n'en croyait ni ses yeux, ni ses oreilles. Il ne reconnaissait plus la jeune femme enjouée au caractère trempé. Jouait-elle un nouveau personnage ? L'idée de la défier lui vint à l'esprit.

– Tu veux te sacrifier pour moi ? s'exclama-t-il. Alors jette-toi de cette terrasse.

Sabbah se redressa, avança vers le précipice et sauta.

84

La jeune femme se balançait dans le vide, un bras tendu au-dessus d'elle. Sur le point de basculer à son tour par-dessus le parapet, Simon serrait son poignet qu'il avait eu le réflexe de saisir à temps.

– Attrape mon bras avec ton autre main ! cria-t-il.

– Lâche-moi, Simon !

– Attrape mon bras, sinon je saute avec toi.

Elle s'agrippa. Il la hissa en rassemblant toute son énergie. Elle posa un pied dans un interstice. Il la tira vers lui. Elle donna un coup de reins. Il la saisit sous les aisselles. Elle passa au-dessus du garde-corps et atterrit sur lui avant de poser à nouveau les pieds sur la terrasse.

– Tu as perdu l'esprit ? s'exclama-t-il en la repoussant.

– Tu me juges mal, Simon.

Il gagna le prieuré en la laissant sur place. Oppressé, Simon voulait fuir. S'éloigner de ces gens qui tiraient des ficelles qu'il ne voyait pas. Il croisa Salwan ibn Nawfal sur le perron de l'église.

– Où allez-vous ? l'interpella l'archevêque.

Simon le contourna sans répondre, mais le religieux le rattrapa pour se mettre en travers de son chemin.

– Sabbah est une bonne personne, déclara-t-il.

– Et efficace, j'en suis sûr.

– Vous vous méprenez sur son compte.

– Elle me l'a déjà dit.

– Elle ne vous a sûrement pas dit qu'elle a risqué sa vie pour vous.

– De quoi parlez-vous ?

– Comment croyez-vous vous en être sorti si facilement jusqu'ici ? À Paris, elle vous a arraché à deux tueurs dans un night-club. Vous n'en avez sûrement aucun souvenir car vous êtiez, paraît-il, sous l'emprise de l'alcool. Sabbah a dû vous cacher entre deux poubelles pour vous donner le temps de dessoûler.

Simon n'avait gardé de cette tentative d'assassinat que l'image floue d'un boys band un peu trop collant.

– Sabbah est à nouveau intervenue à Londres en neutralisant un homme qui avait réussi à pénétrer dans votre chambre d'hôtel pendant que vous dormiez.

Il n'avait pas vraiment dormi cette nuit-là. Il était soûl encore une fois. Simon se rappela l'accueil cavalier qu'il avait réservé à Sabbah dans sa chambre. Il avait mis son allure débraillée sur le compte d'une incartade avec son homologue anglais alors que, en réalité, elle venait de lui sauver la vie. La nausée lui vrilla l'estomac.

– Qu'entendez-vous par neutraliser ? demanda-t-il.

– Assommer, mettre KO, évacuer, enfermer, ligoter... les termes ne manquent pas.

– Tuer aussi ?

– Vous poserez la question à Sabbah.

– Elle a «neutralisé» combien de fois à mon insu ?

— Je n'ai pas lu tous ses rapports.

Salwan ibn Nawfal évoqua une intervention de Sabbah dans le parc Sacher à Jérusalem. Elle avait surpris un tueur qui s'apprêtait à trancher la gorge de Simon.

— Sa main! s'exclama ce dernier.

— Pardon? fit l'archevêque.

Quand Sabbah l'avait rejoint au parc, sa main était en sang. Elle avait prétendu s'être blessée avec une épingle à cheveux. Était-ce son sang ou celui de sa victime?

— Comment savez-vous tout cela? lui demanda Simon.

— Nous appartenons à la même confrérie, où chacun tient son rôle. Celui de Sabbah était de vérifier si vous étiez le Messie. Et de vous protéger si tel était le cas.

— Et votre rôle à vous?

— Il est de vous conduire au patriarche.

85

Un plateau dénudé, un vieil arbre sec, un chien pouilleux, un ciel étoilé, une pleine lune illuminant le visage d'une femme, un homme juché sur un rocher, ses bras reposant sur ses genoux pliés. Aucune trace de civilisation moderne, pas d'antenne relais, ni de moteur à explosion ou de panneau de signalisation. Paysage biblique immuable.

Sabbah et Simon avaient emprunté un défilé qui menait à cet éden aride pour s'isoler et prendre des décisions. Lorsque Simon était revenu vers elle, Sabbah n'avait pas bougé de la terrasse. Elle fixait l'horizon que l'on devinait encore dans la nuit tombante. Elle lui avait proposé de parler à l'écart et à cœur ouvert. Elle l'avait conduit ici sans un mot.

– Il y a d'autres apôtres comme toi ? attaqua Simon en brisant le silence.

– Descends de là, dit-elle comme à un enfant.

Il atterrit près d'elle avec la souplesse d'un félin.

– Tout à l'heure, tu t'es comparée à un apôtre, précisa-t-il.

– Il y en a plusieurs.

– Ne me dis pas qu'il y en a douze, quand même.

Sabbah ne répondit pas.

– Qui sont-ils ?

– Il fallait que tu sois entouré, guidé, protégé.

– Qui, Sabbah ?

– La plupart, tu les as rencontrés.

– Qui ça ? Pogel ? Lander ?

Elle ramassa un morceau de bois et le lança pour occuper le chien qui jappait autour d'eux.

– Pierre Laffite ?

– Pas lui, mais André Keller, que Laffite a remplacé à la suite de son assassinat.

– Youstinos Safar ? Oussama al-Chawi ? Salwan ibn Nawfal, bien sûr.

Le chien rapporta le morceau de bois à Sabbah, qui le lança à nouveau.

– La Truffe te manque, n'est-ce pas ? fit Simon.

– Un peu. Il t'aime bien aussi.

– C'est le seul être sincère dans l'histoire. Vous m'avez tous trimballé jusqu'ici. J'ai été manipulé depuis le début.

– Depuis plus longtemps que tu ne le crois.

– Depuis quand ?

Elle le laissa deviner la réponse.

– Quoi, tu veux dire que... Paul et Henri aussi étaient des apôtres ?

– Ils le sont devenus en découvrant la vérité. Et ça leur a coûté la vie.

— D'autres encore ? Ma tante Marie ? Ian Mc Cullough ?

— Non.

— Le type qu'on a vu en compagnie de Markus sur la vidéo du Hiero Bar ! s'exclama Simon.

— Lui et celui que tu surnommes « le moustachu » m'ont aidée à te protéger.

— Salwan m'a tout raconté sur tes interventions. J'ai dû passer pour un sacré goujat à tes yeux.

— Tu ignorais ce que je faisais.

— Me conditionner à votre vérité était également lié au job.

— Il n'y a qu'une seule vérité. Et nous t'avons laissé la découvrir tout seul.

— Tu as tué combien de personnes pour m'amener jusqu'ici ?

— Qu'est-ce que tu cherches à démontrer ? Que la guerre, c'est pas bien quand des combattants sont tués ?

— Cesse de me prendre pour un idiot.

— La guerre est omniprésente, Simon. Et elle est religieuse. L'ennemi n'a plus d'uniforme. Il est invisible et peut frapper n'importe où, n'importe quand.

— Où est passé ton discours humaniste de l'Unesco ?

— Il est toujours là. Mais le rapprochement des peuples passe par l'élimination des causes de discorde.

— Qui est monsieur X ? demanda soudain Simon, assailli de questions.

— Personne ne le sait. Mais l'essentiel, c'est que les gens qui croient en toi soient de plus en plus nombreux.

— Ils peuvent se tromper.

— Tu penses qu'ils sont tous stupides ?

— Non, mais...

— Quatre d'entre eux, dont tes deux pères, y ont laissé leur vie. Pour rien ?

— Oskar Lander et mon père sont morts devant moi. Si j'étais le Messie, j'aurais pu éviter ça.

— Tu es resté en vie, toi.

— Dans quel but ? Me faire crucifier ?

Le chien aboya. Quelqu'un s'approchait. Salwan ibn Nawfal venait les chercher pour qu'ils se rendent à la ferme d'un certain Khairo Abboud.

Ils cherchèrent le fermier chez lui avant que le chien n'aille renifler vers un hangar. À l'intérieur, une paire de jambes dépassait de sous un camion rouillé.

— Il va rouler ? demanda l'archevêque.

— Si Dieu veut, fit l'homme sous l'épave.

À la lueur d'une lampe tempête, le fermier serra un écrou en émettant un grognement. Il glissa entre les roues, se leva devant ses visiteurs et essuya des mains noires sur son pantalon crasseux.

— Mes amis voudraient aller voir le patriarche, dit Salwan.

— Si Dieu veut.

— On comptait sur toi pour les y emmener.

— Si Dieu veut.

— On te dédommagera.

— Alors Dieu voudra.

86

Une vieille femme leur servit un repas frugal dans la salle à manger du monastère. Une soupe, des galettes et des fruits. Simon était entouré de Sabbah, Salwan et deux autres religieux dont le prêtre replet. L'ambiance du dîner, presque irréelle, évoquait une cène improvisée dans le presbytère. Ils levèrent leur coupe d'eau minérale pour trinquer à l'avenir du monde et se dispersèrent dans les chambres du presbytère.

– Vous partirez à l'aube, avertit Salwan. Réveil à 4 heures.

Simon se retira dans une pièce spartiate meublée d'un lit et d'un lavabo. Terrassé par une migraine, il s'allongea après avoir pris quelques notes.

On frappa à sa porte.

Il se leva en grimaçant et alla ouvrir. C'était Sabbah, pieds nus.

– Tu as oublié de me dire quelque chose ?

– Que voudrais-tu savoir de plus ?

– La vérité, par exemple.

– Je te l'ai déjà donnée.

Il esquissa un sourire narquois pour souligner qu'il n'était pas dupe.

– La femme que tu connais est bien celle que je suis. Je m'appelle Sabbah Shahi, je suis d'origine syrienne. Mes parents vivent à Damas, je travaille à l'Unesco, je crois en Dieu et au Coran des origines, je vis à Paris dans un trois pièces avec un chien baptisé La Truffe, j'aime cuisiner pour les gens que j'aime...

– Et tu es encore vierge en attendant de trouver le mari qui te voilera.

Elle se troubla un peu.

– Je garde ma virginité pour mon époux avec qui je finirai ma vie en Syrie. Mais je n'ai jamais émis le vœu d'être voilée. Le voile est une invention des musulmans qui n'est pas dans le Coran.

Ils se tenaient l'un en face de l'autre sur le seuil de la chambre.

– Tu as toujours des doutes sur ma chasteté ? demanda-t-elle.

– Oui.

– Je peux te prouver que je dis vrai.

Elle avança un pied dans la chambre. Il recula devant l'assaut de l'ensorcelant apôtre. Sabbah verrouilla la porte derrière elle et le poussa sur le lit. Elle retira son chandail, fit glisser son jean, dégrafa son soutien-forge, ôta sa culotte. Simon ne bougeait pas, hypnotisé par la vestale jaillie d'un tas de vêtements tombés comme des pétales.

Il ne prononça aucun mot.

Elle s'offrit à lui.

87

Quelqu'un tambourinait à la porte. Simon ouvrit un œil, se leva en titubant et alla ouvrir. Il se retrouva face au prêtre joufflu, qui affichait un air gêné.

Il réalisa qu'il était nu.

– Il est 3 h 45, annonça le gros. Le camion va bientôt arriver.

– Je m'habille.

Simon fit couler l'eau du robinet du lavabo sur son crâne pour se réveiller. Il dressa un rapide récapitulatif des événements récents : il était arrivé la veille au monastère de Maaloula, on le prenait pour le Messie, on allait le conduire auprès du patriarche de la communauté des nazôréens et Sabbah l'avait rejoint dans la nuit... À moins qu'il n'ait rêvé ce dernier point.

En quête d'une trace de leurs ébats, il s'examina dans la petite glace au-dessus du lavabo. Celle-ci lui renvoya le reflet d'une marque rose sur le cou. Il se retourna et ouvrit le lit. Il arracha les draps du matelas et les mit en boule pour ne pas trahir celle qui avait offert son sang au « Messie ».

Lorsqu'il pénétra dans la salle à manger du presbytère, Sabbah était déjà là. Elle baissa sa tasse de café pour lui envoyer un regard et un sourire resplendissants qui en disaient long sur la relation qu'ils avaient eue durant la nuit. Salwan ibn Nawfal se tenait debout dans un coin de la pièce et les observait.

— Bien dormi ? demanda-t-il.

— Oui, répondit Simon sans s'épancher.

Il s'installa devant une tasse fumante que l'archevêque avait posée sur la table.

— Vous voulez manger quelque chose ?

— Non, merci, à cette heure de la journée, j'ai rarement faim.

— C'est le meilleur moment pour se déplacer. On rencontre peu de milices.

Simon but son café sans quitter Sabbah des yeux.

— Khairo nous attend, s'impatienta Salwan.

Après avoir récupéré son sac, Simon suivit l'archevêque. Sabbah marchait à ses côtés. Leurs mains se frôlèrent discrètement.

Le camion ronronnait devant le monastère en dégageant une fumée plus noire que la nuit. Au volant, le fermier leur fit signe de monter. Sabbah et Simon s'engouffrèrent à l'arrière après avoir salué le prélat.

— La prochaine fois que je vous reverrai, ce sera dans un monde meilleur, lança Salwan en refermant la portière.

Cette phrase inquiétante résonna dans l'esprit de Simon qui, étrangement, avait du mal à garder l'esprit clair.

Khairo Abboud démarra dans un grincement d'embrayage et dévala une pente entre deux rangées de maisons éteintes. Ils semblaient être seuls au monde. Simon sentit soudain la fatigue l'écraser. Avait-il si peu dormi que ça ?

Pris de vertiges, il laissa sa tête tomber sur l'épaule de Sabbah avant de sombrer.

88

— On est arrivés, Simon.

Sabbah essayait de l'arracher à son sommeil. Aveuglé par la lumière du jour et un visage radieux, il plissa les paupières.

— Tu as dormi tout le long de la route.

— Où est-on ?

— Chez nous.

— Chez qui ?

— Les nazôréens.

— Quelle heure est-il ?

— Presque 7 heures. On a roulé trois heures.

Il se redressa, une barre entre les tempes. Une dizaine de personnes vêtues de treillis couleur sable étaient groupées autour du camion que Khairo avait garé dans une vallée étroite et encaissée. Ce dernier fumait à l'écart en compagnie d'une femme en foulard.

Simon descendit. Le groupe s'écarta et s'inclina dans un murmure. Sabbah s'avança vers un homme d'une trentaine d'années dont le visage aux trois quarts recouvert d'un poil dru le faisait ressembler à un loup. Ils échangèrent quelques mots avant que Simon ne soit invité à les suivre.

— Pour tous ces gens, il n'y a pas de doute, tu es le Messie, lui murmura Sabbah.

— Et toi, tu le penses toujours ?

— Plus que jamais.

— Tu couches avec le Messie ?

— Comme Marie Madeleine.

– Où va-t-on ?

– Rencontrer le patriarche.

La gorge se rétrécissait sur une centaine de mètres avant de se transformer en gruyère. Des cavités étaient creusées dans les parois rocheuses.

– Les nazôréens sont des troglodytes ? s'étonna Simon.

– C'est le meilleur moyen de se cacher.

– Contre qui ?

– Les fils des ténèbres.

Ils empruntèrent une galerie qui se divisait à l'intérieur de la montagne à la manière d'une arborescence. L'homme à la tête de loup que Sabbah appelait Mathieu les guida jusqu'à une porte gardée par un homme armé. Le gardien leur ouvrit sans aucune formalité, et ils débouchèrent sur une immense caverne aménagée en entrepôt. Des néons éclairaient des caisses, des cartons, des rayonnages de livres et quelques ordinateurs portables posés sur des tables à tréteaux. Des câbles couraient le long de la roche et un système de climatisation diffusait une température agréable. Ils traversèrent la caverne avant d'en atteindre une deuxième où les attendaient six individus en tenue de combat. Assis autour d'une table ovale, ils se levèrent à leur arrivée. L'un d'eux prit la parole pour s'adresser à Simon.

– Soyez le bienvenu parmi nous. Je me présente, Siméon XVI, patriarche de l'ordre des nazôréens et descendant de la famille de Jésus.

Il présenta les autres personnes par leur prénom : Jean, Abraham, Baptiste, Antoine, David et Nidal.

Simon exprima son étonnement :

– Descendant de la famille de Jésus, avez-vous dit ?

– Jésus de Nazareth, confirma Siméon XVI, né il y a deux mille ans, fils de Marie et de Joseph, aîné d'une famille de quatre enfants. Depuis Jacques Ier, frère de Jésus, et Siméon de Clopas, son cousin qui lui succéda à la tête de la communauté, le sang du Christ coule dans les veines du patriarche.

Siméon XVI s'approcha de Simon.

— À une époque de troubles et de catastrophes, un homme est né pour changer le monde.

Il lui prit les mains.

— Vous permettez ? demanda-t-il.

Simon ne manifesta aucune résistance. Le patriarche ferma les yeux comme s'il essayait de lire en lui à partir de ce contact.

— Maître ! s'écria-t-il en s'agenouillant.

Simon resta impassible car il n'était pas là pour essayer de convaincre des croyants de ne plus croire.

Siméon XVI se releva et s'adressa à ses coreligionnaires.

— Sabbah a mené jusqu'à nous le Messager.

Ils se signèrent.

— Jean, peux-tu aller chercher le Codex Coranicum ? demanda le patriarche.

Le Jean en question, taillé comme un légionnaire, disparut dans une alcôve qui dissimulait une sortie et revint avec une grosse boîte carrée qu'il remit au patriarche. Siméon XVI ôta quatre vis pour l'ouvrir et révéler une pile de peaux manuscrites.

— Le premier Coran, annonça-t-il.

Simon se pencha au-dessus du Codex sans oser le toucher. Le patriarche l'invita à le feuilleter.

Les pages rigides craquèrent entre ses doigts. Elles étaient couvertes d'une belle écriture en syriaque.

— Nous pouvons dire la vérité au monde maintenant et répandre la bonne parole, déclara Siméon XVI avant de citer le verset 3 de la troisième sourate : « *Dieu a fait descendre sur toi le Livre avec la vérité* ».

– Comment avez-vous obtenu ce Codex ? l'interrogea Simon.

– Le Chaldéen nous l'a remis. Il l'a dérobé dans une bibliothèque druze en Syrie.

– Pourquoi vous l'a-t-il confié ?

– Il partage notre foi.

– Il partageait, le corrigea Simon. Il a été tué.

Le patriarche se signa et déclara :

– Dieu ait son âme. Le Chaldéen ne sera pas mort en vain. La vérité éclatera au grand jour et libérera Jérusalem des usurpateurs.

Simon fixait le manuscrit qui était à l'origine de tant de bouleversements et continuait de l'être.

– C'est le Codex B ? demanda-t-il.

– Rien vraiment ne se cache du Messie de ce qui existe sur la Terre, affirma Siméon XVI.

– Et le Codex A est détenu par le P-DG d'une société militaire privée qui partage votre idéologie.

– Rien vraiment ne se cache du Messie, scanda le patriarche.

– Ce qui signifie que Bachar el-Assad ne possède pas le Codex Coranicum.

– Les preuves sont entre nos mains. Et l'histoire sera rétablie.

– Comment ?

– Un homme est né pour changer le monde, répéta Siméon XVI. Le monde entendra son message.

– Les moyens de communication modernes répandront la vérité comme une traînée de poudre, assura le prénommé Baptiste.

– Grâce à la cinquième preuve, ajouta Jean.

– Grâce à vous, Maître, venu par la porte du Messie pour nous sauver, enchaîna David.

— Puis-je voir la vidéo de mon exploit ? demanda Simon.

Le patriarche pria Nidal d'aller la chercher.

Le nazôréen revint avec une tablette tactile sur laquelle il enclencha la lecture d'un enregistrement de mauvaise qualité.

Simon se vit en train de louvoyer entre des tombes sous un éclairage lunaire, s'élancer vers la Porte dorée malgré les avertissements d'un soldat et être avalé par les remparts dans un nuage de poussière. La scène durait moins d'une minute. Estomaqué, Simon demanda à revoir le film. À l'image, l'ébriété lui donnait l'air d'être dans un état second. Mais comment expliquer la suite ? S'il ne s'était pas souvenu s'être trouvé là ce soir-là en compagnie de Markus, il aurait invoqué une mystification. Il se repassa la scène en boucle pour déceler un éventuel montage ou trucage. Lorsqu'il se vit traverser l'épaisse muraille pour la dixième fois, il dut se rendre à l'évidence qu'il disparaissait bien sous les yeux et l'objectif de son propre père.

— C'est impossible ! s'exclama-t-il malgré tout.

— Sauf pour le Messie, argua Siméon XVI.

Les autres se signèrent à nouveau.

— Je comprends votre réaction, continua le patriarche. Abraham, Moïse, Jésus ont vécu eux aussi des périodes de questionnement.

Le doute que Sabbah avait essayé d'instiller en lui était soudain palpable. Son cœur cognait de plus en plus fort contre sa poitrine, ses poumons manquaient d'air, son esprit était assailli de pensées catastrophiques accompagnées du sentiment de perdre le contrôle de soi et de devenir fou.

— Pouvez-vous nous remettre la carte de Syrie ? demanda le patriarche.

Proche de l'étourdissement, Simon tenta de se concentrer sur ce qui l'avait mené jusqu'ici.

– La carte de Syrie ?

– Celle qui fut réalisée par un savant musulman au XIIIe siècle et qui mentionne les noms de lieux originaux.

– C'est la preuve qui vous manque ?

– Elle nous avait été dérobée par un dissident de notre confrérie qui l'avait revendue aux Russes. Vous l'avez retrouvée chez un collectionneur anglais.

– Vous vous êtes servis de moi pour aller la récupérer.

– On ne se sert pas du Messie. C'est nous qui le servons. Vous avez pris seul la décision de vous rendre à Londres. Sabbah ainsi que d'autres membres de notre communauté se sont alors efforcés de sécuriser vos déplacements.

– Qui est l'ennemi ?

– Vous le savez déjà : tous ceux qui n'ont pas intérêt à ce que les cinq preuves tombent entre nos mains.

La vidéo de son incroyable exploit, l'évidence qui peu à peu se mettait en place et l'air confiant de Sabbah incitèrent Simon à restituer la carte de Syrie. L'idée que ce décorum fût orchestré par les nazôréens juste pour la récupérer ne lui traversa l'esprit qu'une seconde.

– Les lettres diplomatiques ont-elles été détruites par les talibans ? demanda-t-il.

– Officiellement, oui. En réalité, elles ont été sauvées par un moine bouddhiste. Estimant qu'elles nous revenaient de juste, le saint homme a traversé les frontières pour les remettre à l'archevêque de Maaloula. Mais trêve de discours, nous vous laissons maintenant examiner tranquillement le Codex B.

Ils se retirèrent, à l'exception de Sabbah qui s'inquiétait de son hébétude.

— Ça va ? demanda-t-elle.

— Comme quelqu'un que tout le monde prend pour le Messie.

— Il y a pire comme sort.

— Comment croire une chose pareille ? Si j'étais le Messie, je devrais ressentir quelque chose en moi.

— Tu le ressens déjà, Simon. Cela s'appelle le doute. Le doute renforce la foi. Tu es dans le même état d'esprit que Jésus quand il réalisa des miracles. Marcher sur l'eau ou traverser un mur n'est pas un but en soi, mais une prise de conscience qui ôte nos œillères et nous mène à la vérité.

— Quelle vérité ?

— Celle que tu cherchais depuis des années.

— Des années ?

— Oui, pendant lesquelles tu faisais le vide en toi. Tes retraites méditatives te préparaient à recevoir l'immense vérité qui va remplir tout ton être.

— Je ne cherchais rien jusqu'à la mort de Paul.

— Tu n'en étais pas conscient. Tes parents, eux, savaient dès ta naissance. Ils ont sacrifié leur vie pour que vienne le jour où tu révélerais au monde ton message.

— Quel message ?

— Il est sous tes yeux.

Sabbah se retira et le laissa devant le Codex.

89

Simon passa la journée seul face au premier Coran, écrit de la main de Waraqa ibn Nawfal dans le but de s'allier les tribus arabes.

Il comprit pourquoi Paul l'avait poussé à étudier l'araméen. En prévision de cet instant. Il s'usa les yeux sur les parchemins antiques dans lesquels soufflait un esprit de conquête.

L'ordre des sourates était différent de celui de la version officielle.

Jésus était omniprésent.

Jérusalem aussi.

Le Temple jouait un rôle central.

Pour bien interpréter le manuscrit, Simon lut en gardant à l'esprit le contexte historique. Le premier temple avait été bâti au VIIIe siècle avant Jésus-Christ par le roi David et son fils Salomon afin d'abriter l'arche d'alliance. Il fut détruit par Nabuchodonosor II en 587 avant notre ère. Le second temple fut construit en 515 avant Jésus-Christ au retour de la captivité des juifs à Babylone. Hérode entreprit une extension du second temple, qui fut détruit en 70.

Le temple de Salomon.

Le temple de Jérusalem.

Le temple d'Hérode.

Deux fois bâti, trois fois baptisé, il ne restait aujourd'hui du temple que les murs de soutènement de l'esplanade construite par Hérode ainsi que les vestiges des arches qui permettaient d'y accéder. Depuis toujours, les nazôréens aspiraient à reconquérir Jérusalem et à construire le troisième temple. Au VIIe siècle, le Coran fut conçu dans cet objectif. Avec succès. En 638, les nazôréens entraient victorieux dans Jérusalem. Mais leurs alliés arabes les évincèrent et firent hâtivement édifier un cube aux dimensions du second temple. Le calife Umar hérita de la tradition nazôréenne : il pratiqua le sacrifice du mouton devant le cube et interdit l'alcool. À la fin du VIIe siècle, le cube fut remplacé par l'octogone que l'on voit encore aujourd'hui. Et le Coran, ouvrage de prosélytisme nazôréen, fut détourné par les Arabes au profit de leurs croisades et de leur propagande qu'ils baptisèrent « islam ».

La révélation du Coran originel pouvait-elle changer le monde ? Allait-elle dans le bon sens ? Pouvait-elle n'être portée que par le Messie ?

Simon devait prendre une décision.

Lui qui n'avait jamais su trouver un sens à sa vie était sur le point de lui en donner un. Comme l'avait souligné Sabbah, toutes ces années à réaliser le vide en lui le rendaient apte à recevoir la vérité. Il avait même été conditionné pour ça. Henri et Paul l'avaient préparé à cette mission depuis son plus jeune âge. Bien que la vidéo de la Porte dorée l'eût ébranlé, il était encore loin de penser qu'il était doté d'un caractère divin. Néanmoins, si Messie signifiait Messager, c'est-à-dire celui qui devait porter le message, tous les signes tendaient à prouver qu'il devait être celui-là.

Simon referma délicatement le Codex et se sentit prêt à délivrer la vérité.

90

Simon passa de l'ombre à la lumière, qui ne parvenait pas à forcer l'entrée de la grotte. Un vent léger fit flotter ses cheveux noirs et la tunique en lin qu'il portait depuis son départ de chez Youstinos Safar. Son discours en tête, il grimpa la colline désertique sur laquelle se dressait un arbre mort en forme de croix. Les herbes sèches et piquantes griffaient ses pieds nus en contact avec la terre. Une mer de roches, de champs et de collines s'étendait à perte de vue. Au loin, un troupeau de moutons se confondait avec les pierres. Le seul bruit que l'on entendait était celui de ses pas sur le sol sec.

Parvenu au sommet, Simon baissa les paupières sur les rayons aveuglants, accueillit le soleil dans ses mains, les vibrations de la terre sous ses pieds, l'air dans ses poumons. Puis il matérialisa un cercle avec des cailloux et se positionna en son centre, veillant à se trouver dans l'axe de la caméra numérique vissée sur un trépied face à lui. Il s'avança pour déclencher l'enregistrement et regagna le cercle.

Face à l'objectif, il s'exprima en araméen : « La vérité est par cinq fois révélée. Sur les versets gravés dans la roche du Dôme à la gloire de Jésus-Christ. Sur la carte antique de la Syrie, berceau de La Mecque biblique. Dans les lettres diplomatiques nazôréennes aux tribus arabes pour reconquérir Jérusalem. Dans le Codex Coranicum, Coran originel conçu par les nazôréens avec la collaboration de Waraqa ibn Nawfal pour évangéliser les tribus arabes. Dans le retour du Messie sur Terre pour rétablir le sacerdoce légitime au sein du Temple. La vérité est par cinq fois prouvée. »

Puis il reprit son discours dans toutes les langues, jusqu'à ce que sa gorge soit totalement sèche et que ses yeux aient cessé de briller.

91

Il pénétra dans la grotte et retrouva les membres de la secte qui guettaient fiévreusement son retour. Simon avait exigé d'enregistrer ce message seul afin de ne pas être perturbé. Son discours allait être monté avec les images des cinq preuves. La vidéo serait ensuite mise en ligne sur

Internet, visionnée par des millions d'internautes, diffusée à la télévision, commentée par les experts du monde entier. Les médias modernes répandraient le message à grande vitesse et à l'échelle planétaire dans un contexte de crises et de catastrophes propice à ce genre de prêche.

Le patriarche et ses adjoints visionnèrent l'enregistrement.

— Vous venez de changer le monde, déclara Siméon XVI avec émotion.

Il remit la carte mémoire à Nidal et à Abraham, chargés du montage et de la mise en ligne.

— Le monde entendra son message, assura Abraham.

— L'histoire est en marche, conclut Siméon XVI avec solennité.

— Elle sera rectifiée, nuança Simon.

Il perçut une odeur de jasmin. Sabbah se tenait dans son dos.

— Les foules crieront ton nom, Simon, prophétisa-t-elle.

Était-ce dû à la responsabilité qu'il venait d'endosser ou au manque de sommeil? Simon fut pris d'un étourdissement.

— Il faut te reposer, dit Sabbah.

Elle l'accompagna jusqu'à sa chambre aménagée dans une grotte. On lui avait attribué la plus confortable. Un puits de lumière creusé dans la roche diffusait un éclairage naturel.

Simon s'allongea sur un épais matelas. Sabbah le rejoignit pour l'embrasser. Le crépuscule se déversait dans le conduit jusqu'à leur chevet pour les couvrir d'une douce lueur.

— Ton message a ouvert la voie à la paix et à la vérité.

— En sommes-nous vraiment sûrs?

— Il entrera dans les consciences. Ben Laden envoyait de sa grotte des vidéos qui ont touché la planète entière.

– C'est sur les effets du message que j'émets des doutes.

– Il désamorcera le djihad, délégitimera l'instrumentalisation politique du Coran, décrédibilisera les extrémistes...

– On joue avec le feu, Sabbah.

– Tu as vengé tes parents et achevé l'œuvre de ton père.

– Et je t'ai gagné toi, ajouta-t-il en l'attirant vers lui.

– Tu peux dire une épouse.

– Nous ne sommes pas encore mariés.

– As-tu oublié que je destinais ma virginité à mon mari ?

– Il me semble que tu as mis la charrue avant les bœufs.

– Raison de plus pour ne pas tarder à nous marier. Nous sommes aussi indissociables que le yin et le yang, Simon.

– Toi, tu serais plutôt le yang, remarqua-t-il.

– Merci, c'est le côté masculin ! s'exclama-t-elle.

– Le yang signifie surtout la lumière, le soleil, l'extraversion, l'action, la force. De nous deux, c'est toi la guerrière.

– Et toi, tu es le yin alors ? Le caractère féminin de notre couple ?

– Pas physiquement, c'est indéniable, dit-il en faisant glisser ses doigts sur les courbes de Sabbah.

– Le yin symbolise la gentillesse, confirma-t-elle.

– L'introversion, la passivité, l'ombre, également.

– Colle-toi à moi alors, que je t'éclaire de ma lumière.

Ils s'enlacèrent, avides d'amour, et s'endormirent, repus de baisers. Simon rêva de lendemains radieux jusqu'à ce que le hurlement de son nom pénètre son sommeil léger et lui fasse ouvrir les yeux. Sabbah était debout dans la chambre et le regardait, horrifiée.

92

– Ils sont devenus fous! s'exclama-t-elle. Il faut t'en aller! J'ai visionné la vidéo. Ils ont enregistré d'autres images. Siméon... il... il nous a menti...

Elle était essoufflée, confuse, paniquée. Elle l'exhortait à fuir avec les preuves, mêlait dans ses propos la construction du troisième temple, la disparition de l'esplanade des Mosquées, l'éradication des fils des ténèbres. Simon ne l'avait jamais vue dans cet état. Il la prit par les épaules jusqu'à ce qu'elle se calme. Sabbah remit de l'ordre dans ses phrases pour l'informer enfin que le patriarche projetait, avec l'aide de la SMP américaine, d'envoyer un missile sur l'esplanade des Mosquées.

– Ils ne pourront pas déclencher la guerre sans que le « Messie » ne le leur commande...

– Ils ont filmé Siméon XVI en train d'annoncer ta mort, le coupa Sabbah.

– Quoi?

Sabbah venait de percer le projet de la secte d'assassiner Simon après avoir mis en ligne son message.

– La secte veut te transformer en martyr, Simon! On va accuser les musulmans. En représailles, Siméon XVI lancera une attaque militaire appuyée par la société militaire privée et légitimée par tes cinq révélations. Le dôme du Rocher et la mosquée d'al-Aqsa seront rasés.

Simon s'habilla en essayant de rester serein.

– Avant de fuir, on doit récupérer le Codex B et la carte de Syrie, dit-il.

– Je sais où ils se trouvent!

Elle le conduisit jusqu'à la bibliothèque. Le garde les laissa entrer en les dévisageant avec insistance. Sabbah fila vers le coffre creusé dans la roche, composa un code, se trompa, recommença, déclencha enfin l'ouverture. Elle s'empara de quelque chose qu'elle glissa sous sa veste avant de prendre la boîte qui contenait le Codex B, la carte de Syrie et les lettres diplomatiques. Simon fourra le tout dans son sac. Ils avaient l'essentiel.

Sabbah saisit la main de Simon et se dirigea vers la porte, qui s'ouvrit sur Mathieu.

– Qu'est-ce que vous faites ? demanda-t-il en leur barrant le passage.

Une seconde plus tard, il s'écroulait à leurs pieds. Simon avait à peine eu le temps de voir le poing de Sabbah le percuter au sternum avec la vitesse et la puissance d'un piston.

Sabbah enjamba le corps, fit signe à Simon de la suivre et se mit à courir.

Ils rencontrèrent un gardien affolé, qui épaula son arme en les voyant. Sabbah dévia de sa trajectoire, posa un pied sur la paroi pour gagner de la hauteur et vola sur l'obstacle. La tête du gardien rencontra la semelle de la jeune femme, qui continua sa course sans ralentir ni se retourner. Simon sauta au-dessus du nazôréen inanimé et essaya de ne pas se faire distancer par Sabbah, qui semblait savoir où elle allait.

Des bruits de bottes et des cris résonnaient dans les galeries.

Sabbah et Simon jaillirent enfin à la lumière du jour.

– Merde ! s'écria-t-elle.

Un groupe armé de nazôréens les attendait.

Dans leur dos, le patriarche les interpella.

93

Durant quelques secondes, on entendit le vent souffler dans la gorge, comme si la montagne haletait. Personne n'osait bouger.

— Où fuyez-vous ? lança Siméon XVI.

— Je suis pressé d'aller méditer un peu à l'écart, répondit Simon.

— Pourquoi emmener Sabbah et emporter le Codex avec vous ?

Simon jeta le sac à terre.

— Je vous laisse les preuves mais Sabbah reste avec moi.

— Vous abandonneriez le Coran originel pour une femme ?

— Un vieux parchemin contre un être vivant ?

— Vous avez besoin de Sabbah pour méditer ? s'esclaffa Mathieu.

Pénétré par son rôle, Simon entreprit de convertir le groupe qui l'entourait.

— À son contact, je m'éveille et plus rien ne me manque. Sabbah est mon salut. Car en vérité le paradis est ici, maintenant, avec elle. Vos preuves ne valent rien comparées à son regard, un missile n'aura jamais l'impact de son sourire, l'esplanade des Mosquées sera toujours un tas de pierres sèches à côté de son cœur. Quand nous faisons l'amour, je suis immergé dans le moment. Alors oui, je ne médite jamais aussi bien que lorsque je suis avec Sabbah.

Le court sermon de Simon toucha Sabbah et médusa les nazôréens, qui avaient convergé par dizaines, comme un torrent, au fond du défilé.

– Vous devez rester au sein de la communauté, clama le patriarche.

– Les apôtres imposèrent-ils à Jésus la voie à suivre ?

Sans attendre de réponse, Simon prit la main de Sabbah et marcha vers la foule qui s'écarta comme la mer Rouge.

– Arrêtez-les ! ordonna Siméon XVI.

– Je suis le Messie ! leur rappela Simon.

Devant l'hésitation de ses hommes, le patriarche rattrapa Simon et se planta devant lui.

– Si vous êtes le Messie, votre place est ici, à l'aube d'une nouvelle ère.

Simon lui répondit solennellement :

– Il y a quatorze siècles, les nazôréens ont inventé le Coran pour s'allier les Arabes dans la reconquête de Jérusalem. Aujourd'hui, vous avez créé un Messie pour vous allier le P-DG évangéliste d'une SMP. Avec toujours le même objectif ! Nous sommes au cœur d'une machination qui a traversé le temps.

– Rien vraiment ne se cache du Messie, lança le patriarche. Le soutien cette fois vient des évangélistes américains, qui partagent notre vision du Nouveau Monde et qui sont à la tête d'une armée plus puissante que celle des États-Unis. Aujourd'hui, tout est en place pour la reconstruction du troisième temple !

94

La foule se referma sur les deux fugitifs. Simon comprit que son statut de Messie avait des limites.

– Nous nous sommes fait avoir tous les deux, déplora-t-il.

– Rappelle-toi que je ne suis pas une fille comme les autres, répliqua-t-elle.

Sabbah sortit de sa veste l'objet qu'elle avait dérobé dans le coffre : un pistolet automatique. Elle balaya l'espace à trois cent soixante degrés avec son poing armé. Les nazôréens s'écartèrent.

– Ramasse ton sac, ordonna-t-elle à Simon tout en braquant le patriarche.

– Copuler avec cet homme t'a détournée de nous, l'accusa Siméon XVI.

– Cet homme est celui que nous attendions tous, argua Sabbah. Il ne peut pas me détourner de l'idéologie qu'il incarne.

– C'est un imposteur ! lança un nazôréen.

– Si c'est le cas, il faut annuler le lancement du missile, répliqua-t-elle.

– On ne peut plus faire marche arrière, annonça Siméon XVI.

Sabbah se retourna sur Simon qui ouvrait une brèche à travers une troupe indécise. Prenant le patriarche en otage, elle s'engouffra dans son sillage. Ils s'éloignèrent peu à peu des miliciens crispés sur leurs armes avant de filer en direction d'une faille dans la roche. Sabbah repoussa brutalement Siméon XVI avant de s'y faufiler à la suite de Simon. Ils progressèrent de guingois en raclant les parois et débouchèrent au-dessus d'une vallée aride. Sur l'autre versant, Simon distingua un village surmonté d'une église. Stupéfait, il reconnut le monastère de Mar Takla.

– Nous n'avons pas quitté Maaloula, lui avoua Sabbah avant qu'il ne pose la question.

– Quoi ?

– Salwan avait versé un somnifère dans ton café. Mesure de précaution imposée par Siméon XVI.

Ils dévalèrent la colline en courant sur les cailloux, utilisant la déclivité pour aller plus vite, soulevant la poussière qui les rendait invisibles.

Des coups de feu retentirent. Simon sentit une piqûre dans son dos. Il s'efforçait de coller à Sabbah dont l'agilité et la célérité trahissaient un entraînement poussé. Il se débarrassa de ses sandales, accéléra sa course, survola la pente raide et rude. Chaque foulée lui meurtrissait les pieds, pompait son sang, cognait contre sa poitrine, irradiait une douleur aiguë le long de l'épine dorsale. Il bondissait au-dessus des roches acérées et des buissons aiguisés, slalomait entre les pierres qui roulaient au passage de Sabbah devant lui, glissait dans les escarpements dégagés.

Parvenue en bas, Sabbah s'élança sur la route centrale en direction de Maaloula, sans se retourner sur Simon qui la suivait de près dans un tourbillon de terre et de broussailles.

— Où vas-tu ? lui cria-t-il.

Il essaya de la rattraper mais le paysage tourna autour de lui. Sabbah le distança jusqu'à ne plus ressembler qu'à un minuscule point dansant sur l'horizon. Le ciel bascula, les collines se renversèrent, le sol se plia, Simon s'écroula.

Le rugissement d'un moteur lui fit reprendre connaissance. Une portière s'ouvrit au-dessus de sa tête avant d'être écornée par des tirs sporadiques.

Sous le sifflement des balles, deux femmes le hissèrent à bord d'un gros 4 × 4.

— Ça va aller ? demanda Sabbah à Simon.

Elle roula son écharpe en boule et l'appuya sur la plaie pour arrêter l'hémorragie. Son visage en sueur semblait fondre comme de la cire. Ses cheveux avaient blondi avec la poussière.

Une rafale crépita à l'arrière du véhicule, qui démarra en trombe, bondissant à chaque passage de vitesse. La conduite sportive de celle qui les avait pris en stop remuait l'estomac de Simon. Pour combattre son envie de vomir, il se redressa sur la banquette.

– Qui est-ce ? demanda-t-il à Sabbah.

– Une voiture que j'ai arrêtée sur la route.

– C'est la providence qui vous envoie ou les services secrets syriens ? demanda-t-il à la conductrice.

– Ce sont les coups de feu, répondit-elle d'une voix éraillée.

Il connaissait cette voix.

– Qui êtes-vous ?

– Nous nous sommes déjà rencontrés.

Elle lui renvoya l'image de son visage via le rétroviseur intérieur. Simon reconnut la femme avec laquelle il avait discuté au White Trash à Berlin.

– Vous êtes l'amie de Markus... de mon père ! Que faites-vous ici ?

– Je suis monsieur X, avoua-t-elle.

95

Le 4 × 4 fit une embardée dans un virage.

– Quel est votre vrai nom ? demanda Simon au sortir d'une courbe rocailleuse.

– On se contentera de monsieur X, répondit la conductrice. Ce pseudonyme a le double avantage de préserver mon anonymat et d'orienter les soupçons sur un individu de sexe masculin.

Elle actionna les essuie-glaces pour balayer la pellicule de poussière sur le pare-brise et profita d'une longue ligne

droite pour livrer quelques explications. Elle était cher-
cheuse au sein du Corpus Coranicum. La quête d'Henri
les avait fait se rencontrer. Elle avait compati au drame qui
avait détruit sa vie et l'avait aidé en lui fournissant, à l'insu
de sa direction, des copies de clichés que Bergsträsser
avait pris du Codex A à Maaloula et du Codex B dans
une bibliothèque druze. Elle s'était éprise d'Henri et avait
épousé sa cause.

– Il me parlait souvent de son fils qu'il surveillait
de loin. J'ai fait votre connaissance dans ce restaurant à
Berlin. J'ai enfin pu voir l'enfant de l'homme que j'aimais.
Nous nous sommes croisés une deuxième fois à l'entrée du
Corpus Coranicum. Vous ne m'avez pas reconnue car je
portais un hijab.

– Un hijab ?

– Je voulais absolument ce job à l'époque. Leur faire
croire que j'étais musulmane était le meilleur moyen d'intégrer l'équipe de chercheurs d'Angelika Neuwirth.

– Pourquoi m'avoir aiguillé sur Oskar Lander dans
votre lettre ?

– J'ignorais où se cachait Henri. Je vous ai donc orienté
vers sa source.

– Comment m'avez-vous retrouvé ?

– Youstinos Boulos Safar m'a appris l'assassinat
d'Henri. J'ai aussitôt pris un avion pour Damas. Youstinos
s'est occupé de la dépouille de votre père.

Monsieur X esquiva une ornière qui les aurait engloutis,
patina et crabota pour éviter l'ensablement. Elle poursuivit
son chemin et son explication.

– Youstinos m'a indiqué la direction que vous aviez
prise. J'ai loué le plus gros 4×4 de la région pour remonter
votre trace jusqu'à Maaloula. Je roulais vers la secte lorsque
j'ai entendu les coups de feu.

– Mon père et vous étiez liés jusqu'à quel point ?

– J'aimais votre père. Mais, dans son cœur, il n'y avait de place que pour votre mère Leila. Il l'avait sacralisée et n'ambitionnait que d'anéantir l'idéologie responsable de sa mort.

– Je crois qu'on les a semés, dit Sabbah en se retournant.

– Je ne sais pas si c'est une bonne chose, dit monsieur X.

– Pourquoi ?

– Cela signifie que les nazôréens ne seront plus là pour nous protéger de tous les autres.

96

Ils empruntèrent une route cahoteuse qui justifiait à elle seule la location du véhicule tout-terrain.

– La frontière libanaise n'est pas loin, les rassura la conductrice.

– Je sais, j'ai parcouru l'aller à pied, dit Simon.

– On passera la nuit chez Youstinos. Demain, on gagnera l'aéroport de Beyrouth.

– Vous croyez que ça va se terminer comme ça ? En prenant un avion ?

– J'en sais rien, je ne suis pas prophète, moi.

– Moi non plus, rétorqua Simon.

– Je sais.

– Qu'est-ce que vous insinuez ? intervint Sabbah.

– Les tremblements de terre en Israël, vous en avez entendu parler ?

– Quel rapport ?

– Les secousses qui ont frappé Jérusalem ont touché la muraille de la vieille ville et provoqué une fissure à travers la Porte dorée. Simon est passé par cette brèche.

– Quoi ? s'exclama Simon. Vous avez la preuve de ce que vous dites ?

– Il est trop tard pour en avoir.

Monsieur X s'adressa à Simon via le rétroviseur :

– Un contact à Jérusalem m'a informée que des travaux de réfection ont été réalisés d'urgence au niveau de la Porte dorée le lendemain de votre arrestation sur l'esplanade des Mosquées. La vérité, c'est que votre père a profité de cette opportunité incroyable pour faire de vous le Messie.

– Quelles étaient ses intentions réelles ? demanda Simon.

– Je vous l'ai dit : anéantir l'islam en révélant la vérité sur les origines du Coran. Mais il avait besoin d'un « Messie » pour porter le message avec efficacité.

– Je ne suis pas sûr que son objectif était si noble.

– Pourquoi pensez-vous ça ?

– Mon père s'est servi de moi et des nazôréens pour assouvir une vengeance implacable qui incluait le bombardement de l'esplanade des Mosquées.

– Vous ne savez pas tout. Ni Sabbah d'ailleurs.

Elle attendit de traverser la frontière pour ralentir son allure et leur révéler ce qu'ils ignoraient tous les deux.

– Certes, Henri nourrissait l'ambition de venger votre mère Leila et l'enfant qu'elle portait...

– Ma mère était enceinte ?

– Vous ne le saviez pas ? Je suis désolée de vous l'apprendre. Henri m'avait confié que Leila était sur le point de lui annoncer la nouvelle lorsque l'explosion l'a emportée. Henri décida de mener à terme les recherches historiques et linguistiques sur le Coran qu'il avait entreprises avant l'attentat et qui devaient sérieusement remettre en question l'islam. Il intégra la secte des nazôréens pour avoir accès à leurs connaissances. Il en vint même à partager certaines de leurs thèses. Henri gagna de l'influence au sein de la communauté. Mais ses vues à long terme différaient de celles de Siméon XVI. Le premier voulait jeter la vérité à la face du monde. Le second voulait lever une armée. Deux versions du protocoran s'affrontaient en coulisse. Le Coran spirituel contre le Coran politique. Les deux ne pouvaient pas coexister.

– Qu'est-ce que vous essayez de me dire ?

– Henri était devenu un obstacle au grand dessein de Siméon XVI.

– Vous croyez que ce sont les nazôréens qui l'ont abattu ?

Un scintillement dans le désert.

– Probable, mais Henri s'était fait beaucoup trop d'ennemis pour espérer trouver un endroit sur cette planète où il aurait été en sécurité.

Au lieu de bifurquer sur Tfail, qui était un cul-de-sac, monsieur X continua sur Ain-el-Jaouze. Simon savait que lui non plus ne pouvait plus envisager de se retirer dans un lieu sûr.

Cette pensée lui traversa l'esprit peu avant la balle.

Une détonation partit du scintillement. Un projectile perfora la vitre, frappa son front, sortit à l'occiput et termina sa trajectoire rectiligne dans le montant de la lunette arrière.

Simon entendit Sabbah crier. Il vit le visage de la femme qu'il aimait éclaboussé de sang. Le monde chavira autour de lui. Il lutta contre la mort. Puis il ferma les yeux et lâcha prise, cédant au principe sacrificiel du messianisme.

97

Sa tête reposait sur les genoux de Sabbah qui hurlait à monsieur X d'aller plus vite. Le véhicule dans lequel Simon était couché avalait la distance qui les séparait de leur destination en sautant comme un bison sauvage. La roue s'enfonça dans une ornière, le 4 × 4 se cabra et dérapa sur l'accotement. Un pneu explosa.

— On va rouler sur une jante, avertit monsieur X en redressant son véhicule.

À l'arrière, Sabbah utilisait son débardeur en guise de compresse sur le crâne ouvert de Simon...

— Que s'est-il passé ? balbutia-t-il.

— Un sniper nous a tiré dessus, répondit monsieur X.

— Je sens une force... au-delà...

— Ne t'épuise pas à parler, le coupa Sabbah.

Il la contempla une dernière fois, plus belle et douloureuse que *La Pietà* de Michel-Ange.

— Le monde est magnifique, soupira-t-il.

Il perdit connaissance en souriant.

ÉPILOGUE

Sabbah reposa *Corse-Matin* sur la table du salon couverte d'un épais manuscrit et de missives datant de quinze siècles, de carnets remplis de notes, de copies de rapports, d'une carte antique et de cartes mémoire.

Elle augmenta le son de la musique dans ses oreilles et se leva pour contempler la mer par la fenêtre de l'appartement qu'elle louait sous un faux nom.

À l'autre bout de la Méditerranée, Israël n'était plus secoué par les tremblements de terre, à moins que la presse ne minimisât l'importance des séismes afin que personne n'y voie un avertissement de Dieu. L'esplanade des Mosquées n'avait toujours pas été frappée par le missile nazô-évangéliste pointé sur elle.

Les écouteurs du MP3 de Sabbah diffusaient la bande originale de *La Jeune Fille de l'eau*. L'envolée des violons composée par James Newton Howard pour ce film la ramenait à ce personnage joué par Night Shyamalan, convaincu qu'un livre pouvait changer l'humanité.

Son livre à elle aurait-il cette faculté ?

Bouleverserait-il la position du Coran dans le monde ? Mettrait-il fin à son instrumentalisation politique pour libérer la part mystique qui était demeurée au fil des réécritures. Comme celle des soufis par exemple, visant à atteindre un niveau spirituel élevé, privilégiant la relation intime avec Dieu sur la conquête de territoires, pratiquant une religion de l'amour et non de la haine.

Son livre sonnerait-il le glas du projet nazôréen de raser l'esplanade des Mosquées ? Pour l'instant Siméon XVI ignorait si Simon avait été abattu. Sans son cadavre, il ne pouvait pas en faire un martyr ni accuser les islamistes de l'avoir assassiné et justifier ainsi des représailles.

Sabbah était la seule, avec son chien, à savoir où se cachait Simon. Même monsieur X, qui les avait aidés à quitter clandestinement le Liban, l'ignorait. Elle savait aussi que la secte mettrait tout en œuvre pour retrouver les deux fugitifs et les preuves qu'ils avaient emportées avec eux.

La Truffe émit un geignement. Le berger allemand dormait devant la porte de la chambre à coucher qu'il gardait les yeux clos.

Sabbah allait se débarrasser de ces preuves qui menaçaient à tout moment de lui exploser dans les mains.

Elle trouverait quelqu'un pour finir le job. Après tout, les prophètes n'écrivent pas leur livre eux-mêmes.

Elle ferait publier la vérité sous la forme d'un thriller, idéal pour rendre le message accessible.

Un salon du livre se tenait à Porto-Vecchio. Sabbah s'était renseignée sur les auteurs présents à la manifestation. L'un d'eux avait écrit un thriller ésotérique. Elle lui remettrait tout.

Elle embarquerait ensuite sur un bateau vers une nouvelle destination, provisoire, connue de personne. Se déplacer tout le temps était devenu son lot, à l'instar de Markus. Une cible mouvante est plus difficile à atteindre.

Elle repasserait forcément un jour par son pays, là où tout commence, car il restait des vérités à déterrer.

Elle reviendrait avec d'autres preuves qui corrigeraient l'histoire.

À condition que le monde existe encore...

REMERCIEMENTS

Je remercie particulièrement Guillaume Hervieux, qui m'a apporté ses connaissances théologiques et sa collaboration active dans les investigations menées pour préparer l'écriture de ce roman. Guillaume, tu resteras toujours associé à *La Porte du Messie*, pour le pire et surtout pour le meilleur.

Je remercie également Emmanuel Forat, qui a réalisé un saisissant *book trailer* à partir de cette histoire et qui m'a aidé à garder la foi dans les périodes de doute. *Thanks, Dude!*

Merci aussi à Laurent et à Juan Ignacio pour votre précieux concours sur le tournage du *book trailer*.

Merci à la fée Olga Logvina qui sait résumer mille mots en une photo.

Merci à l'équipe du Cherche Midi qui a osé publier ce livre avec un magnifique enthousiasme.

Merci à mon épouse qui a supporté avec angoisse l'accouchement difficile de l'ouvrage que vous tenez entre les mains.

Merci enfin à tous ceux qui soutiennent activement mon travail depuis le début, Loïc, Stéphanie, Dominique, Gérard, Marc, Christine, Jérôme, Christiane, Jacques, Corinne, Claude, Philippe, Nicolas, Delphine et les autres...

Bibliographie non exhaustive

La plupart des faits historiques et linguistiques rapportés dans ce roman sont avérés et reposent sur les travaux d'orientalistes, de codicologues, d'historiens, de philologues, de paléographes et d'archéologues de renom qui ont consacré leur vie aux recherches sur le Coran. Certains de ces travaux ont été publiés, parfois traduits en français, parfois sous un pseudonyme, souvent au détriment de la sécurité et de la carrière de leur auteur. Voici une liste non exhaustive de ces ouvrages qui accréditent les thèses avancées dans *La Porte du Messie* et auxquels Sabbah et Simon ont eu recours dans leurs recherches.

Autour des origines du Coran et de l'islam :
– James Appel, *Le Jésus du Coran et des Évangiles,* Éditions MD, 2013.
– Walid N. Arafat, *New Enlightenment on the Story of the Banû Qurayza and the Jews of Medina,* in *Journal of the Royal Asiatic Society,* 1976.
– Mohammed Arkoum, *Lecture du Coran,* Maisonneuve & Larose, 1982.
– Mohammed Arkoum, *Pour une critique de la raison islamique,* Maisonneuve & Larose, 1984.
– Mohammed Arkoum, *Ouverture sur l'islam,* Jacques Granger, 1989.
– Régis Blachère, *Le Coran,* Maisonneuve & Larose, 2005.
– Régis Blachère, *Le Problème de Mohamet – Essai de biographie critique du fondateur de l'islam,* Puf, 1952.

– Régis Blachère, *Introduction au Coran*, Maisonneuve & Larose, 1993.

– François Blanchetière, *Enquête sur les racines du mouvement chrétien*, Éditions du Cerf, 2001.

– H. Busse, *TthQ 161*, 1981.

– Patricia Crone, *Meccan Trade and the Rise of Islam*, Gorgias Press, Piscataway, États-Unis, 2004.

– Patricia Crone et Michael Cook, *Hagarism. The Making of the Islamic World*, Cambridge University Press, 1977.

– Patricia Crone et Martin Hinds, *God's Caliph. Religious Authority in the First Centuries of Islam*, Cambridge University Press, 1986.

– A.-M. Delcambre (et *alii*), *Enquêtes sur l'islam*, Desclée de Brouwer, 2004.

– René Dussaud, *Topographie historique de la Syrie antique et médiévale*, Geuthner, 1927.

– René Dussaud, *Histoire et religion des Nosaïris*, Éditions Bouillon, 1900.

– Robert Eisenman, *The Dead Sea Scrolls and the First Christians*, 1996.

– Amikam Elad, *Why did Abd al-Malik build the Dome of the Rock?*, in Bayt al-Maqdis, *Abd al-Malik's Jerusalem*, Part 1, *Oxford Studies in Islamic Art XI*, Oxford University Press, 1992.

– J. Van Ess, *Frühe Mu'tazilitische Häresiographie*, Beyrouth, 1871.

– Mohamed-Chérif Ferjani, *Islamisme, laïcité et droits de l'homme*, L'Harmattan, 1991.

– Édouard-Marie Gallez, *Le Messie et son prophète*, 2 tomes, Éditions de Paris, 2005.

– Jacqueline Genot-Bismuth, *Le Scénario de Damas*, Éditions François-Xavier de Guibert, 1992.

– Claude Gilliot, « Origines et fixation du texte coranique », in *Études*, décembre 2008, p. 643-652.

– Joachim Gnilka, *Qui sont les chrétiens du Coran ?* Éditions du Cerf, 2008.

– Mahmoud Hussein, *Al-SÎRA (Le Prophète de l'islam raconté par ses compagnons)*, Grasset, tome 1, 2005, et tome 2, 2007.

– Azzi Joseph, *Le Prêtre et le Prophète, aux sources du Coran*, Maisonneuse & Larose, 2001.

– Israël Knohl, *L'Autre Messie*, Albin Michel, 2001.

– Christoph Luxenberg, *Die syro-aramâische Lesart des Koran. Ein Beitrag zur Entschlûsselung der Koransprache*, Berlin, *Das Arabische Buch*, 2000, IX.

– Christian Makarian, *Le Choc Jésus Mahomet*, J.-C. Lattès, 2008.

– Frédéric Manns, *Le Judéo-christianisme, mémoire ou prophétie ?*, Éditions Beauchesne, 2000.

– Simon Claude Mimouni, *Les Chrétiens d'origine juive dans l'Antiquité*, Albin Michel, 2004.

– K.-H. Ohlig et G.-R. Puin, *Neudeutung der Arabischen Inschrift im Felsendom zu Jerusalem*, im *Die Ducken Anfänge. Neue Forschungen zur Entstehung und frühen Geschichte des Islam*, Berlin 2005, 2007.

– Michel Orcel, *L'Invention de l'islam (enquête historique sur les origines)*, Perrin, 2012.

– André Paul, *Qumran et les Esséniens. L'éclatement d'un dogme*, Éditions du Cerf, 2008.

– Alfred-Louis de Prémare, *Aux origines du Coran, questions d'hier, approches d'aujourd'hui*, Téraèdre, «L'Islam en débats», 2004.

– Alfred-Louis de Prémare, «La Construction de savoirs religieux dans les premières générations de musulmans», in *Alpha. Biographies et récits de vie*, IRMC (Institut de recherche sur le Maghreb contemporain), Tunis/Afemam, Aix-en-Provence, 2005, p. 121-132.

– Alfred-Louis de Prémare, *Joseph et Muhammad. Le Chapitre 12 du Coran*, Aix-en-Provence, Publications de l'université de Provence, 1989.

– Alfred-Louis de Prémare, *Les Fondations de l'islam. Entre écriture et histoire*, Éditions du Seuil, 2002.

– Alfred-Louis de Prémare, «Les Premières Écritures islamiques», *REMMM*, n° 58, Aix-en-Provence Édisud, 1990.

– Ray Pritz, *Nazarene Jewish Christianity* [*Le judéochristianisme nazaréen*], Magnes PR, 3e éd., 1992.

– Gerd-Rüdiger Puin, *Observations on Early Qur'an Manuscripts in San'a*, in WILD Stefan ed., *The Qur'an as text*, Leiden/New York/Köln, Brill, 1996.

– Kamal Salibi, Gérard Mannoni, *La Bible est née en Arabie*, Grasset, 1996.

– Daniel Sibony, *Nom de Dieu*, Éditions du Seuil, 2002.

– Ibn Warraq, *Pourquoi je ne suis pas musulman*, L'Âge d'homme, Lausanne, 2000.

Autour de l'Allemagne nazie et du monde musulman:

– Christopher Ailsby, *The Third Reich Day by Day*, Zenith Press, États-Unis, 2001.

– René Alleau, *Hitler et les Sociétés secrètes*, Grasset, 1969.

– Arnaud de la Croix, *Hitler et la Franc-maçonnerie*, Tallandier, 2014.

– Martin Cüppers et Klaus-Michaël Mallmann, *Le Croissant et la Croix gammée (le 3e Reich, les Arabes et la Palestine)*, Éditions Verdier, 2009.

– Stéphane Fabei, *Le Faisceau, la Croix gammée et le Croissant*, Éditions Akribeia, 2005.

– Roger Faligot et Rémi Kauffer, *Le Croissant et la Croix gammée*, Albin Michel, 1990.

– Jeffrey Herf, *Hitler, la propagande et le monde arabe*, Calmann-Lévy, 2012.

– Heinrich Himmler, *Discours secrets*, Gallimard, 1978.

– Sidney Kirkpatrick, *Les Reliques sacrées d'Hitler*, le cherche midi, 2010.

– Matthias Küntzel, préface de Pierre-André Taguieff, *Djihad et haine des juifs: le lien troublant entre islamisme et nazisme à la racine du terrorisme international*, Éditions de l'Œuvre, 2009.

– Peter Longerich, *Himmler : biographie : l'éclosion quotidienne d'un monstre ordinaire*, traduction de Raymond Clarinard, éditions Héloïse d'Ormesson, 2010.

– Michael Mueller, Erich Schmidt-Eenboom, *Histoire des services secrets allemands*, Nouveau Monde, 2009.

– Philippe Simonnot, *Enquête sur l'antisémitisme musulman des origines à nos jours*, Michalon, 2010.

– Albert Speer, *Au cœur du Troisième Reich*, traduction de Michel Brottier, Fayard, 2010.

– Pierre-André Taguieff, *Le Protocole des sages de Sion - faux et usages d'un faux*, Fayard, 2004.

À ces ouvrages s'ajoutent de nombreux écrits ou interviews d'orientalistes qui ont préféré garder l'anonymat, ainsi que des articles de presse, dont :

– Site Autour de la liberté : « Les archives perdues du Coran » (12 janvier 2008).

– *Asia Times*, de Spengler (15 janvier 2008).

– *Wall Street Journal*, "The lost archives", d'Andrew Higgins (16 janvier 2008).

– *The Daily Galaxy* (16 janvier 2008).

– « Le Coran, les Houris et les raisins », de Guy Rachet.

– « Zustände in den, Islamwissenschaften », de Günter Lüling zum 80. Geburtstag, von Zainab a. Müller, in *Aufklärung und Kritik* 2, Berlin, 2009.

Et, bien sûr :

– *La Bible*, TOB, Éditions du Cerf, Paris.

– *Le Coran*, traduction de Régis Blachère, Maisonneuve & Larose, 2005.

– *Le Nouveau Testament*, TOB, Éditions du Cerf, 1972.

TABLE

MIXTE
Papier issu de
sources responsables
FSC® C003309

Les papiers utilisés dans cet ouvrage
sont issus de forêts responsablement gérées.

Mis en pages par Graphic Hainaut 59163 Condé-sur-l'Escaut
Imprimé en France par Normandie Roto Impression s.a.s.
Dépôt légal : mai 2014
N° d'édition : 4000 – N° d'impression : 1401274
ISBN 978-2-7491-4000-1